基本　航海法規

福井　　　淡　原著
淺木　健司　改訂

海　文　堂

は　し　が　き

——新訂18版に当たって——

　本書は，「航海法規」といわれている次に掲げる法令について，大事な全条文（法律）を逐条的に掲げて分かりやすく要点を説明し，この1冊で間に合うようにコンパクトに仕上げたものです。

(1)　海上衝突予防法及びこれに基づく命令

(2)　海上交通安全法及びこれに基づく命令

(3)　港則法及びこれに基づく命令

　主として三級・四級・五級・六級の各海技士（航海）の免許の取得を志す方を対象として，海技士国家試験（海技試験）の「法規に関する科目」に基づいて述べてあります。

　基本的な事項を網羅しているので，これらの方だけでなく，船の運航実務に携わる方やその他航海法規に関する基本的な知識を得ようとされる方にも利便だと思っております。

　前の版以降，関係法令に改正がありました。特に海上交通安全法及び港則法においては近年の頻発・激甚化する異常気象等に対応した改正となっています。この度の改訂においては，それらに即応した新しい内容に書き改めました。

　なお，「法規に関する科目」のうち，「航海法規」以外の「海事法規」（①船員法，②船舶職員及び小型船舶操縦者法，③海難審判法，④船舶法，⑤船舶のトン数の測度に関する法律，⑥船舶安全法，⑦海洋汚染等及び海上災害の防止に関する法律，⑧検疫法，⑨水先法，⑩関税法，⑪海商法，⑫国際公法）については，本書の姉妹書である『基本海事法規』にまとめてあります。

　最後に，本書が「航海法規」を勉学するのに役立ち，海技試験（筆記・口述）の受験対策及び船舶の安全運航の一助となるならば，著者の喜びこれに過ぎるものはありません。

　　令和4年9月11日

　　　　　　　　　　　　　　　　　　　　　　　　　著　　　者

参 考 文 献

⑴　海上保安庁交通部安全課　航行安全指導集録（改訂36版）
⑵　竹爪崇浩ほか　前翼型表面効果翼船の小型自航模型の試作
⑶　福井淡ほか　図説海上衝突予防法・図説海上交通安全法・図説港則法（海文堂）
⑷　海上保安庁海洋情報部　水路図誌
⑸　交通政策審議会　新交通ビジョンを踏まえた海上交通の安全確保のための制度改正について（平成21年1月23日）
⑹　交通政策審議会　船舶交通の安全・安心をめざした第三次交通ビジョンの実施のための制度のあり方について（平成28年1月28日）
⑺　交通政策審議会　船舶交通安全をはじめとする海上安全の更なる向上のための取組（平成30年4月20日）
⑻　交通政策審議会　頻発・激甚化する自然災害等新たな交通環境に対応した海上交通安全基盤の拡充・強化について（令和3年1月28日）

目　　次

第1編　海上衝突予防法

第1章　総　　　　　則……………………………………………………………… 1
第2章　航　　　　　法……………………………………………………………… 9
　第1節　あらゆる視界の状態における船舶の航法…………………………… 9
　第2節　互いに他の船舶の視野の内にある船舶の航法…………………… 35
　第3節　視界制限状態における船舶の航法………………………………… 58
第3章　灯火及び形象物…………………………………………………………… 65
第4章　音響信号及び発光信号………………………………………………… 117
第5章　補　　　　　則…………………………………………………………… 135
　練習問題…………………………………………………………………………… 143

第2編　海上交通安全法

第1章　総　　　　　則…………………………………………………………… 155
第2章　交　通　方　法…………………………………………………………… 163
　第1節　航路における一般的航法…………………………………………… 163
　第2節　航路ごとの航法……………………………………………………… 184
　第3節　特殊な船舶の航路における交通方法の特則…………………… 223
　第4節　航路以外の海域における航法……………………………………… 229
　第5節　危険防止のための交通制限等…………………………………… 232
　第6節　灯火等………………………………………………………………… 234
　第7節　船舶の安全な航行を援助するための措置……………………… 238
　第8節　異常気象等時における措置……………………………………… 242
　第9節　指定海域における措置…………………………………………… 247
第3章　危　険　の　防　止…………………………………………………… 253
第4章　雑　　　　　則…………………………………………………………… 259
第5章　罰　　　　　則…………………………………………………………… 263
　練習問題…………………………………………………………………………… 265

第3編　港　則　法

　第1章　総　　　　　則………………………………………………… 275
　第2章　入出港及び停泊………………………………………………… 281
　第3章　航路及び航法…………………………………………………… 289
　第4章　危　険　物……………………………………………………… 315
　第5章　水路の保全……………………………………………………… 319
　第6章　灯　火　等……………………………………………………… 321
　第7章　雑　　　　　則………………………………………………… 325
　第8章　罰　　　　　則………………………………………………… 349
　港則法施行規則（抄）…………………………………………………… 351
　　練習問題……………………………………………………………… 371

第1編 海上衝突予防法

（ 昭和52年6月1日 法律第62号 ）
（ 最近改正 平成15年6月4日 法律第63号 ）

第1章 総 則

第1条 目 的

> **第1条** この法律は，1972年の海上における衝突の予防のための国際規則に関する
> 条約に添付されている1972年の海上における衝突の予防のための国際規則の規定
> に準拠して，船舶の遵守すべき航法，表示すべき灯火及び形象物並びに行うべき
> 信号に関し必要な事項を定めることにより，海上における船舶の衝突を予防し，
> もって船舶交通の安全を図ることを目的とする。

§1-1-1 **目 的**（第1条）

　海上衝突予防法（以下「予防法」と略する。）は，1972年国際海上衝突予防
規則（条約）の規定（1981年，1987年，1995年及び2003年の同規則の一部改正
を含む。）に準拠して，次のことに関し必要な事項を定めることにより，海上
における船舶の衝突を予防し，もって船舶交通の安全を図ることを目的として
いる。

(1) 船舶の遵守すべき航法
(2) 船舶の表示すべき灯火及び形象物
(3) 船舶の行うべき信号

第2条 適用船舶

> **第2条** この法律は，海洋及びこれに接続する航洋船が航行することができる水域
> の水上にある次条第1項に規定する船舶について適用する。

§1-1-2 適用船舶 (第2条)

予防法は，海洋及びこれに接続する航洋船が航行することができる水域の水上にある船舶に適用される。

1. 「海洋」とは，陸地に囲まれていない広い海のことで，公海だけでなく領海も含んだ水域のことである。

2. 「これに接続する航洋船が航行することができる水域」とは，航洋船が自力で海洋と連続して航行することができる水域のことである。例えば，伊勢湾，名古屋港，瀬戸内海，大阪港，安治川などである。

   したがって，海洋と水は連なっているが航洋船が自力で航行することができない水域（例えば，琵琶湖）には適用がない。

3. 予防法は「水上にある船舶」に適用されるもので，水上にない潜航中の潜水艦や離水した水上航空機などには適用されない。「船舶」とは，第3条（定義）第1項に規定する船舶のことで，これにはエアクッション船や水上航空機も含まれている。

第3条　定　義

第3条　この法律において「船舶」とは，水上輸送の用に供する船舟類（水上航空機を含む。）をいう。

2　この法律において「動力船」とは，機関を用いて推進する船舶（機関のほか帆を用いて推進する船舶であって帆のみを用いて推進しているものを除く。）をいう。

3　この法律において「帆船」とは，帆のみを用いて推進する船舶及び機関のほか帆を用いて推進する船舶であって帆のみを用いて推進しているものをいう。

4　この法律において「漁ろうに従事している船舶」とは，船舶の操縦性能を制限する網，なわその他の漁具を用いて漁ろうをしている船舶（操縦性能制限船に該当するものを除く。）をいう。

5　この法律において「水上航空機」とは，水上を移動することができる航空機をいい，「水上航空機等」とは，水上航空機及び特殊高速船（第23条第3項に規定する特殊高速船をいう。）をいう。

6　この法律において「運転不自由船」とは，船舶の操縦性能を制限する故障その他の異常な事態が生じているため他の船舶の進路を避けることができない船舶をいう。

第1章　総　　則（§1-1-3）　　　　3

7　この法律において「操縦性能制限船」とは，次に掲げる作業その他の船舶の操
　縦性能を制限する作業に従事しているため他の船舶の進路を避けることができな
　い船舶をいう。
　⑴　航路標識，海底電線又は海底パイプラインの敷設，保守又は引揚げ
　⑵　しゅんせつ，測量その他の水中作業
　⑶　航行中における補給，人の移乗又は貨物の積替え
　⑷　航空機の発着作業
　⑸　掃海作業
　⑹　船舶及びその船舶に引かれている船舶その他の物件がその進路から離れるこ
　　とを著しく制限するえい航作業
8　この法律において「喫水制限船」とは，船舶の喫水と水深との関係によりその
　進路から離れることが著しく制限されている動力船をいう。
9　この法律において「航行中」とは，船舶がびょう泊（係船浮標又はびょう泊を
　している船舶にする係留を含む。以下同じ。）をし，陸岸に係留をし，又は乗り
　揚げていない状態をいう。
10　この法律において「長さ」とは，船舶の全長をいう。
11　この法律において「互いに他の船舶の視野の内にある」とは，船舶が互いに視
　覚によって他の船舶を見ることができる状態にあることをいう。
12　この法律において「視界制限状態」とは，霧，もや，降雪，暴風雨，砂あらし
　その他これらに類する事由により視界が制限されている状態をいう。

§1-1-3　船　　舶（第1項）

　「船舶」とは，水上輸送の用に供する船舟類（水上航空機を含む。）をいう。
　「船舟類」とは，船舶の種類，大小，推進方法，用途，形体などのいかんに
かかわらず，一切の船舟及びこれに類するものを指し，水上航空機のほか，エ
アクッション船（§1-3-13）や特殊高速船（§1-1-7）も含まれる。
（具体例）
　動力船，帆船，ろかい船，客船，貨物船，艦船，漁船，コンテナ船，カーフェ
リー，プッシャーバージ，水中翼船，エアクッション船，プレジャーボート（水
上オートバイ等），遊漁船，表面効果翼船，水上飛行艇

§1-1-4　動力船（第2項）

　「動力船」とは，機関を用いて推進する船舶であって，風力や人力を用いる
ものは該当しない。

1. 機関の種類を問うものでないから，ディーゼル，タービン，ジェット推進装置，電気推進装置などのいかんを問わない。したがって，これらの機関や推進装置を有する船は，すべて動力船である。水上航空機も，適用水域の水上にある場合は，動力船である。
2. しかし，かっこ書規定に除外規定があるとおり，例えば，機付のヨットが機関を用いず帆のみを用いて推進しているときは動力船でなく，帆船（第3項）である。もし，このヨットが機関も帆も用いているときは，除外規定に該当しないから動力船である。つまり，船舶が機関を用いていれば，帆を用いているといないとにかかわらず，動力船となる。

§1-1-5　帆　船（第3項）

「帆船」とは，次の船舶である。

⑴　帆のみを用いて推進する船舶
⑵　機関のほか帆を用いて推進する船舶であって帆のみを用いて推進しているもの（第2項かっこ書規定で除かれている船舶）

§1-1-6　漁ろうに従事している船舶（第4項）

「漁ろうに従事している船舶」とは，船舶の操縦性能を制限する網，なわその他の漁具を用いて漁ろうをしている船舶（操縦性能制限船に該当するものを除く。）であって，具体的には，次のものである。

⑴　操縦性能を制限する網による漁ろう
　　（具体例）　棒受け網，きんちゃく網
⑵　操縦性能を制限するなわによる漁ろう
　　（具体例）　浮延なわ，底延なわ
⑶　操縦性能を制限するトロール（網）による漁ろう
　　（具体例）　けた網，オッター・トロール網
　　〔注〕　「トロール」とは，けた網その他の漁具を水中で引くことにより行う漁法をいう（第26条第1項）。水中で引くことであるから，底引きだけでなく，中層を引くことも含んでいる。
⑷　操縦性能を制限するその他の漁具による漁ろう
　　この漁ろうは，上記の網，なわ又はトロール網の漁具ではないが，これらと同様に操縦性能を制限すると認められる漁具を用いる場合である。
1. これらのことから，一般に「漁船」と呼ばれるものであっても，操縦性能

第1章　総　　則（§1-1-7）　　　5

を制限しない漁具を用いて漁ろうをしている次のような船舶は、「漁ろうに
従事している船舶」に該当しない。
① 引きなわを用いて漁ろうをしている船舶
② 一本釣りをしている遊漁船
2．操縦性能を制限する漁具を使用する船舶であっても、その漁具がまだ水中
に投入されず甲板上にある場合は、当然のことながら「漁ろうに従事してい
る船舶」ではない。

§1-1-7　水上航空機及び水上航空機等（第5項）

（1）　水上航空機（第5項前段）
　　　「水上航空機」とは、水上を移動することができる航空機をいう。
　　　（具体例）　　水上飛行艇、水上ヘリコプター
（2）　水上航空機等（第5項後段）
　　　「水上航空機等」とは、次に掲げるものをいう。
　⑴　水上航空機
　⑵　特殊高速船（第23条第3項に規定する特殊高速船をいう。）（具体的には、
　　　現在のところ、表面効果翼船のことである。）（下記（3）参照）
　　　「水上航空機等」という用語は、本項のほか、第18条第6項（航法）、第
　31条（灯火等の緩和）及び第41条第2項（特例）の規定に出てくるものであ
　る。
（3）　特殊高速船（表面効果翼船）（第5項後段）
　　　特殊高速船は、第23条第3項及び「国土交通省令」すなわち海上衝突予防
　法施行規則（以下、本編において「施行規則」又は「則」と略する。）第21
　条の2（特殊高速船）の規定によると、前述のとおり、表面効果翼船のこと
　である。
　　　表面効果翼船とは、図1・1に示すとおり、前進する船体の下方を通過する
　空気の圧力の反作用により水面から浮揚した状態で移動することができる動
　力船のことである。（則第21条の2）
　　　水上航空機が離水後は上空を飛行するのに対して、表面効果翼船は水面に
　接近して飛行するものであり、その速力は著しく高速である。
　　　したがって、特別な航法（第18条第6項）、特別な灯火（第23条第3項）
　などが規定されている。

図 1·1　表面効果翼船（具体例）

§1-1-8　運転不自由船（第6項）

「運転不自由船」とは，運転が不自由となった原因が故障その他の異常な事態によるものであって，そのため他の船舶の進路を避けることができない船舶である。

（具体例）
① 機関故障で動くことができない船舶
② 舵故障で転針することができない船舶
③ 走錨している船舶
④ 無風のため停止している帆船

自船に故障等が生じた場合，船長は運転不自由船に該当するかどうかを判断することになるが，その判断は，この定義規定に沿って客観的に容認されるものでなければならない。軽微な操縦性能の低下を理由に運転不自由船の灯火・形象物（第27条第1項）を表示することは許されない。

§1-1-9　操縦性能制限船（第7項）

「操縦性能制限船」とは，運転不自由船と同様に，他の船舶の進路を避けることができない船舶であるが，その原因は，異常事態の発生ではなく作業（条文に明示されている作業か，その他の操縦性能を制限する作業）の性質によるものである。

条文に明示されている操縦性能制限船に該当する作業は，次のとおりである。しかし，「その他の船舶の操縦性能を制限する作業」と規定されているとおり，これらに限定されるものでない。

第1章　総　　則（§1-1-10）　　　　7

(1)　航路標識，海底電線又は海底パイプラインの敷設，保守又は引揚げ
　　　（具体例）　設標船，ケーブル船，パイプライン敷設作業
(2)　浚渫，測量その他の水中作業
　　　（具体例）　浚渫船，測量船，潜水夫による水中作業船
(3)　航行中における補給，人の移乗又は貨物の積替え
　　　（具体例）　給油船，物資補給船
(4)　航空機の発着作業
　　　（具体例）　航空機を発艦させている航空母艦
(5)　掃海作業
　　　（具体例）　掃海艇
(6)　引き船・引かれ船（物件）がその進路から離れることを著しく制限する
　　曳航作業
　　　（具体例）　タグボートが海難により航行不能となった大型船を曳航して
　　　　　　　　　いるそのその引き船列
〔注〕　これらの操縦性能制限船が表示しなければならない灯火・形象物は，第27条に定
　　められている。

§1-1-10　喫水制限船（第8項）

　「喫水制限船」とは，自船の喫水と可航水域の利用可能な水深及び幅との関
係により，その進路から離れることが著しく制限されている動力船である。
　自船が喫水制限船に該当するかどうかは，運転不自由船の場合と同様に，船
長が定義に沿って解釈し判断することになる。
〔注〕　国際規則の第2次改正（平成元年11月19日発効）で，喫水制限船の定義をより明
　　　確にするため，「……可航水域の利用可能な水深及び幅との関係により…」と改ま
　　　り，アンダーラインの部分が追加された。わが国は，従来からそのように解釈して
　　　きたということであろうか，この第8項は改正されなかった。

§1-1-11　航行中（第9項）

　「航行中」とは，船舶が次に掲げる3つの状態のいずれにも該当しない状態
である。
(1)　錨泊中（係船浮標又は錨泊をしている船舶にする係留を含む。）
　　　錨又はこれに代わるもの（係船浮標や錨泊をしている他の船舶）によっ
　　て，直接又は間接に水底に係止している状態のことである。

(2) 陸岸に係留中

　係留索によって，岸壁，ふとう，桟橋などに直接又は間接に係止している状態のことである。したがって，陸岸に係留をしている他の船舶の船側に係留をしている状態も，これに該当する。

(3) 乗揚げ

　船底が水底（浅瀬，岩礁など）に接して動けない状態のことである。

　これらのことから，次に掲げる船舶は，「航行中」に該当する。「航行中」には，対水速力を有するか有しないかは関係ない。

① 漂泊している船舶

② 停留している船舶（一時的に留まるために速力を持たないでいる船舶）

③ 無風で停止している帆船

④ 錨を用いて回頭している船舶

§1-1-12 長　さ（第10項）

　「長さ」とは，船舶の全長をいう。

§1-1-13 視野の内（第11項）

　「互いに他の船舶の視野の内にある」とは，船舶が互いに視覚，つまり肉眼によって他の船舶を見ることができる状態にあることである。

　船舶が互いに肉眼によって他の船舶を見ることができず，レーダーで探知している場合は，「視野の内にある」に該当しない。

　なお，双眼鏡などの眼鏡類を用いて見ているのは，対象物を拡大して見ているものであるから，「視野の内にある」に該当する。

§1-1-14 視界制限状態（第12項）

　「視界制限状態」とは，霧，もや，降雪，暴風雨，砂あらしその他これらに類する事由により視界が制限されている状態をいう。

　「これらに類する事由」とは，例えば，スモッグ（煙霧），黄砂などである。

第2章　航　　法

第1節　あらゆる視界の状態における船舶の航法

第4条　適用船舶

> **第4条**　この節の規定は，あらゆる視界の状態における船舶について適用する。

§1-2-1　あらゆる視界の状態に適用される航法規定（第4条）

　第1節の規定，すなわち下記の航法規定は，視界の良否に関係なくあらゆる視界の状態における船舶に適用される。

⑴　第5条（見張り）

⑵　第6条（安全な速力）

⑶　第7条（衝突のおそれ）

⑷　第8条（衝突を避けるための動作）

⑸　第9条（狭い水道等）（第2項〜第6項を除く。同条第7項参照）

⑹　第10条（分離通航方式）（第6項〜第8項を除く。同条第9項参照）

第5条　見　張　り

> **第5条**　船舶は，周囲の状況及び他の船舶との衝突のおそれについて十分に判断することができるように，視覚，聴覚及びその時の状況に適した他のすべての手段により，常時適切な見張りをしなければならない。

§1-2-2　見張り義務（第5条）

　すべての船舶は，視界の良否にかかわらず，また航泊の別を問わず，常時適切な見張りをしなければならない。

　「適切な見張り」とは，①周囲の状況及び②他の船舶との衝突のおそれについて十分に判断することができるように，次のすべての方法により見張りをすることである。

⑴　視覚　　　⑵　聴覚

⑶　その時の状況に適した他のすべての手段

　「他の手段」とは，例えば，レーダー，ARPA（自動衝突予防援助装置），VHF 無線電話，夜間暗視装置，あるいは陸上レーダー局（例：ハーバーレーダー，海上交通センター），AIS（船舶自動識別装置）などによる情報などである。

§1-2-3　見張りの注意事項

　見張りは，第5条の規定を遵守して行わなければならないが，見張りをするに当たっては，次に掲げる事項に注意を要する。

1．見張り員は，船員として通常の経験があり，かつ見張術に習熟している。

2．見張り員と操舵員との任務は区別されるものであって，操舵員は操舵中は見張り員とみなされない。ただし，小型の船舶で操舵位置において見張りの障害のない場合は，この限りでない。

3．視程や水域の状況に応じて，適当な位置（前部，高所など。）に，適正な員数の見張り員を配置する。

4．視覚による見張りは眼鏡類も活用し，また聴覚による見張りは外部の音響を聞きやすくするため窓や扉を開け，VHF の音声も適切に調整する。レーダー装備船は，レーダーを使用して系統的な観察をする。

　　見張りは，前方だけでなく全周に対して行われなければならない。

5．見張り員は，視覚，聴覚及びレーダーなどで得た情報を的確に判断し，迅速に当直航海士に報告する。

6．見張りは，状況に応じて，錨泊中も行われなければならない。

第6条　安全な速力

> **第6条**　船舶は，他の船舶との衝突を避けるための適切かつ有効な動作をとること又はその時の状況に適した距離で停止することができるように，常時安全な速力で航行しなければならない。この場合において，その速力の決定に当たっては，特に次に掲げる事項（レーダーを使用していない船舶にあっては，第1号から第6号までに掲げる事項）を考慮しなければならない。
>
> ⑴　視界の状態

第2章　航　　法（§1-2-4）　　　11

(2)　船舶交通のふくそうの状況
(3)　自船の停止距離，旋回性能その他の操縦性能
(4)　夜間における陸岸の灯火，自船の灯火の反射等による灯光の存在
(5)　風，海面及び海潮流の状態並びに航路障害物に接近した状態
(6)　自船の喫水と水深との関係
(7)　自船のレーダーの特性，性能及び探知能力の限界
(8)　使用しているレーダーレンジによる制約
(9)　海象，気象その他の干渉原因がレーダーによる探知に与える影響
(10)　適切なレーダーレンジでレーダーを使用する場合においても小型船舶及び氷塊その他の漂流物を探知することができないときがあること。
(11)　レーダーにより探知した船舶の数，位置及び動向
(12)　自船と付近にある船舶その他の物件との距離をレーダーで測定することにより視界の状態を正確に把握することができる場合があること。

§1-2-4　安全な速力で航行する義務（第6条）

　すべての船舶は，視界の良否にかかわらず，常時安全な速力（セーフスピード）で航行しなければならない。

　「安全な速力」とは，①他の船舶との衝突を避けるための適切かつ有効な動作をとること，又は②その時の状況に適した距離で停止することができる速力である。

　安全な速力の決定に当たっては，本条後段に規定する「考慮すべき事項」（§1-2-5）を考慮しなければならない。

§1-2-5　安全な速力について考慮すべき事項（第6条後段）

　船舶は，安全な速力の決定に当たっては，特に次に掲げる事項を考慮して，速力を減じなければならない。

（1）　すべての船舶が考慮すべき事項（第1号～第6号）
　(1)　視界の状態（第1号）
　　　視界の良否は，安全な速力を決める最も重要な要素である。狭視界時は，速力を慎重に決定する必要がある。
　(2)　船舶交通のふくそうの状況（第2号）
　　　このふくそうの状況には，漁船やその他の船舶が集中している場合も含んでいる。
　(3)　自船の停止距離，旋回性能その他の操縦性能（第3号）

特に，危急の場合の衝突回避において，最短停止距離及び旋回性能は重要である。したがって，これらの性能をよく把握(はあく)して安全な速力を決める必要がある。

このように，これらの性能の良否は，その船舶の衝突回避能力を大きく左右するものである。

(4) 夜間における陸岸の灯火，自船の灯火の反射等による灯光の存在（第4号）

夜間は，港の付近や陸岸の街灯及び照明の明かりと重なり，航路標識や他船が見えにくいことが多い。また，視界制限状態でマスト灯などの灯火が霧や雨に反射して周囲の状況が見えにくいことがある。

(5) 風，海面及び海潮流の状態並びに航路障害物に接近した状態（第5号）

風向・風力，波浪，うねり，海潮流の流向・流速，順潮か逆潮か（特に狭い水道等において），船位と浅瀬・暗岩・沿岸との関係などを考慮する。

(6) 自船の喫水と水深との関係（第6号）

自船の喫水に対する利用可能な水深を有する水域の広さ，浅水影響，側壁影響，2船間の相互作用などを考慮する。特に，喫水制限船は，他の船舶に安全な通航を妨げない動作をとってもらうもの（第18条第4項）であるから，安全な速力の決定に注意を要する。

(2) レーダーを使用している船舶が更に考慮すべき事項（第7号～第12号）

(1) 自船のレーダーの特性，性能及び探知能力の限界（第7号）

自船のレーダーの表示方式，周波数，煙突やマストなどによる不感帯又は陰影帯，偽像，方位の精度，距離の精度，方位分解能，距離分解能，最大探知距離，最小探知距離などを考慮する。

(2) 使用しているレーダーレンジによる制約（第8号）

短距離レンジは近くの物標をよく探知できるが遠い物標を早期に探知できず，また長距離レンジは遠い物標を早期に探知できるが小さい物標を探知しにくいなどの制約がある。したがって，その時の状況に応じてレンジを長距離又は短距離に有効に切り替えたり，レーダーを2台装備している船舶では，レンジを長距離と短距離とに使い分ける必要がある。

(3) 海象，気象その他の干渉原因がレーダーによる探知に与える影響（第9号）

例えば，荒天で波が高いとか，雨雪の激しいときは，大型船でも探知しにくい場合がある。

第2章 航　法（§1-2-5）　　　13

　　このような場合は，海面反射抑制回路（STC）や雨雪反射抑制回路（FTC）
を調整し物標の映像を見失わないようにしなければならない。
　　「その他の干渉原因」とは，例えば，他船のレーダー電波による障害で
ある。
(4)　小型船舶及び氷塊その他の漂流物を探知することができないときがある
　　こと（第10号）
　　適切なレーダーレンジを用いていても，舟艇，木船，FRP船（ガラス
繊維強化プラスチック船）などの小型船はレーダー電波の反射が弱いため
探知されにくい。このような船舶はレーダーリフレクターを掲げることが
有効である。これを掲げている漁船は，探知され易い。
　　切り立った氷山などは，その平滑な表面に当たったレーダー電波の反射
波がアンテナにキャッチされないことがあるため探知されないことがあ
る。
(5)　レーダーにより探知した船舶の数，位置及び動向（第11号）
　　特に探知した船舶が多い場合は，よく映像を観察し，接近してくる船舶
はどれか的確に判断することに努める。
(6)　レーダーで距離を測定することにより視界の状態を正確に把握すること
　　ができる場合があること（第12号）
　　視界制限状態の場合に視程がどのくらいあるかは，目測では熟練してい
ないと分かりにくいものである。このような場合は，レーダーで他船や地
物が見えてきたときや見えなくなろうとするときに距離を測定すると視程
が正確に分かる。

第7条　衝突のおそれ

第7条　船舶は，他の船舶と衝突するおそれがあるかどうかを判断するため，その
　　時の状況に適したすべての手段を用いなければならない。
2　　レーダーを使用している船舶は，他の船舶と衝突するおそれがあることを早期
　　に知るための長距離レーダーレンジによる走査，探知した物件のレーダープロッ
　　ティングその他の系統的な観察等を行うことにより，当該レーダーを適切に用い
　　なければならない。
3　　船舶は，不十分なレーダー情報その他の不十分な情報に基づいて他の船舶と衝

突するおそれがあるかどうかを判断してはならない。

　4　船舶は，接近してくる他の船舶のコンパス方位に明確な変化が認められない場合は，これと衝突するおそれがあると判断しなければならず，また，接近してくる他の船舶のコンパス方位に明確な変化が認められる場合においても，大型船舶若しくはえい航作業に従事している船舶に接近し，又は近距離で他の船舶に接近するときは，これと衝突するおそれがあり得ることを考慮しなければならない。

　5　船舶は，他の船舶と衝突するおそれがあるかどうかを確かめることができない場合は，これと衝突するおそれがあると判断しなければならない。

§1-2-6　衝突のおそれ（第7条）

　本条は，衝突のおそれを判断する方法について，次の事項を定めている。

　⑴　すべての手段の使用（第1項）

　⑵　レーダーの適切な使用（第2項）（§1-2-7）

　⑶　不十分な情報で判断しないこと（第3項）

　⑷　コンパス方位により判断する場合の考慮事項（第4項）（§1-2-8）

　⑸　衝突のおそれがあるかどうかの限界の判断（第5項）

　これらのうち，⑴，⑶及び⑸については，次のとおりである。

（1）　すべての手段の使用（第1項）

　　すべての船舶は，視界の良否を問わず，他の船舶と衝突するおそれがあるかどうかを判断するため，その時の状況に適したすべての手段を用いなければならない。

　　「すべての手段」とは，コンパス方位による方法，レーダーによる方法，ARPAによる方法，AISによる方法，VHF無線電話による方法などである。

　　手段は，「その時の状況に適した」ものとあるから，例えば，昼間視界が良好で，レーダーを使用しないでコンパス方位のみによって衝突のおそれを確実に判断できる場合は，コンパス方位のみでよい。

（2）　不十分な情報で判断しないこと（第3項）

　　船舶は，①不十分なレーダー情報，②その他の不十分な情報に基づいて他の船舶と衝突するおそれがあるかどうかを判断してはならない。

（3）　衝突のおそれがあるかどうかの限界の判断（第5項）

　　船舶は，衝突するおそれがあるかどうかを確かめることができない場合は，衝突するおそれがあると判断しなければならない。

　　「確かめることができない場合」とは，例えば①他船のコンパス方位を測

ろうとするが構造物の陰になって正確に測ることができないとか，②レーダースコープ上で波浪による海面反射がひどいため他船の映像の判別がしにくく十分に測定できない場合などである。

§1-2-7 衝突のおそれを判断するためのレーダーの適切な使用（第2項）

レーダーを使用している船舶は，他の船舶と衝突するおそれがあるかどうかを判断するため，レーダーを適切に用いなければならない。

「適切に用いる」とは，次の方法により行うことである。

(1) 衝突するおそれがあることを早期に知るための長距離レーダーレンジによる走査
(2) 探知した物件のレーダープロッティングその他の系統的な観察等

「レーダーを使用している」とは，やむを得ない事由等で作動できない場合を考慮したもので，使用するかどうかを任意としている意味ではない。

「長距離レーダーレンジによる走査」を求めているのは，レーダーは，視界の良否にかかわらず，目で見ることができない遠距離の物件を探知できるので，衝突予防のため，レンジスケールを短距離だけでなく航行水域に応じた長距離のレンジとして早期に探知することが有効であるからである。

レーダー映像は，そのままでは他船の実際の進路や速力を即座に判断できないため，レーダープロッティングを行う必要がある。

「その他の系統的な観察」とは，レーダー情報を自動的に解析するARPAや電子プロッティング装置（一定の小型船）などによる系統的な観察である。

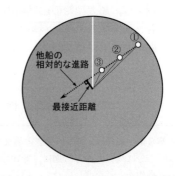

図1·2 レーダー画面上での他船の働き

§1-2-8 コンパス方位により衝突のおそれを判断する場合の考慮すべき事項
（第4項）

(1) コンパス方位に明確な変化がない場合の考慮（第4項前段）

船舶は，接近してくる他の船舶のコンパス方位に明確な変化が認められない場合は，衝突するおそれがあると判断しなければならない。（図1·3）

コンパス方位の変化を確かめるには，何回か正確に方位の測定を行わなけ

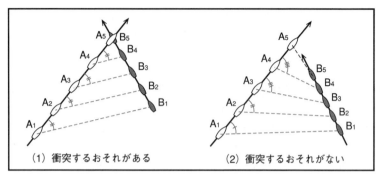

図1・3 コンパス方位の変化と衝突するおそれ

ればならない。この場合に,たとえ方位に変化があっても明確でないときは,衝突するおそれがあると判断しなければならない。

(2) 大型船舶等に接近する場合の考慮(第4項後段)

接近してくる他の船舶のコンパス方位に明確な変化が認められる場合においても,①大型船舶や引き船列に接近し,又は②近距離で他の船舶に接近するときは,これと衝突するおそれがあり得ることを考慮しなければならない。

例えば,超大型船の船尾船橋の方位を測って変化があったとしても,その船首と衝突するおそれがある。また,近距離で接近するときは,方位が明確に変化しても,衝突するおそれがある。

第8条 衝突を避けるための動作

第8条 船舶は,他の船舶との衝突を避けるための動作をとる場合は,できる限り,十分に余裕のある時期に,船舶の運用上の適切な慣行に従ってためらわずにその動作をとらなければならない。
2 船舶は,他の船舶との衝突を避けるための針路又は速力の変更を行う場合は,できる限り,その変更を他の船舶が容易に認めることができるように大幅に行わなければならない。
3 船舶は,広い水域において針路の変更を行う場合においては,それにより新たに他の船舶に著しく接近することとならず,かつ,それが適切な時期に大幅に行われる限り,針路のみの変更が他の船舶に著しく接近することを避けるための最も有効な動作となる場合があることを考慮しなければならない。
4 船舶は,他の船舶との衝突を避けるための動作をとる場合は,他の船舶との間

第2章 航　法（§1-2-9）　　　17

に安全な距離を保って通過することができるようにその動作をとらなければならない。この場合において，船舶は，その動作の効果を当該他の船舶が通過して十分に遠ざかるまで慎重に確かめなければならない。

5　船舶は，周囲の状況を判断するため，又は他の船舶との衝突を避けるために必要な場合は，速力を減じ，又は機関の運転を止め，若しくは機関を後進にかけることにより停止しなければならない。

§1-2-9　衝突回避動作の基本的要件（第1項）

すべての船舶は，いかなる視界においても，他の船舶との衝突を避けるための動作をとる場合は，できる限り，次の3要件に適合した動作をとらなければならない。

（1）　十分に余裕のある時期であること

衝突予防の目的を達成するためには，時間的にも距離的にも十分に余裕のある時期，すなわち早期に動作をとることが肝要である。

例えば，行会い関係（第14条）なら，右転の動作は衝突のおそれを早期に解消するようにとる。

（2）　船舶の運用上の適切な慣行に従うこと

船舶の運用上の適切な慣行（グッドシーマンシップ）とは，船員が長い間安全運航のために行ってきた運用術の原則にかなった技術的なやり方・しきたりのことである。

（具体例）

①　狭い水道において，特に可航幅の狭いところを順潮船が航行しているのを認めたときは，逆潮船は広い水域で順潮船が航過するまで待避する。

②　錨泊船は，他船に衝突されるおそれがある場合は，その能力に応じて衝突の危険を避ける処置（錨鎖の伸出，フェンダーの用意，注意喚起，在船員を配置につけることなど。）をとる。

（3）　ためらわずに動作をとること

これは，他の船舶に疑念を抱かせず，効果的な動作となるよう積極的に動作をとることを求めたものである。

（具体例）

①　転針する場合は，大角度に行う。

②　速力を変更する場合は，思い切って大きく速力を変える。

§1-2-10 大幅な変針・変速（第2項）

すべての船舶は，他の船舶との衝突を避けるための変針又は変速（併用を含む。）を行う場合は，視覚又はレーダーによって見張りを行っている他の船舶が容易にその変更を認めることができるようにできる限り大幅に行わなければならない。

1．第1項で「ためらわずに動作をとれ」と規定しているが，本項では更に，変針・変速は他の船舶に容易に分かる程度に大幅でなければならないと具体的に強調したものである。したがって，小刻みの変針又は変速を断続的に行ってはならない。

2．「大幅な変針又は変速」は，特に他船がレーダーのみで探知している場合や夜間視認している場合に有効である。

3．「できる限り」とあるのは，大幅な変針をするのに十分な水域がないような場合を考慮したものである。

4．視界制限状態でレーダーのみで探知している船舶に容易に自船の変針が認められるためには，変針の角度は，約60度以上がよいとされている。ただし，状況が良ければ，30度以上でもよい。また，変速は，思い切って速力に変化をつけて行う。

§1-2-11 広い水域における針路のみの変更（第3項）

次の要件に適合する場合に行われる針路のみの変更は，視界の良否にかかわらず，広い水域において他の船舶に著しく接近することを避けるために，最も有効な動作となる場合があることを考慮しなければならない。

（1）　新たに他の船舶（第3船）に著しく接近することとならないこと

　　「著しく接近すること」という用語は，国際規則の審議で定義付けすることができなかったもので，それは，視界の状態，船舶の大きさ・速力，船舶交通のふくそう度，水域の形状など考慮すべき要素が複雑であるためである。あえていうなら，広い水域において，視界制限状態のときは2～3海里程度以内，視界の良いときはその半分程度がおよその目安といえるかもしれない。

（2）　適切な時期に行うこと

　　「適切な時期」とは，時間的にも距離的にも十分に余裕のある時期で，特にレーダーのみで探知しているときは，プロッティング等の解析結果に基づく十分に余裕のある時期でなければならない。

第2章　航　　法（§1-2-12）　　　　19

（3）　大幅に行うこと

　　「大幅」な変針は，特にレーダーのみで探知しているときには，前述（§1-2-10）したとおり有効である。

§1-2-12　安全な距離での通過等（第4項）

（1）　安全な距離での通過（第4項前段）

　　すべての船舶は，衝突回避動作をとる場合は，視界の良否にかかわらず，他の船舶との間に安全な距離を保って通過することができるように，その動作をとらなければならない。

（2）　衝突回避動作の効果の確認（第4項後段）

　　前記(1)の船舶は，衝突回避動作をとった場合には，自船の動作が衝突回避に有効であるか，あるいは他の船舶が何らかの動作をとらないかなどを，他の船舶が通過して十分に遠ざかるまで，慎重に確かめなければならない。

　　特にレーダーのみで探知しているときは，互いに他船を視認しないで動作をとっているのであるから，映像がどのように変化していくかを慎重に観察する必要がある。

§1-2-13　減速又は停止（第5項）

　　動力船のみならず，すべての船舶は，視界の良否にかかわらず，

①　周囲の状況を判断するために必要な場合

②　他の船舶との衝突を避けるために必要な場合

は，次のとおり減速等の動作をとらなければならない。

　⑴　速力を減じること，又は

　⑵　①機関の運転を止め，若しくは②機関を後進にかけることにより停止すること。

1．「必要な場合」とは，危急のような場合だけを指すのではなく，状況判断や衝突回避を安全確実に行うのに必要なあらゆる場合を指す。その場合に機関を使用することの必要性を定めている。

2．「停止する」とは，行き足を完全に止めることである。

3．この規定は，動力船以外の船舶にも適用される。例えば，帆船は風上に切り上ったり，あるいは縮帆したりして，その動作をとらなければならない。

第9条　狭い水道等

第9条　狭い水道又は航路筋（以下「狭い水道等」という。）をこれに沿って航行する船舶は，安全であり，かつ，実行に適する限り，狭い水道等の右側端に寄って航行しなければならない。ただし，次条第2項の規定の適用がある場合は，この限りでない。

2　航行中の動力船（漁ろうに従事している船舶を除く。次条第6項及び第18条第1項において同じ。）は，狭い水道等において帆船の進路を避けなければならない。ただし，この規定は，帆船が狭い水道等の内側でなければ安全に航行することができない動力船の通航を妨げることができることとするものではない。

3　航行中の船舶（漁ろうに従事している船舶を除く。次条第7項において同じ。）は，狭い水道等において漁ろうに従事している船舶の進路を避けなければならない。ただし，この規定は，漁ろうに従事している船舶が狭い水道等の内側を航行している他の船舶の通航を妨げることができることとするものではない。

4　第13条第2項又は第3項の規定による追越し船は，狭い水道等において，追い越される船舶が自船を安全に通過させるための動作をとらなければこれを追い越すことができない場合は，汽笛信号を行うことにより追越しの意図を示さなければならない。この場合において，当該追い越される船舶は，その意図に同意したときは，汽笛信号を行うことによりそれを示し，かつ，当該追越し船を安全に通過させるための動作をとらなければならない。

5　船舶は，狭い水道等の内側でなければ安全に航行することができない他の船舶の通航を妨げることとなる場合は，当該狭い水道等を横切ってはならない。

6　長さ20メートル未満の動力船は，狭い水道等の内側でなければ安全に航行することができない他の動力船の通航を妨げてはならない。

7　第2項から前項までの規定は，第4条の規定にかかわらず，互いに他の船舶の視野の内にある船舶について適用する。

8　船舶は，障害物があるため他の船舶を見ることができない狭い水道等のわん曲部その他の水域に接近する場合は，十分に注意して航行しなければならない。

9　船舶は，狭い水道においては，やむを得ない場合を除き，びょう泊をしてはならない。

§1-2-14　狭い水道等の右側端航行（第1項）

　狭い水道又は航路筋（狭い水道等）をこれに沿って航行するすべての船舶は，動力船であるか否かにかかわらず，安全であり，かつ実行に適する限り，視界の良否や他の船舶の有無にも関係なく，狭い水道等の右側端に寄って航行しなければならない。

第2章　航　　法（§1-2-15）　　　　　21

1．「狭い水道」とは，陸岸や島などで水域の幅が狭められているところで，
衝突を予防する上で，行会い船の航法（第14条）などの一般航法では十分で
ないため，右側端航行という船舶交通の一定の流れが必要な程度に幅が狭め
られた水道である。

　　具体的には，従来，その幅が約2海里以下の水道で，長さは必要としない
といわれてきたが，船舶の大型化・深喫水化に伴い，それより広いものでも
該当すると考えられる傾向にある。狭い水道であるかどうかは，その水域の
交通状況や慣行などによっても左右される。

　　狭い水道は，自然的に形成されたものか人工的なものであるかは問わな
い。

　（具体例）　釣島水道，三原瀬戸

2．「航路筋」とは，港湾や水道などにおいて，浅瀬等によって形成された通
航水路，通航のための浚渫された可航水路，大型船が通航できる水深の深い
水路などで，「狭い水道」と同様に，衝突を予防する上で右側端航行をしな
ければ安全が確保できないと客観的に認められる水域である。

3．「右側端に寄って」航行せよと定めているのは，反航する船舶と安全に航
過できるようにするほか，最深部しか航行できない船舶が追い越す場合の水
域をあけておくことを考慮したからである。

4．ただし書規定に明示されているとおり，分離通航方式（第10条）の分離通
航帯を航行する場合（同条第2項）は，その通航路は割合に狭いものである
が，本文規定の右側端航行義務の適用はなく，第10条第2項の航法規定を遵
守しなければならない。

§1-2-15　「安全であり，かつ，実行に適する」に該当しない場合の航行

　第1項の右側端航行義務は，「安全であり，かつ，実行に適する限り」遵守
しなければならず，安易に左側に進出するようなことは絶対に許されない。

　しかし，次に掲げる場合のように，安全でないか，又は実行に適しない場合
には，中央部に寄って右側航行したり，左側にはみ出して航行することも許さ
れる。ただし，このような場合には十分に注意して航行しなければならないの
は，いうまでもない。

　⑴　安全でない場合
　　①　右側端に寄りたいが，右側端付近に沈船があるため，中央部に寄って
　　　右側航行する。

22　　　　　　　第 1 編　海 上 衝 突 予 防 法

②　深喫水の大型船が右側端航行するには水深に余裕がなく危険であるため，最深部である中央部を少し左側にはみ出して航行する。
⑵　実行に適しない場合
①　左舷側方にある岸壁に係留するため，左側に出て航行する。
②　船舶を回頭させるため，どうしても左側に進出しなければならない。

§1-2-16　狭い水道等における動力船と帆船との航法 （第 2 項・第 7 項）

（1）　動力船が帆船を避航する義務 （第 2 項本文）
　　航行中の動力船（漁ろうに従事している船舶を除く。）は，狭い水道又は航路筋において帆船を避航しなければならない。
　1．この本文規定と同様の内容の規定が，第18条第 1 項（第 4 号に係る部分に限る。）にも規定されている。
　2．かっこ書規定に適用除外が明示されているとおり，動力船が漁ろうに従事している船舶である場合には，帆船を避航する義務を負わない。
　3．具体例
　　　動力船（A）が，ある航路筋において帆船（B）を避航する余地があり，「ただし書規定」に該当しない場合は，B船を避航する。
（2）　帆船が動力船の通航を妨げない義務 （第 2 項ただし書）
　　本文規定(1)は，帆船が狭い水道又は航路筋の内側でなければ安全に航行することができない動力船の通航を妨げることができることとするものではない。
　1．「……妨げることができることとするものではない」という文言は，「……妨げてはならない」に比べて，やや緩和的な表現に受けとれるが，これは，本文規定を打ち消す規定であるからであって，国際規則にも規定されているとおり，その意味は，「……妨げてはならない」ということである。
　　　これは，第 3 項ただし書規定の解釈においても，同じである。
　2．帆船は，その時の状況により必要な場合には，早期に，このような動力船が安全に通航できる十分な水域をあけるための動作をとらなければならない。
　　　帆船は，同船と衝突のおそれが生じるほど接近した場合であっても，引き続き十分な水域をあけるための動作をとらなければならない。（*p.*56〔注〕参照）
　3．「内側でなければ安全に航行することができない動力船」とあるから，

第2章　航　　法（§1-2-17）　　　23

すべての動力船ではない。例えば，狭い水道の外側でも航行できるような
小型の動力船に対しては，帆船は通航を妨げない義務を負わない。
　　「内側」とは，通常の大型航洋船が航行できる水深を有する水路の部分
である。
　4．このただし書規定は，本文規定とともに，第7項により「視野の内にあ
　る船舶」に適用される。

§1-2-17　狭い水道等における漁ろう船と他の船舶との航法（第3項・第7項）

（1）　漁ろう船以外の船舶が漁ろう船を避航する義務（第3項本文）
　　航行中の船舶（漁ろうに従事している船舶を除く。）は，狭い水道又は航
路筋において漁ろうに従事している船舶を避航しなければならない。
　1．この本文規定と同様の内容の規定が，第18条第1項（第3号に係る部分
　に限る。）及び同条第2項（第3号に係る部分に限る。）にも規定されている。
　2．具体例
　　　一般船舶（A）が，ある狭い水道において漁ろうに従事している船舶（B）
　を認めたが，避航する余地が十分にあり，「ただし書規定」に該当しない
　場合は，B船を避航する。
（2）　漁ろう船が他の船舶の通航を妨げない義務（第3項ただし書）
　　本文規定(1)は，漁ろうに従事している船舶が狭い水道又は航路筋の内側
を航行している他の船舶の通航を妨げることができることとするものではない。
　1．漁ろうに従事している船舶は，その時の状況により必要な場合には，早
　期に，狭い水道等の内側を航行している他の船舶が安全に通航できる十分
　な水域をあけるための動作をとらなければならない。
　　　漁ろうに従事している船舶は，同船と衝突のおそれが生じるほど接近し
　た場合であっても，引き続き十分な水域をあけるための動作をとらなけれ
　ばならない。　　　　　　　　　　　　　　　　　　（*p.*56〔注〕参照）
　2．このただし書規定は，本文規定とともに，第7項により「視野の内にあ
　る船舶」に適用される。

§1-2-18　狭い水道等における追越し（第4項・第7項）

（1）　追越しの意図の表示（第4項前段）
　　追越し船（第13条第2項又は第3項）は，狭い水道又は航路筋においては，
次に掲げるところにより，追越しの意図を示さなければならない。

(1) 追越しの意図を示さなければならない場合

追い越される船舶が自船（追い越そうとする船舶）を安全に通過させるための動作をとらなければ追い越すことができない場合である。

(2) 信号方法（第34条第4項）

他の船舶の右舷側を追い越そうとするとき
長音2回に引き続く短音1回（━ ━ ●）（汽笛）
他の船舶の左舷側を追い越そうとするとき
長音2回に引き続く短音2回（━ ━ ● ●）（汽笛）

(2) 追い越される船舶の同意の表示及びその動作（第4項後段）

追い越される船舶は，追越しに同意したときは，次に掲げるところにより，同意を示し，かつ，その動作をとらなければならない。

(1) 信号方法（第34条第4項）

追越しに同意したとき
順次に長音1回，短音1回，長音1回，短音1回（━ ● ━ ●）（汽笛）
追越しに疑問があるとき（安全でないと考えるとき）
警告信号（● ● ● ●）を行う。（第34条第5項）

(2) 同意したときの動作

追越し船を安全に通過させるための動作をとらなければならない。

1．本項の規定は，船舶の大型化に伴い狭い水道等の通航に制約を受ける船舶のあることを考慮して定められたものである。

2．追越し船は，追い越される船舶の同意を得て安全に通過させるための動作をとってもらっても，追越し船の避航義務（第13条）を免除されるものではない。あくまでも避航の義務を負う。

3．本項の規定は，第7項により，「視野の内にある船舶」に適用される。これは，第34条第4項（追越し信号・同意信号は視野の内に適用する。）の規定からみても，視野の内にのみ適用されるものである。

4．狭い水道等における追越しには，次の2つのケースがある。

① 追い越される船舶の協力を得ないで追い越す場合（第13条第1項）

② 追い越される船舶の協力を得て追い越す場合（第4項・第13条第1項）

§1-2-19　狭い水道等の横切りの制限（第5項・第7項）

すべての船舶は，狭い水道又は航路筋の内側でなければ安全に航行すること

ができない他の船舶の通航を妨げることとなる場合は，その狭い水道又は航路筋を横切ってはならない。

1．この規定は，「内側でなければ安全に航行することができない」という条件があれば，見合い関係を発生させないように横切りを禁止して，狭い水道又は航路筋を航行する船舶を保護したものである。

2．もし，内側だけでなく外側も航行できる船舶である場合には，この規定の適用はない。この場合に，狭い水道等を航行する船舶とこれを横切る船舶とが，ともに動力船であるならば，横切り船の航法（第15条）が適用される。

3．横切っている船舶の意図に疑問があるときは，警告信号を行う。

4．この規定は，第7項により「視野の内にある船舶」に適用される。

§1-2-20　狭い水道等において長さ20メートル未満の動力船が他の動力船の通航を妨げない義務（第6項・第7項）

長さ20メートル未満の動力船は，狭い水道又は航路筋の内側でなければ安全に航行することができない他の動力船の通航を妨げてはならない。

1．長さ20メートル未満の動力船は，その時の状況により必要な場合には，早期に，このような他の動力船が安全に通航できる十分な水域をあけるための動作をとらなければならない。同船と衝突のおそれが生ずるほど接近した場合であっても，引き続き十分な水域をあけるための動作をとらなければならない。　　　　　　　　　　　　　　　　　　　（p. 56〔注〕参照）

2．この規定の「他の動力船」とは，長さ20メートル以上で狭い水道等の内側でなければ安全に航行することができない大きさの船舶であり，狭い水道等の外側でも航行できる船舶は該当しない。後者の船舶の場合には，この規定の適用はない。

3．この規定は，第7項により「視野の内にある船舶」に適用される。

§1-2-21　わん曲部等に接近する場合の注意航行（第8項）

すべての船舶は，障害物があるため他の船舶を見ることができない狭い水道又は航路筋のわん曲部その他の水域に接近する場合は，十分に注意して航行しなければならない。

1．「十分に注意する」とは，出会い頭に会わないように，わん曲部等に接近するときから，右側端航行の厳守，厳重な見張り，機関用意，投錨用意，速力の調整，慎重な転針，潮流等の外力の影響に対する考慮などがなされてい

ることをいう。
2．わん曲部等を航行する場合は，第34条第6項の規定により，わん曲部信号又は応答信号を行わなければならないことになっている。
3．「その他の水域」とは，例えば，直状の航路筋であるが，側方に存在する島の陰になって他の船舶を見ることができないような水域である。

§1-2-22　狭い水道における錨泊の制限（第9項）

第9項の規定は，船舶の通路である狭い水道において，船舶交通の障害となる錨泊を原則として禁止したものである。

§1-2-23　狭い水道等の出入口における航行

図1・4のように，狭い水道又は航路筋の出入口に入ろうとする場合は，B船のように出入口から相当の距離を隔てたところから狭い水道等の方向に向かう態勢で入るべきで，D船のようにショートカット（近道）して入ることは注意義務（船員の常務）違反である。

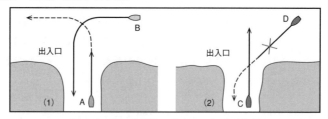

図1・4　狭い水道等の出入口における航行

この図の船舶がすべて動力船であるとすると，(1)図では，横切り関係（第15条）が成立し，A船が避航船となる。
また，(2)図では，D船が違法航行船であるから横切り関係でなく，注意義務（第38条・第39条）により互いに衝突回避動作をとる。特にD船は停止して，C船の航過を待つべきである。C船にとっては迷惑なことで，D船のような違法航行は絶対にしてはならない。

第10条　分離通航方式

第10条　この条の規定は，1972年の海上における衝突の予防のための国際規則に関する条約（以下「条約」という。）に添付されている1972年の海上における衝突

第 2 章 航 法（§ 1-2-23） 27

の予防のための国際規則（以下「国際規則」という。）第 1 条(d)の規定により国
際海事機関が採択した分離通航方式について適用する。
2 船舶は，分離通航帯を航行する場合は，この法律の他の規定に定めるもののほ
か，次の各号に定めるところにより，航行しなければならない。
⑴ 通航路をこれについて定められた船舶の進行方向に航行すること。
⑵ 分離線又は分離帯からできる限り離れて航行すること。
⑶ できる限り通航路の出入口から出入すること。ただし，通航路の側方から出
入する場合は，その通航路について定められた船舶の進行方向に対しできる限
り小さい角度で出入しなければならない。
3 船舶は，通航路を横断してはならない。ただし，やむを得ない場合において，
その通航路について定められた船舶の進行方向に対しできる限り直角に近い角度
で横断するときは，この限りでない。
4 船舶（動力船であって長さ20メートル未満のもの及び帆船を除く。）は，沿岸
通航帯に隣接した分離通航帯の通航路を安全に通過することができる場合は，や
むを得ない場合を除き，沿岸通航帯を航行してはならない。
5 通航路を横断し，又は通航路に出入する船舶以外の船舶は，次に掲げる場合そ
の他やむを得ない場合を除き，分離帯に入り，又は分離線を横切ってはならない。
⑴ 切迫した危険を避ける場合
⑵ 分離帯において漁ろうに従事する場合
6 航行中の動力船は，通航路において帆船の進路を避けなければならない。ただ
し，この規定は，帆船が通航路をこれに沿って航行している動力船の安全な通航
を妨げることができることとするものではない。
7 航行中の船舶は，通航路において漁ろうに従事している船舶の進路を避けなけ
ればならない。ただし，この規定は，漁ろうに従事している船舶が通航路をこれ
に沿って航行している他の船舶の通航を妨げることができることとするものでは
ない。
8 長さ20メートル未満の動力船は，通航路をこれに沿って航行している他の動力
船の安全な通航を妨げてはならない。
9 前三項の規定は，第 4 条の規定にかかわらず，互いに他の船舶の視野の内にあ
る船舶について適用する。
10 船舶は，分離通航帯の出入口付近においては，十分に注意して航行しなければ
ならない。
11 船舶は，分離通航帯及びその出入口付近においては，やむを得ない場合を除き，
びょう泊をしてはならない。
12 分離通航帯を航行しない船舶は，できる限り分離通航帯から離れて航行しなけ
ればならない。

13 第2項，第3項，第5項及び第11項の規定は，操縦性能制限船であって，分離通航帯において船舶の航行の安全を確保するための作業又は海底電線の敷設，保守若しくは引揚げのための作業に従事しているものについては，当該作業を行うために必要な限度において適用しない。
14 海上保安庁長官は，第1項に規定する分離通航方式の名称，その分離通航方式について定められた分離通航帯，通航路，分離線，分離帯及び沿岸通航帯の位置その他分離通航方式に関し必要な事項を告示しなければならない。

§1-2-24　分離通航方式の採択（第1項）

　第1項は，本条の分離通航方式の航法は，国際海事機関（IMO。p.34参照）が採択した「分離通航方式」の水域に適用することを定めたものである。
1．分離通航方式の目的は，船舶交通のふくそう化や船舶の大型化・高速化，危険物積載船の増加に対処して，最も危険な状態である反航又はほとんど反航の状態を減少させ，交通の流れに秩序を持たせることにある。事実，反航状態における衝突の発生率は極めて高く，しかも相対速度が大きいため損害も大きいのを常とする。最も注意すべきは，反航状態の衝突である。
2．通航の分離の方法
　　通航を分離する方法には，例えば，次のようなものがある。
　① 分離帯又は分離線による通航の分離（図1・5）
　② 自然の障害物等による通航の分離
　③ 沿岸通航帯の設定による通過交通と地域的交通との分離（図1・6）
　④ 互いに近接して，焦点に指向する分離通航方式の扇形分割
　⑤ ラウンドアバウト（ロータリ）による通航の分離

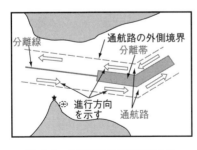

図1・5　分離帯又は分離線による通航の分離

図1・6　沿岸通航帯の設定による通航の分離

§1-2-25　分離通航帯を航行する場合の航法（第2項）

すべての船舶は，分離通航帯を航行する場合は，視界の良否にかかわらず，予防法の他の規定に定めるもののほか，次の各号に定めるところにより，航行しなければならない。（図1・5，図1・6参照）

（1）　通航路をこれについて定められた船舶の進行方向に航行すること（第1号）

　1．「通航路」とは，その内側では一方通航が定められている限られた水域のことである。

　2．進行方向は，海図に矢印で示されている。進行方向に逆らって航行することは，極めて危険なことであって，重大な違反となるから，進行方向に航行することは厳格に遵守されなければならない。

（2）　分離線又は分離帯からできる限り離れて航行すること（第2号）

　これは，分離線上又は分離帯の内を誤って航行し，反航船と危険な状態となることを防ぐためである。

（3）　できる限り通航路の出入口から出入すること。ただし，通航路の側方から出入する場合は，進行方向に対しできる限り小さい角度で出入しなければならない。（第3号）

　通航路の出入口に入ろうとする場合は，狭い水道等の場合と同様に，出入口から相当の距離を隔てたところから通航路の方向に向かう態勢で入るべきである。

　ただし書規定の「通航路の側方から」とは，通航路のいずれの側方からでもとの意味である。

§1-2-26　通航路の横断の制限（第3項）

すべての船舶は，視界の良否にかかわらず，通航路を横断してはならない。ただし，やむを得ない場合は，通航路の航行船の有無にかかわらず，進行方向に対しできる限り直角に近い角度で横断するときは，この限りでない。

1．通航路の横断を制限したのは，横断は通航路における船舶交通の流れを乱すからである。したがって，船舶は原則として通航路を迂回しなければならない。

2．「やむを得ない場合」は横断を認められるが，それは，例えば，極めて長い通航路であるため迂回を実行することが困難であるような場合である。

30 　　　　　　第1編　海上衝突予防法

3．横断は「できる限り直角に近い角度」としたのは，通航路内にいる時間を
　できる限り短くして通航路の航行船と出会う機会を少なくし，かつ，横断船
　であることを他船にはっきり示すためである。

§1-2-27　沿岸通航帯の使用の制限（第4項）

　船舶（動力船であって長さ20メートル未満のもの及び帆船を除く。）は，視
界の良否にかかわらず，沿岸通航帯に隣接した分離通航帯の通航路を安全に通
過することができる場合は，やむを得ない場合を除き，沿岸通航帯を航行して
はならない。

1．「沿岸通航帯」とは，分離通航帯の陸側の境界と付近海岸との間の指定さ
　れた水域で，通常，通過交通には使用されず，地域的交通のためのものであ
　る。（図1・6参照）
2．「やむを得ない場合」（具体的には，沿岸通航帯内にある港，沖合の設備
　又は構造物，パイロット・ステーションその他の場所に出入りする場合や切
　迫した危険を避ける場合等）は，沿岸通航帯を航行することができる。
3．かっこ書規定の船舶は，沿岸通航帯の使用の制限から除外されているから，
　あらゆる場合において沿岸通航帯を使用することができる。

§1-2-28　分離帯に入ること等の制限（第5項）

　通航路横断船・通航路出入船以外の船舶は，視界の良否にかかわらず，次に
掲げる場合その他やむを得ない場合を除き，分離帯に入り又は分離線を横切っ
てはならない。
　⑴　切迫した危険を避ける場合
　⑵　分離帯において漁ろうに従事する場合

§1-2-29　通航路における動力船，帆船，漁ろう船及び小型動力船に関する航法（第6項～第9項）

（1）　通航路における動力船と帆船との航法（第6項）
　⑴　動力船が帆船を避航する義務（第6項本文）
　　　航行中の動力船（漁ろうに従事している船舶を除く。）は，通航路にお
　　いて帆船を避航しなければならない。
　⑵　帆船が動力船の安全な通航を妨げない義務（第6項ただし書）
　　　本文規定⑴は，帆船が通航路をこれに沿って航行している動力船の安全

第2章 航　法（§1-2-30）　　31

　　な通航を妨げることができることとするものではない。（*p*.56〔注〕参照）
　　　第6項（本文・ただし書）の規定は，第9条第2項と同様の内容の規定
　　である。（§1-2-16参照）
　　　この規定は，第9項により「視野の内にある船舶」に適用される。
（2）　通航路における漁ろう船と他の船舶との航法（第7項）
　⑴　漁ろう船以外の船舶が漁ろう船を避航する義務（第7項本文）
　　　航行中の船舶（漁ろうに従事している船舶を除く。）は，通航路におい
　　て漁ろうに従事している船舶を避航しなければならない。
　⑵　漁ろう船が他の船舶の通航を妨げない義務（第7項ただし書）
　　　本文規定⑴は，漁ろうに従事している船舶が通航路をこれに沿って航行
　　している他の船舶の通航を妨げることができることとするものではない。
　　（*p*.56〔注〕参照）
　　　第7項（本文・ただし書）の規定は，第9条第3項と同様の内容の規定
　　である。（§1-2-17参照）
　　　この規定は，第9項により「視野の内にある船舶」に適用される。
（3）　長さ20メートル未満の動力船が他の動力船の安全な通航を妨げない義務
　　（第8項）
　　　長さ20メートル未満の動力船は，通航路をこれに沿って航行している他の
　　動力船の安全な通航を妨げてはならない。（*p*.56〔注〕参照）
　　　第8項の規定は，第9条第6項と同様の内容の規定である。（§1-2-20参照）
　　　この規定は，第9項により「視野の内にある船舶」に適用される。
（4）　視野の内にある船舶に適用（第9項）
　　　第6項から第8項までの規定は，前述のとおり，第9条第2項，第3項及
　　び第6項と同様に，互いに他の船舶の視野の内にある船舶に適用される。

§1-2-30　分離通航帯の出入口付近等における注意航行等（第10項～第12項）
（1）　分離通航帯の出入口付近における注意航行（第10項）
　　　すべての船舶は，視界の良否にかかわらず，分離通航帯の出入口付近にお
　　いては，十分に注意して航行しなければならない。
（2）　錨泊の制限（第11項）
　　　すべての船舶は，視界の良否にかかわらず，分離通航帯及びその出入口付
　　近においては，やむを得ない場合を除き，錨泊をしてはならない。
（3）　分離通航帯を使用しない船舶の航行（第12項）

32　　　　　　　　第1編　海上衝突予防法

　分離通航帯を航行しない船舶は，視界の良否にかかわらず，できる限り分離
通航帯から離れて航行しなければならない。

§1-2-31　航行の安全確保等のための作業に従事している操縦性能制限船の第10条第2項等の規定の適用緩和（第13項）

　操縦性能制限船であって，分離通航帯において①船舶の航行の安全を確保す
るための作業又は②海底電線の敷設・保守・引揚げのための作業に従事してい
るもの（例：浚渫船，測量船，設標船，ケーブル船）については，当該作業を
行うために必要な限度において，視界の良否にかかわらず，本条の次の航法規
定は適用しない。
　⑴　第2項（分離通航帯を航行する場合の航法）
　　①　通航路をこれについて定められた船舶の進行方向に航行すること（第
　　　1号）
　　②　分離線又は分離帯からできる限り離れて航行すること（第2号）
　　③　できる限り通航路の出入口から出入すること等（第3号）
　⑵　第3項（通航路の横断の制限）
　⑶　第5項（分離帯に入ること等の制限）
　⑷　第11項（錨泊の制限）

§1-2-32　分離通航方式の名称等に関する告示（第14項）

　海上保安庁長官は，分離通航方式の名称や分離通航方式に関し必要な事項を
告示しなければならないことになっている。
1．この告示として，「分離通航方式に関する告示」（次ページ掲載）が定めら
　れている。
　　同告示によると，分離通航方式は，当初（昭和52年）74か所に設けられて
　いたが，毎年増えており，現在では約160か所に設けられている。
　　日本の周辺海域には，現在のところこの方式は設定されていない。
2．今後，分離通航方式は増えてゆくものと考えられるが，その場合には，第
　14項の規定により告示がなされる。
3．分離通航方式は，外国及び日本が発行している所定の海図にも記載されて
　いる。したがって，同告示・水路書誌・水路通報により同方式の新設・改廃
　の情報を入手するほか，最新の海図を購入することや海図の改補などにも十
　分に留意しなければならない。

第2章 航 法（§1-2-32）　　　33

分離通航方式に関する告示（抄）

$$\left(\begin{array}{l}\text{　　　　　　　　昭和52年　海上保安庁告示第82号}\\\text{最近改正　令和3年　同　　　　　告示第19号}\end{array}\right)$$

⑴　海上衝突予防法第10条第1項に規定する分離通航方式の名称，その分離通航方式について定められた分離通航帯，通航路，分離線，分離帯及び沿岸通航帯の位置その他分離通航方式に関し必要な事項は，⑵に規定する事項及び別表に掲げる事項である。

⑵　別表に掲げる通航路における船舶の進行方向は，同表に別段の定めがある場合を除き，当該通航路に沿った方向であって当該通航路に係る分離線又は分離帯を左げん側に見る方向である。

⑶　⑴及び⑵に規定する事項を示す図面を，海上保安庁交通部安全課，第一，第二，第三，第四，第五，第六，第七，第八，第九及び第十管区海上保安本部交通部安全課，第十一管区海上保安本部交通安全課，海上保安監部，各海上保安部，各海上保安航空基地並びに各海上保安署に備え置いて縦覧に供する。

別　表（具体例）

45　GIBRALTAR海峡分離通航方式（平成27.5.12改正）

分 離 通 航 帯		沿 岸 通 航 帯
分 離 帯	通 航 路	
1　次に掲げる地点を順次に結んだ線を中心線とする幅0・5海里の海面 　イ　北緯35度56・21分西経5度44・98分の地点 　ロ　北緯35度56・21分西経5度36・48分の地点 　ハ　北緯35度56・7分西経5度34・71分の地点 　　　（以下，省略）	ニからヘまでに掲げる地点を順次に結んだ線と分離帯の北側の境界線との間の海面及びトからリまでに掲げる地点を順次に結んだ線と分離帯の南側の境界線との間の海面 　ニ　北緯35度58・41分西経5度44・98分の地点 　ホ　北緯35度58・41分西経5度36・48分の地点 　ヘ　北緯35度58・68分西経5度35・44分の地点 　ト　北緯35度52・51分西経5度44・98分の地点 　チ　北緯35度53・81分西経5度36・48分の地点 　リ　北緯35度54・55分西経5度33・9分の地点 　　　（以下，省略）	北側陸岸とヌからカまでに掲げる地点を順次に結んだ線との間の海面のうち西経5度25・68分の経度線と西経5度44・98分の経度線との間の海面，南側陸岸と第1号の分離通航帯の南側の境界線との間の海面のうちヨからムまでに掲げる地点を順次に結んだ線及びヨに掲げる地点とムに掲げる地点とを結んだ線によって囲まれた海面並びに南側陸岸と第2号の分離通航帯の南側の境界線との間の海面のうちウからオまでに掲げる地点を順次に結んだ線及びウに掲げる地点とオに掲げる地点とを結んだ線によって囲まれた海面 　ヌ　左欄第1号ニに掲げる地点 　ル　左欄第1号ホに掲げる地点 　ヲ　左欄第1号ヘに掲げる地点 　ワ　左欄第2号ハに掲げる地点 　カ　左欄第2号ニに掲げる地点 　　　（以下，省略）

〔注〕 (1) **分離通航方式の違反**

分離通航方式の違反については，IMO が重大な関心を持っており，海難の防止及び汚染の防止のため，沿岸国等の監視・取締りが厳しくなっている。

違反は，通航路の逆航，沿岸通航帯の違反航行（分離通航帯航行船），分離帯内の航行，通航路の安易な横断などが多く，特に留意する必要がある。

(2) **日本船長協会が設定した自主的な分離通航方式**

日本船長協会は，東京湾口と紀伊水道との間の海域のうち，下記の8か所において自主的に分離通航方式（平成14年9月1日改訂）を設定している。

これは，法的拘束力はないが，衝突予防のため，多くの船舶の利用が切望されている。
① 剣埼沖 ② 洲埼沖 ③ 大島風早埼沖 ④ 神子元島沖 ⑤ 伊良湖岬沖（深水深航路） ⑥ 大王埼沖 ⑦ 潮岬沖 ⑧ 日ノ御埼沖及び伊島沖

（日本船長協会ホームページアドレス http://www.captain.or.jp/）

〔参考〕 **国際海事機関（IMO）**

IMO（International Maritime Organization）は，国際連合の海事に関する専門協議機関で，その目的は海上における安全性の確立，海洋環境の保全，能率的な船舶の運航の確立などを国際的に協議する事業を行うことにある。

IMO は，1958年に発足し，本部はロンドンに置かれ，1959年1月に第1回総会が開催された。なお，その事務局は，各国からの派遣職員によって構成されている。

国際海上衝突予防規則（条約），海上人命安全条約（SOLAS），海洋汚染防止条約などは，すべて IMO で取り扱ったものである。

第2章 航　法（§1-2-33）　　　　35

第2節　互いに他の船舶の視野の内にある船舶の航法

第11条　適用船舶

> **第11条**　この節の規定は，互いに他の船舶の視野の内にある船舶について適用する。

§1-2-33　視野の内にある船舶に適用される航法（第11条）

　第2節の規定，すなわち下記の航法規定は，互いに他の船舶の視野の内にある船舶に適用される。
- (1)　第12条（帆船）
- (2)　第13条（追越し船）
- (3)　第14条（行会い船）
- (4)　第15条（横切り船）
- (5)　第16条（避航船）
- (6)　第17条（保持船）
- (7)　第18条（各種船舶間の航法）

　第2節の規定は，視野の内（§1-1-13）にある船舶に適用されるものであるから，視界制限状態（第19条）であっても，互いに他の船舶を視覚によって見ることができる状態（視野の内）になったときには，この第2節の航法規定が適用されることになる。

第12条　帆　船

> **第12条**　2隻の帆船が互いに接近し，衝突するおそれがある場合における帆船の航法は，次の各号に定めるところによる。ただし，第9条第3項，第10条第7項又は第18条第2項若しくは第3項の規定の適用がある場合は，この限りでない。
> - (1)　2隻の帆船の風を受けるげんが異なる場合は，左げんに風を受ける帆船は，右げんに風を受ける帆船の進路を避けなければならない。
> - (2)　2隻の帆船の風を受けるげんが同じである場合は，風上の帆船は，風下の帆船の進路を避けなければならない。
> - (3)　左げんに風を受ける帆船は，風上に他の帆船を見る場合において，当該他の帆船の風を受けるげんが左げんであるか右げんであるかを確かめることができないときは，当該他の帆船の進路を避けなければならない。

2 前項第2号及び第3号の規定の適用については，風上は，メインスル（横帆船にあっては，最大の縦帆）の張っている側の反対側とする。

§1-2-34 帆船の航法（第12条）
（1） 帆船の航法（第1項）
　互いに視野の内にある2隻の帆船が接近し，衝突するおそれがある場合における帆船の航法は，次の各号に定めるところによる。
　(1) 風を受ける舷が異なる場合は，左舷に風を受ける帆船（左舷開きの帆船）は，右舷に風を受ける帆船（右舷開きの帆船）を避航しなければならない。（第1号）　　　　　　　　　　　　　　　　　　　　　（図1・7）
　(2) 風を受ける舷が同じである場合は，風上の帆船は，風下の帆船を避航しなければならない。（第2号）　　　　　　　　　　　　　　　　　（図1・8）
　(3) 左舷開きの帆船は，風上の帆船の風を受ける舷が右舷であるか左舷であるかを確かめることができないときは，風上の帆船を避航しなければならない。（第3号）

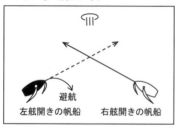

図 1・7　左舷開きの帆船が右舷開きの帆船を避航

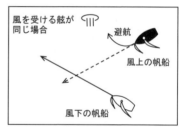

図 1・8　風上の帆船が風下の帆船を避航

1．第1号の航法は，右側航行（左舷対左舷・右転）という航法の原則に基づいて定められたものであり，また，第2号の航法は，風上の帆船の方が避航しやすいので，操縦容易な船舶が操縦困難な船舶を避けるという航法の自然的原則に基づいて定められたものである。
2．第1号の右舷開きの帆船及び第2号の風下の帆船は，それぞれ保持船（第17条）となる。
3．第3号の規定は，例えば，夜間に左舷開きの帆船は，風上の帆船が左舷開きか右舷開きか確かめることができないとき，同船を避航することを定めたものである。この場合には，左舷開きの帆船（風下）は，風上の帆船がもし左舷開きであれば，同船も避航動作をとる（第2号）ことになるから，この

第2章 航　法（§1-2-34）　　　37

　ことに十分に注意し，見張りを厳重にして，避航動作をとる必要がある。

4．「ただし書規定」に定めているとおり，次の規定の適用がある場合は，帆
　　船の航法の規定は，適用されない。
　①　狭い水道等における漁ろう船と他の船舶との航法（第9条第3項）
　②　通航路（分離通航方式）における漁ろう船と他の船舶との航法（第10条
　　　第7項）
　③　帆船が，(イ)運転不自由船，(ロ)操縦性能制限船，(ハ)漁ろうに従事している
　　　船舶（帆船）を避航する航法（第18条第2項）
　④　漁ろうに従事している船舶（帆船）が，(イ)運転不自由船，(ロ)操縦性能制
　　　限船（帆船）を避航する航法（第18条第3項）
　（具体例）
　　自船が右舷開きの帆船であっても，左舷開きの帆船が漁ろうに従事してい
　る船舶である場合は，本条でなく第18条第2項により，これを避航しなけれ
　ばならない。

（2）　風上の判定（第2項）
　　第1項第2号及び第3号の規定を適用する場合，風上はメインスル（横帆
　船にあっては，最大の縦帆）の張っている側の反対側とする。
　（具体例）
　　共に同じ舷側に帆を張っている2隻の帆船が，同じように正船尾の方向か
　ら風を受けている場合は，どちらの船舶が風上に位置しているかを判断しに
　くいが，この規定により，風上・風下を容易に判定することができる。

第13条　追越し船

第13条　追越し船は，この法律の他の規定にかかわらず，追い越される船舶を確実
　に追い越し，かつ，その船舶から十分に遠ざかるまでその船舶の進路を避けなけ
　ればならない。
2　船舶の正横後22度30分を超える後方の位置（夜間にあっては，その船舶の第21
　条第2項に規定するげん灯のいずれをも見ることができない位置）からその船舶
　を追い越す船舶は，追越し船とする。
3　船舶は，自船が追越し船であるかどうかを確かめることができない場合は，追
　越し船であると判断しなければならない。

§1-2-35 追越し船の避航義務（第1項）

追越し船は，この法律の他の規定にかかわらず，互いに他の船舶の視野の内にある場合，追い越される船舶を確実に追い越し，かつ，その船舶から十分に遠ざかるまで避航しなければならない。（図1・9）

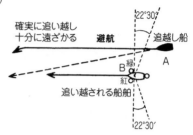

図1・9 追越し船の避航義務

1．追越し船と追い越される船舶とは操縦に難易はなくほぼ同一の状態にあるが，より大きな速力で追い越すことにより追い越される船舶の動作を制約するものであるから，この航法は，追越し船に避航義務を課したものである。
2．追越し船と追い越される船舶との間の方位に，いかなる変化があっても追越し関係が横切り関係（動力船対動力船）などに変わるものでなく，追越し船は，追い越される船を確実に追い越し，かつ，十分に遠ざかるまで避航義務を免除されるものではない。
3．追越し船の航法は，「この法律の他の規定にかかわらず」，すなわち，第12条（帆船），第18条（各種船舶間の航法）などの規定にかかわらず，適用される。

（具体例）
① 帆船であっても，動力船を追い越すときは，第18条第1項の規定にかかわらず，これを避航しなければならない。
② 漁ろうに従事している船舶であっても，動力船又は帆船を追い越すときは，第18条第1項又は第2項の規定にかかわらず，これを避航しなければならない。

4．追い越される船舶は，保持船（第17条）となる。

§1-2-36 追越し船の判定（第2項・第3項）

（1） 追越し船の定義（第2項）

船舶の正横後22度30分を超える後方の位置（夜間にあっては，舷灯（第21条第2項）のいずれをも見ることができない位置）からその船舶を追い越す船舶は，追越し船とする。

「舷灯を見ることができない位置」とは，いいかえると船尾灯のみを見ることができる位置である。

第2章 航　法（§1-2-37）　　　　39

（2）　疑わしい場合は追越し船と判断（第3項）
　　船舶は，自船が追越し船であるかどうかを確かめることができない場合
は，追越し船であると判断しなければならない。
　　前方の船舶の正横後22度30分の限界付近では，自船はその付近にいるのか
どうか，追越しか横切りかなど判断に迷う場合がある。これは，特に昼間に
発生しやすいが，この規定は，このような場合には，追越し船であると判断
して動作をとらなければならないことを明示したものである。

§1-2-37　追い越す場合の注意すべき事項

1．追越し船は，他の船舶を確実に追い越し，十分に遠ざかるまでその船舶を
　　避航する。その間に両船の方位にどのような変化があっても避航義務を負う。
2．他の船舶を安全な距離を保って追い越す。過度に接近すると，2船間の相
　　互作用によって接触する危険を生じる。
3．他の船舶を追い越して十分に遠ざかるまでは，その船首方向を横切っては
　　ならない。
4．安全に追い越す余地の少ないときは，追越しを断念する。
5．一般に，他の船舶をその船尾後方から追い越す場合は，他の船舶の左舷側
　　を追い越すのがよい。
　　　その理由は，他の船舶が第3船と見合い関係となった場合に右転して避航
　　することが多く（例えば，横切り船や行会い船の動作。），右舷側を追い越す
　　と，その進路を妨げることになるからである。
6．狭い水道や航路筋で追い越す場合は，特に，次のことに注意する。
　　①　なるべく幅の広い，できれば直状水路で，反航船のいない時期を選んで，
　　　右側端航行をしている他の船舶の左舷側を追い越す。
　　②　わん曲部で追い越すことは，十分な余地のある場合以外は，避けるべき
　　　である。
　　③　追い越すために左側に進出し反航船の航行を妨げるようなことは許され
　　　ない。
　　④　追い越される船舶の協力を得て追い越す場合は，第9条第4項の規定に
　　　より，追越し信号を行い同意の信号と協力の動作を得たうえで追い越す。
7．動力船は，帆船を追い越す場合には，そのときの状況（風圧差，第3船の
　　有無，水域の広狭など。）を考えて，風上側を追い越すか風下側を追い越す
　　かを決める。

40 第1編 海上衝突予防法

8．避航動作として転針したときは，操船信号を行う。また，必要な場合には，
　警告信号や注意喚起信号を行う。
9．特例（港則法・海上交通安全法）が定める追越しに関する特別な規定があ
　る場合には，その規定が優先して適用される。

第14条　行会い船

> **第14条**　２隻の動力船が真向かい又はほとんど真向かいに行き会う場合において衝
> 突するおそれがあるときは，各動力船は，互いに他の動力船の左げん側を通過す
> ることができるようにそれぞれ針路を右に転じなければならない。ただし，第9
> 条第３項，第10条第７項又は第18条第１項若しくは第３項の規定の適用がある場
> 合は，この限りでない。
>
> **2**　動力船は，他の動力船を船首方向又はほとんど船首方向に見る場合において，
> 夜間にあっては当該他の動力船の第23条第１項第１号の規定によるマスト灯２個
> を垂直線上若しくはほとんど垂直線上に見るとき，又は両側の同項第２号の規定
> によるげん灯を見るとき，昼間にあっては当該他の動力船をこれに相当する状態
> に見るときは，自船が前項に規定する状況にあると判断しなければならない。
>
> **3**　動力船は，自船が第１項に規定する状況にあるかどうかを確かめることができ
> ない場合は，その状況にあると判断しなければならない。

§1-2-38　行会い船の互いに右転による衝突回避（第１項）

　互いに視野の内にある２隻の動力船が次に掲げる状況であるときは，各動力
船は，互いに他の動力船の左舷側を通過することができるように，それぞれ針
路を右に転じなければならない。

　⑴　真向かいに行き会う場合において衝突するおそれがあるとき。

　⑵　ほとんど真向かいに行き会う場合において衝突するおそれがあるとき。

（図1・10）

1．この航法は，右側航行（左舷対左舷・右転）という航法の原則に基づいて
　定められたものである。

2．行会いは，相対速力が極めて大きく，万一衝突した場合の損害も大きいの
　を常とすることに十分に注意しなければならない。

3．両船がとる右転の動作は，十分に余裕のある時期に，大角度に，安全な距
　離を保って通過することができるものでなければならない。要するに，動作

第2章 航　法（§1-2-39）

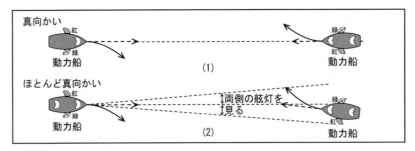

図 1·10　行会い船は互いに右転して衝突回避

は，「早目に，離して，はっきりと」（俗に3H航法と呼ぶ。）とらなければならない。

　　右転しているときは，短音1回（発光による白色の閃光1回は任意）の操船信号（第34条）を行う。

4．ただし書規定に定められているとおり，次の航法の規定の適用がある場合は，その規定が，行会い船の航法に優先して適用される。
① 狭い水道等における漁ろう船と他の船舶との航法（第9条第3項）
② 通航路（分離通航方式）における漁ろう船と他の船舶との航法（第10条第7項）
③ 動力船が，㋑運転不自由船，㋺操縦性能制限船，㋩漁ろうに従事している船舶を避航する航法（帆船は該当しない。）（第18条第1項）
④ 漁ろうに従事している船舶が，㋑運転不自由船，㋺操縦性能制限船を避航する航法（第18条第3項）

　　例えば，広い水域で動力船（A）と動力船である漁ろうに従事している船舶（B）とが真向かいに反航する状態においては，本条でなく第18条第1項により，A船がB船を避航しなければならない。B船は，保持船となる。

§1-2-39　行会いの状況の判断（第2項・第3項）
（1）　行会いの状況（第2項）

　　動力船は，次の状態の場合には，自船が行会いの状況にあると判断しなければならない。

夜間 ｛ (1) 他の動力船を船首方向に見る場合において，
　　① マスト灯2個を垂直線上か，ほとんど垂直線上に見るとき，又は
　　② 両側の舷灯を見るとき。

夜間 ｛ (2) 他の動力船をほとんど船首方向に見る場合において，
　　　① マスト灯２個を垂直線上か，ほとんど垂直線上に見るとき，又は
　　　② 両側の舷灯を見るとき。

昼間 ｛ 夜間（上記）に相当する状態に見るとき。
　　　（例えば，船首方向又はほとんど船首方向において，他の動力船の前後のマストを一直線上又はほとんど一直線上に見る。）

(2) 疑わしい場合は行会い船と判断（第３項）

　動力船は，自船が行会いの状況にあるかどうかを確かめることができない場合は，行会いの状況にあると判断して動作をとらなければならない。
　この疑わしい場合は，「ほとんど真向かい」の限界付近において生じるもので，追越しの限界付近の場合（§1-2-36）と同様に，この規定は，疑わしい場合の判断の混乱を避けるために設けられた重要な規定である。

§1-2-40　行会い船の航法と他の航法との相違

　行会い船の航法は，他の避航に関する航法（追越し船の航法，横切り船の航法など。）と比べて，次の２つの点において相違している。
　(1) 両船は，平等の立場で互いに衝突回避の動作をとる。
　　　他の航法規定では，避航船と保持船の動作に分かれている。
　(2) 衝突回避の動作として，「他の動力船の左舷側を通過することができるように右転しなければならない」と具体的に定めている。

§1-2-41　舷灯の船首方向における射光の交差

　舷灯は，その射光が正船首方向から各舷正横後22度30分までの間を照らすように舷側に装置されるもの（第21条第２項）であるから，その射光は船首方向において両側の舷灯の間隔を幅とする暗黒帯を生じることになる。したがって，理論的には暗黒帯に入った他の船舶からは自船の舷灯を見ることができない。
　しかし，実際には，次の理由により，射光が反対舷側に及ぶ余光を生ずるた

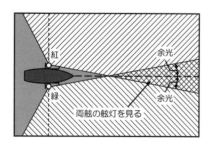

図 1·11　舷灯の余光

め，暗黒帯はできず，船首方向において両側の舷灯の射光は交差し，他の船舶からは紅・緑の両舷灯を見ることになる。（図1・11）
(1) 舷灯の光は正船首方向から外側へ1度から3度までの範囲内において遮断されなければならない（施行規則第5条第4項）ので，その最大をとると，射光は3度反対舷側へ及ぶ。よって，船首方向を中心に左右合わせて最大で6度で交差していることになる。
(2) 舷灯の灯窓ガラスが光源体の作用をするため，その光は弱いものであるが，近距離では更に反対側へ及ぶと考えられる。

§1-2-42 反航する場合の危険な見合い

「ほとんど真向かい」の限界付近においては，「行会い」か，「横切り」か，あるいはそのまま進んでかわりゆく「行過ぎ」なのか，その判断に迷う場合がある。
このように行会いかどうか疑わしい場合は，第3項により，行会いの状況にあると判断して早期に大角度に右転しなければならない。
もし一方の船舶が見合いに対する判断を誤ると，適用する航法が両船で一致せず危険である。
図1・12は，そのような場合を示しており，次の2つのケースに分かれる。
1．幸いにも両船の接近が免れるケース
　図の(1)，(2)，(3)及び(4)の場合がこれに該当する。

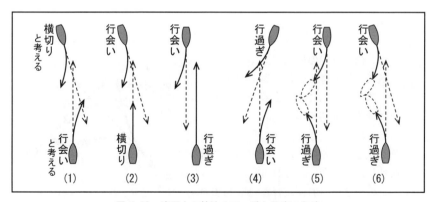

図1・12　適用する航法の不一致と衝突の危険

2．判断の不一致が危険に直結するケース

　図の(5)及び(6)の場合がこれに該当する。最も注意すべき危険な状況で，次の悪条件が重なるときに起こりやすい。

① 互いの針路が平行か，又は平行に近い状態で交差しており，両船が航過するときの距離が近い状況にある。
② 両船は，右舷対右舷でかわりそうな状況にある。すなわち，航法の大原則である右側航行（左舷対左舷，右転）に反するような見合い関係の場合に危険な状況が生じやすい。

　このように判断の迷いやすい場合に，更に㋑操舵の未熟や外力による保針の不安定，㋺舷灯の装置の不良，㋩衝突回避動作の緩慢などが加わると，ますます判断を困難にするから，保針等に十分に注意しなければならない。

第15条　横切り船

> **第15条**　2隻の動力船が互いに進路を横切る場合において衝突するおそれがあるときは，他の動力船を右げん側に見る動力船は，当該他の動力船の進路を避けなければならない。この場合において，他の動力船の進路を避けなければならない動力船は，やむを得ない場合を除き，当該他の動力船の船首方向を横切ってはならない。
> 2　前条第1項ただし書の規定は，前項に規定する2隻の動力船が互いに進路を横切る場合について準用する。

§1-2-43　横切り船の航法（第15条）

（1）　横切り船の避航義務（第1項前段）

　互いに視野の内にある2隻の動力船が互いに進路を横切る場合において衝突するおそれがあるときは，他の動力船を右舷側に見る動力船は，他の動力船を避航しなければならない。（図1·13）

1．この航法は，右側航行という航法の原則に基づいて定められたものである。

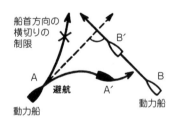

図 1·13　横切り船の航法

2．「互いに進路を横切る」とは，2隻の動力船の進路が船首方向において交差していることを意味する。したがって，例えば，前進中の動力船と後進中の動力船とが衝突するおそれがある場合は，本条でなく注意義務（第38条）により衝突を避ける動作をとることになる。

3．他の動力船は，保持船（第17条）となる。

（2）　船首方向の横切りの制限（第1項後段）

避航する動力船は，やむを得ない場合を除き，他の動力船の船首方向を横切ってはならない。（図1・13）

「やむを得ない場合」とは，その時の状況により他の動力船の船首方向を横切ること以外に避航する方法がないような場合を指す。

（3）　横切り船の航法を適用しない場合（第2項）

次に掲げる航法規定の適用がある場合（前条（行会い船）第1項ただし書規定）は，その規定が，横切り船の航法に優先して適用される。

① 　狭い水道等における漁ろう船と他の船舶との航法（第9条第3項）

② 　通航路（分離通航方式）における漁ろう船と他の船舶との航法（第10条第7項）

③ 　動力船が，㋑運転不自由船，㋺操縦性能制限船，㋩漁ろうに従事している船舶を避航する航法（帆船は該当しない。）（第18条第1項）

④ 　漁ろうに従事している船舶が，㋑運転不自由船，㋺操縦性能制限船を避航する航法（第18条第3項）

（具体例）

動力船（A）と動力船である漁ろうに従事している船舶（B）とが互いに進路を横切って衝突するおそれがある場合に，A船はB船を右舷側に見ようが左舷側に見ようが，本条でなく第18条第1項により，B船を避航しなければならない。B船は，保持船となる。

§1-2-44　横切り船の避航方法

横切り船は，避航動作をとる場合には，第16条（避航船）及び第8条（衝突を避けるための動作）の規定を遵守したものでなければならないが，その避航方法としては，具体的には次のようなものがある。

1．右転して他の動力船の船尾をかわる方法

図1・14の(1)図の場合のように，両船の針路の交差角（θ）が大きい場合に適する。右転しているときは，操船信号を行う。

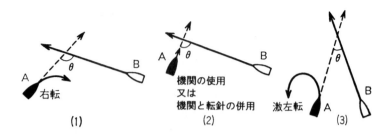

図 1・14 横切り船の避航方法

2．機関の使用又は転針を併用する方法
　(2)図の場合のように，交差角（θ）が大約直角のような場合に適するもので，速力を減じるか，機関と転針とを併用する。あるいは大角度に左転することもある。転針し，又は機関を後進にかけているときは，操船信号を行う。
3．激左転する方法
　(3)図の場合のように，交差角（θ）が小さく右転の余地が十分でない場合に適するもので，激左転して1回転しているうちに他の動力船を航過させるか，又は機関を使用して避航する。転針しているときは，操船信号を行う。
　なお，特殊な状況の場合で，水深が投錨に適するときは，錨を使用することも考慮しなければならない。

§1-2-45　狭い水道又は航路筋における横切り関係等

（1）　狭い水道又は航路筋で，図1・15の(1)図又は(2)図のような場合（第9条第5項の「横切りの制限」に該当しない場合とする。）において，動力船同士が衝突するおそれがあるときは，横切り関係となり，A船又はC船がそれぞれ避航船となる。B船又はD船は，保持船（第17条）となる。

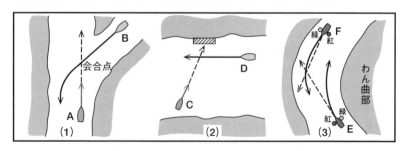

図 1・15　狭い水道等における横切り関係等

（2） 図1・15の(3)図では，E船とF船とはそれぞれわん曲部に沿って右側端航行をすれば安全にかわる場合で，両船が共に動力船とすると一見横切り関係のように見えるが，そうではない。このような場合，変針について注意すべきことは，E船は，F船に対してできるだけ速やかに右転して紅灯を示し紅灯対紅灯でかわるようにし，一方，F船は，左転するが，E船に対して緑灯を示さないように注意し紅灯対紅灯でかわるように運航することである。

§1-2-46　見合い関係の区分

動力船対動力船の視野の内における一般的な見合い関係は，次の３つに区分される（図1・16）
1．追越し（第13条）
2．行会い（第14条）
3．横切り（第15条）

これらのほかに，「行過ぎ」といわれるものがあるが，これは，両船がそのまま進んで無難にかわりゆく，航法規定を適用する必要のない場合である。

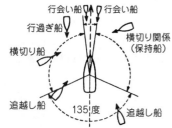

図 1・16　見合い関係（視野の内）の区分

第16条　避航船

> 第16条　この法律の規定により他の船舶の進路を避けなければならない船舶（次条において「避航船」という。）は，当該他の船舶から十分に遠ざかるため，できる限り早期に，かつ，大幅に動作をとらなければならない。

§1-2-47　避航船の動作（第16条）

避航船は，互いに視野の内にある他の船舶から十分に遠ざかるため，できる限り，①早期に，かつ，②大幅に動作をとらなければならない。

本条の規定するところと同様な規定が，すでに第8条（衝突を避けるための動作）に定められているが，避航船の動作は，保持船の動作（第17条）とともに衝突を避けるための重要な動作で，しかも，いわば能動的な動作である。したがって，この動作を「早期に，かつ，大幅に」とることは，衝突予防上緊要なことであるので，本条は，特にこれを強調したものである。

§1-2-48 「この法律の規定により他の船舶の進路を避けなければならない船舶」

1. 右舷開きの帆船に対する左舷開きの帆船（第12条第1項）
2. 風を受ける舷が同一の場合の風下の帆船に対する風上の帆船（ 〃 ）
3. 風を受ける舷が不明の風上の帆船に対する左舷開きの帆船（ 〃 ）
4. 追越し船（第13条）
5. 横切り船（第15条）
6. 運転不自由船，操縦性能制限船，漁ろうに従事している船舶又は帆船に対する動力船（第18条第1項）（第9条第2項本文・第3項本文，第10条第6項本文・第7項本文）
7. 運転不自由船，操縦性能制限船又は漁ろうに従事している船舶に対する帆船（第18条第2項）（第9条第3項本文，第10条第7項本文）
8. 運転不自由船又は操縦性能制限船に対する漁ろうに従事している船舶（第18条第3項）
9. 注意義務により他の船舶を避航する船舶（第38条・第39条）
10. 特例（港則法・海上交通安全法）により他の船舶を避航する船舶（第40条・第41条）

第17条　保持船

> **第17条**　この法律の規定により2隻の船舶のうち1隻の船舶が他の船舶の進路を避けなければならない場合は，当該他の船舶は，その針路及び速力を保たなければならない。
>
> 2　前項の規定により針路及び速力を保たなければならない船舶（以下この条において「保持船」という。）は，避航船がこの法律の規定に基づく適切な動作をとっていないことが明らかになった場合は，同項の規定にかかわらず，直ちに避航船との衝突を避けるための動作をとることができる。この場合において，これらの船舶について第15条第1項の規定の適用があるときは，保持船は，やむを得ない場合を除き，針路を左に転じてはならない。
>
> 3　保持船は，避航船と間近に接近したため，当該避航船の動作のみでは避航船との衝突を避けることができないと認める場合は，第1項の規定にかかわらず，衝突を避けるための最善の協力動作をとらなければならない。

第2章 航　法（§1-2-49）　　49

§1-2-49　針路及び速力の保持（第1項）

　互いに視野の内にある2隻の船舶のうち1隻が避航船である場合は，他の船舶（保持船）は，針路及び速力を保たなければならない。

1．第1項の規定が保持船に保持義務を課したのは，相手の避航船が不安なく有効な避航動作をとることができるようにするためである。
2．避航義務と保持義務とは，共に衝突を避けるためのものであって，動作の内容は異なるものの，両者の義務は対等であり，軽重はない。

§1-2-50　第17条の規定により保持船となる船舶

　「この法律の規定により避航船となる船舶」が第2節の規定において種々定められているが，この各場合における「他の船舶」が，保持船に該当する。

　すなわち，§1-2-48に述べた各避航船に対するそれぞれの「他の船舶」が保持船となる。

（具体例）
　① 追越し船に対する追い越される船舶
　② 動力船に対する帆船（一般水域）
　③ 動力船に対する漁ろうに従事している船舶（一般水域）

§1-2-51　「針路及び速力を保つ」

（1）　意味

　1．「針路を保つ」とは，原則として，運航上指令している現在の針路，つまり船首方向のコンパス方位を保つことである。したがって，船首が振れないように注意を要する。
　2．「速力を保つ」とは，原則として，人為的に速力を変更しないことである。例えば，機関の回転数をいたずらに増減しないことである。

（2）　針路又は速力の変更を許される場合等

　次のような場合は，針路・速力を保ったことになり，又は針路・速力の変更が許される場合である。

　1．狭い水道又は航路筋のわん曲部に沿って右側端航行するため，変針する。
　2．風浪が激しいため，針路や速力が若干変化する。（特に帆船の場合）
　3．港や狭い水道の入口に接近したため，速力を減じる。
　4．前路に突如発見した障害物を避けるため，変針したり変速したりする。

§1-2-52　保持船のみによる衝突回避動作（第2項）

（1）　保持船がとることができる衝突回避動作（第2項前段）

保持船は，避航船が予防法の規定に基づく適切な動作をとっていないことが明らかになった場合は，第1項（保持義務）の規定にかかわらず，直ちに避航船との衝突を避けるための動作をとることができる。(図1・17)

1．保持船の保持義務の履行に対して，避航船が，第16条（避航船）及び第8条（衝突を避けるための動作）の規定を遵守して避航動作をとれば，安全的確に衝突を避けることができる。

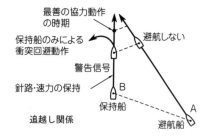

図1・17　保持船のみによる衝突回避動作

しかし，もし避航船が避航の動作をとらないか，とっても緩慢であるなど適切な動作でない場合，保持船は不安にかられる。したがって，第2項前段の規定は，このような場合には，最善の協力動作（第3項）をとる前に，保持義務から離れ，直ちに保持船のみによって衝突を避けるための動作をとることができることを許したものである。

2．保持船は，この動作をとるまでに，避航船の動静をよく見張り，避航動作を早期にとるように警告信号（第34条）を行っていなければならない。

3．「衝突を避けるための動作」は，避航船が予防法の規定に基づいて適切な動作をとっていないこと（例えば，早期にかつ大幅に動作をとらないとか，安全な距離を保って通過できるように動作をとらないなど。）が保持船にとって明らかになった時点で，直ちにとることができるものである。

4．この動作は任意であるが，例えば，保持船が大型船の場合，操縦性能が悪く，第3項が適用される時期で最善の協力動作をとっても衝突を回避できないことが危惧されるときは，この規定により衝突を避けるための動作をとるべきである。このとき，動作に応じた操船信号を行う。

5．保持船が第2項の動作をとったからといって，避航船は，避航義務を絶対に免除されるものでないことに十分に注意しなければならない。

（2）　横切り関係における左転の制限（第2項後段）

保持船が第2項前段の動作をとる場合において，両船が横切り関係（動力船対動力船）（第15条第1項）であるときは，保持船は，やむを得ない場合

を除き，左転してはならない。

　これは，横切り船は船首方向の横切りの制限（第15条第1項後段）の規定もあって右転して避航することが多く，保持船が左転すると，両船が接近する危険をはらんでいるからである。

§1-2-53　最善の協力動作（第3項）

　保持船は，避航船と間近に接近したため，避航船の動作のみでは避航船との衝突を避けることができないと認める場合は，保持義務（第1項）の規定にかかわらず，衝突を避けるための最善の協力動作をとらなければならない。

1．保持船がこの動作に移らなければならないときは，それまでに避航船に対して早く避航するように警告信号（第34条）を行っていなければならない。
2．最善の協力動作をとる場合の時期及び方法
　①　時期は，「避航船の動作のみでは避航船との衝突を避けることができないと認める場合」で，運航者が判断するが，客観的に認められる時期でなければならない。
　②　方法は，船舶の運用上の適切な慣行に従ったもので，切迫した危険を避ける十分な確実性を持ったものでなければならない。一般には，停止する（行き足を止める。）ことであって，転針よりは機関を全速後進にかけるのがよいとされている。状況によっては，転針を併用して衝突回避の効果を上げ，場合によっては，投錨を併用する。
3．第17条が定める保持船の動作には，次の3つがある。
　①　針路及び速力を保持する義務（第1項）
　②　避航船が予防法の規定に基づく適切な動作をとっていないことが明らかになった場合に，保持船のみによる衝突回避動作をとることができる（任意）。ただし，横切り関係においては左転禁止。（第2項）
　③　最善の協力動作をとる義務（第3項）

§1-2-54　変針点付近における衝突のおそれ

　予定変針点付近で他船と衝突するおそれがある場合は，変針を一時棚上げとし，まずは衝突のおそれを解消しなければならない。例えば，2隻の動力船が航路筋でない海域を航行中に，変針点付近で横切り関係となった場合，他の動力船を右舷側に見る動力船は，航法規定に従い避航動作をとり，もう一方の動力船は針路及び速力を保持する。そして，衝突のおそれが解消したら，その後

予定の航路を航行するために変針する。

1. 変針点付近で行会い関係，追越し関係などを生じた場合も，同様に，まず航法規定を履行して，衝突のおそれを解消しなければならない。
2. 2船間に衝突するおそれがない場合に，予定変針点で変針することにより，新たに衝突するおそれが生じるような状態を誘発してはならない。

第18条　各種船舶間の航法

第18条　第9条第2項及び第3項並びに第10条第6項及び第7項に定めるもののほか，航行中の動力船は，次に掲げる船舶の進路を避けなければならない。
　⑴　運転不自由船
　⑵　操縦性能制限船
　⑶　漁ろうに従事している船舶
　⑷　帆船
2　第9条第3項及び第10条第7項に定めるもののほか，航行中の帆船（漁ろうに従事している船舶を除く。）は，次に掲げる船舶の進路を避けなければならない。
　⑴　運転不自由船
　⑵　操縦性能制限船
　⑶　漁ろうに従事している船舶
3　航行中の漁ろうに従事している船舶は，できる限り，次に掲げる船舶の進路を避けなければならない。
　⑴　運転不自由船
　⑵　操縦性能制限船
4　船舶（運転不自由船及び操縦性能制限船を除く。）は，やむを得ない場合を除き，第28条の規定による灯火又は形象物を表示している喫水制限船の安全な通航を妨げてはならない。
5　喫水制限船は，十分にその特殊な状態を考慮し，かつ，十分に注意して航行しなければならない。
6　水上航空機等は，できる限り，すべての船舶から十分に遠ざかり，かつ，これらの船舶の通航を妨げないようにしなければならない。

§1-2-55　動力船の避航義務（第1項）

　航行中の動力船（漁ろうに従事している船舶を除く。）は，一定の場合（後述）を除き，互いに視野の内にある次に掲げる船舶を避航しなければならない。

第2章　航　　法（§1-2-55）　　53

(1)　運転不自由船
(2)　操縦性能制限船
(3)　漁ろうに従事している船舶
(4)　帆船

1．第1項をはじめ，本条は，種類の異なる船舶間の航法を操縦の難易に応じて系統立てて，一括して定めたものである。

2．本条（第1項〜第3項）の規定により避航義務を負う船舶は，第16条（避航船）及び第8条（衝突を避けるための動作）の規定を遵守して，できる限り早期に，かつ大幅に，安全な距離を保って通過することができるように動作をとらなければならない。

　　一方，避航してもらう船舶は，保持船（第17条）となる。運転不自由船や操縦性能制限船は，操縦性能が制限されているが，それなりに針路及び速力を保持することに努めなければならない。

3．第1項の避航船である動力船には漁ろうに従事している船舶が除かれるが，このことは，第9条第2項かっこ書規定で明示されている。

4．第1項の規定に明示されているとおり，次の規定が適用される場合には，それぞれの規定による。
　①　狭い水道等における動力船と帆船との航法（第9条第2項）
　②　狭い水道等における漁ろう船と他の船舶との航法（第9条第3項）
　③　通航路（分離通航方式）における動力船と帆船との航法（第10条第6項）
　④　通航路（分離通航方式）における漁ろう船と他の船舶との航法（第10条第7項）
　（具体例）
　　帆船は，航路筋の内側でなければ安全に航行することができない動力船の通航を妨げる場合には，第18条第1項でなく第9条第2項ただし書規定により，その通航を妨げない動作をとらなければならない。

5．漁ろうに従事している船舶を避航する場合は，灯火又は形象物（第26条）により，その漁法，漁具の方向・長さなどを知り，また，よく見張りを行って，網やなわなどから十分に離れるように動作をとらなければならない。

6．追越し船の航法は，第13条に「追越し船は，この法律の他の規定にかかわらず避航せよ」と定められているとおり，本条の各規定に優先して適用される。

§1-2-56 舷灯により他の動力船の進行方向を知る方法

自船から，他の動力船の舷灯，例えば，紅灯を見たとすると，その動力船の進行方向は，紅灯の射光範囲が正船首方向から左舷へ10点（112度30分）であるから，紅灯を見た方位の反方位から右回りに10点の間の方向である。
（具体例）
図1・18において，他の動力船の紅灯をNEの方位に見たとすると，同船は，その反方位であるSWから右回りにNNWまでの10点の間のいずれかの方向に進行していることになる。

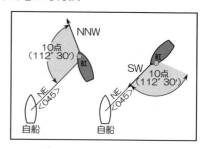

図1・18 舷灯により他の船舶の進行方向を知る方法

〔注〕 90度＝8点，1点＝11度15分，10点＝112度30分

§1-2-57 帆船の避航義務（第2項）

航行中の帆船（漁ろうに従事している船舶を除く。）は，一定の場合を除き，互いに視野の内にある次に掲げる船舶を避航しなければならない。
(1) 運転不自由船
(2) 操縦性能制限船
(3) 漁ろうに従事している船舶

第2項の規定に明示されているとおり，次の規定の適用がある場合には，それぞれの規定による。
① 狭い水道等における漁ろう船と他の船舶との航法（第9条第3項）
② 通航路（分離通航方式）における漁ろう船と他の船舶との航法（第10条第7項）

（具体例）
漁ろうに従事している船舶が狭い水道の内側を航行している帆船の通航を妨げる場合には，第18条第2項でなく第9条第3項ただし書規定により，その通航を妨げない動作をとらなければならない。

§1-2-58 漁ろうに従事している船舶の避航義務（第3項）

航行中の漁ろうに従事している船舶は，できる限り，互いに視野の内にある次に掲げる船舶を避航しなければならない。

第2章 航　法（§1-2-59）　　　55

⑴　運転不自由船
⑵　操縦性能制限船
　「できる限り」とあるのは，漁法によっては著しく操縦性能を制限されることがあることを考慮したものである。

§1-2-59　喫水制限船に関する航法（第4項・第5項）

（1）　船舶が喫水制限船の安全な通航を妨げない義務（第4項）
　　　船舶（運転不自由船及び操縦性能制限船を除く。）は，動力船，帆船，漁ろう船などを問わずすべて，やむを得ない場合を除き，互いに視野の内にある喫水制限船（第28条の灯火又は形象物を表示）の安全な通航を妨げてはならない。
1．第4項の航法の適用を受ける喫水制限船は，航行中の動力船の灯火のほか，次の灯火又は形象物を表示している。（§1-3-43参照）
　①　灯火　紅色の全周灯　3個　連掲
　②　形象物　黒色の円筒形の形象物　1個
2．「やむを得ない場合」は，狭義に解釈すべきもので，安全な通航を妨げない動作をとることが安易に緩和されるものではない。
3．運転不自由船及び操縦性能制限船以外の船舶は，その時の状況により必要な場合には，早期に，喫水制限船が安全な通航ができる十分な水域をあけるための動作をとらなければならない。
　　　運転不自由船及び操縦性能制限船以外の船舶は，喫水制限船と衝突のおそれが生ずるほど接近した場合であっても，引き続き十分な水域をあけるための動作をとらなければならない。　　　　　　　　　　　　（*p.*56〔注〕参照）
4．喫水制限船と運転不自由船・操縦性能制限船との航法は，それぞれの操縦性能（第3条定義）を考慮のうえ，操縦の難易に応じて衝突回避の動作をとらなければならない。
（2）　喫水制限船の注意航行等（第5項）
　　　喫水制限船は，十分にその特殊な状態を考慮し，かつ，十分に注意して航行しなければならない。
　　　「十分に注意する」とは，機関用意・投錨用意とし，操縦性能（停止惰力等）や可航水深の水域幅・浅水影響などを考慮して安全な速力に減じ，適切な見張りを行い，規定の信号を励行することなどに注意することである。

56　　　　　　　第1編　海上衝突予防法

§1-2-60　水上航空機等がすべての船舶の通航を妨げない義務（第6項）

　水上航空機等（水上航空機及び特殊高速船（表面効果翼船））は，できる限り，すべての船舶から十分に遠ざかり，かつ，これらの船舶の通航を妨げないようにしなければならない。

1．この規定は，水上航空機等は構造や性能において一般の船舶と著しく異なり，水上において軽快な動作をとりにくいので，他のすべての船舶から十分に遠ざかり，その通航を妨げない義務を課したものである。

2．しかし，水上航空機等は，水上を航行中に他船と衝突するおそれが生じた場合には，第3条の規定により動力船であるから，動力船として，第2章の航法規定に従って動作をとらなければならない。

〔注〕　「通航を妨げてはならない」の解釈

　　　　IMOは，「……通航を妨げてはならない」の解釈を明確にするため，国際規則の第2次改正（平成元年11月19日発効）で第8条に(f)項（第6項）を新たに追加した。その新規定は，下表のとおりである。

　　　　なお，わが国は，従来からそのような趣旨で運用してきたということで，予防法第8条の改正を行っていない。

　　　　　　　　　　　新規定　　第8条(f)項（第6項）　　　　妨げてはならない

⑴　この規則の規定によって他の船舶の通航又は安全な通航を妨げてはならないとされている船舶は，状況により必要な場合には，他の船舶が安全に通航することができる十分に広い水域を開けるため，早期に動作をとらなければならない。

⑵　他の船舶の通航又は安全な通航を妨げてはならない義務を負う船舶は，衝突のおそれがあるほど他の船舶に接近する場合であってもその義務が免除されるものではない。また，動作をとる場合には，この部の規定によって要求されることがある動作を十分に考慮しなければならない。

⑶　2隻の船舶が互いに接近する場合において衝突のおそれがあるときは，通航が妨げられないとされている船舶は，引き続きこの部の規則に従わなければならない。

1．第1号及び第2号前段の規定は，通航を妨げてはならないと要求されている船舶に対し，あくまでも「……安全に通航できる十分な水域をあける動作をとらなけれ

第2章　航　　法（§1-2-60）　　　　57

ばならない」ことを定めているが，これについては，すでに次の関係条項で述べた
ところである。

> 第9条（狭い水道等）第2項ただし書・第3項ただし書・第6項
> 第10条（分離通航方式）第6項ただし書・第7項ただし書・第8項
> 第18条（各種船舶間の航法）第4項

2．通航を妨げない動作（通航不阻害義務）は，避航動作（避航義務）とは別個のも
のである。

3．第2号後段及び第3号の規定は，両船が衝突のおそれが生ずるほど接近した場合
には，①通航不阻害義務を負う船舶は，引き続き水域をあける動作をとる義務を負
うほか，動作をとる場合は航法規定を考慮しなければならないこと，②通航を妨げ
られない船舶は，航法規定（見張り，安全な速力，衝突のおそれ，衝突を避けるた
めの動作など。）に従う義務を負うことを定めている。

　このような場合において，両船は，互いにその時の状況に対して十分な注意義務
を持って動作をとることはいうまでもない。

4．安全に通航できる十分な水域をあける動作は，他の船舶の大きさや速力，周囲の
状況等を考慮し，衝突のおそれが生ずる以前の十分に早い時期にとられなければな
らないものである。

第3節　視界制限状態における船舶の航法

第19条　この条の規定は，視界制限状態にある水域又はその付近を航行している船舶（互いに他の船舶の視野の内にあるものを除く。）について適用する。

2　動力船は，視界制限状態においては，機関を直ちに操作することができるようにしておかなければならない。

3　船舶は，第1節の規定による措置を講ずる場合は，その時の状況及び視界制限状態を十分に考慮しなければならない。

4　他の船舶の存在をレーダーのみにより探知した船舶は，当該他の船舶に著しく接近することとなるかどうか又は当該他の船舶と衝突するおそれがあるかどうかを判断しなければならず，また，他の船舶に著しく接近することとなり，又は他の船舶と衝突するおそれがあると判断した場合は，十分に余裕のある時期にこれらの事態を避けるための動作をとらなければならない。

5　前項の規定による動作をとる船舶は，やむを得ない場合を除き，次に掲げる針路の変更を行ってはならない。
(1)　他の船舶が自船の正横より前方にある場合（当該他の船舶が自船に追い越される船舶である場合を除く。）において，針路を左に転じること。
(2)　自船の正横又は正横より後方にある他の船舶の方向に針路を転じること。

6　船舶は，他の船舶と衝突するおそれがないと判断した場合を除き，他の船舶が行う第35条の規定による音響による信号を自船の正横より前方に聞いた場合又は自船の正横より前方にある他の船舶と著しく接近することを避けることができない場合は，その速力を針路を保つことができる最小限度の速力に減じなければならず，また，必要に応じて停止しなければならない。この場合において，船舶は，衝突の危険がなくなるまでは，十分に注意して航行しなければならない。

§1-2-61　視界制限状態に適用される航法（第1項）

第3節（第19条のみ）の規定，すなわち下記の航法規定は，視界制限状態にある水域又はその付近を航行している船舶であって互いに他の船舶の視野の内にないものに適用される。

(1)　第2項（視界制限状態における機関用意）
(2)　第3項（第1節の航法規定による措置を講ずる場合の注意）
(3)　第4項（レーダーのみにより他の船舶を探知した船舶の動作）
(4)　第5項（レーダーのみにより他の船舶を探知した船舶が針路の変更を行う場合の制限）

第2章 航　法（§1-2-62）　　　59

(5)　第6項（霧中信号を聞いた場合等の舵効のある最低速力・停止・注意航行）
1．「その付近」とは，自船は比較的視界が効く水域にいるが，付近に視界制限状態の水域が存在する場合である。例えば，スコールやフォグバンク（霧堤）の存在する水域の付近である。
2．互いに他の船舶の視野の内にない場合，例えば，レーダーのみにより他船を探知している場合は，追越し船の航法，行会い船の航法，横切り船の航法，保持船の航法など第2節の航法規定の適用はない。
　　また，操船信号や警告信号（第34条）は，視野の内にない場合には行ってはならない。
3．視界制限状態であっても，互いに他の船舶の視野の内にあるようになった場合には，本条（第3節）でなく，第2節の航法規定が適用される。

§1-2-62　視界制限状態における機関用意（第2項）

　動力船は，視界制限状態においては，機関を直ちに操作することができるようにしておかなければならない。
1．この規定は，船舶が視界制限状態という悪条件下にあるので，まず機関用意としておくことを命じたものである。
2．すべての船舶は，第6条に規定するとおり，その時の状況，視界の状態，自船の操縦性能などを考慮して，安全な速力で航行しなければならない。
　〔注〕　国際規則は，本項において，機関用意のほか，安全な速力を改めて命じている。
　　特に霧中の衝突事故は，「安全な速力」違反によるものが多いので注意を要する。また，性能の良いレーダーは，極めて有効な計器で霧中の衝突及び乗揚げの防止に大いに寄与しているが，注意すべきはこれを過信せず適切に使用することである。レーダーは，目にとって代わることはできない。

§1-2-63　第1節の航法規定による措置を講ずる場合の注意（第3項）

　すべての船舶は，視界制限状態において，第1節（あらゆる視界の状態における船舶の航法）の規定による措置を講ずる場合は，その時の状況及び視界制限状態を十分に考慮しなければならない。
　この規定は，第1節の航法規定が視界制限状態にも適用されるもので，その場合には，視界良好時と異なり，衝突予防の大敵である視界制限状態という悪条件下にあるから，当然のことながら，その状態及びその時の状況を十分に考慮して第1節の規定を履行するよう，特に注意したものである。

（具体例）
① 安全な速力（第6条）を決定する場合は，狭視界であることを十分に考慮して低速力とする。
② 狭い水道等の右側端航行義務（第9条第1項）は，視界制限状態でも適用されるから，視界制限状態であることを十分に考慮してこれを遵守しなければならない。もし，右側端航行を遵守することに不安があるならば，視界の良くなるのを待つ。

§1-2-64　レーダーのみにより他の船舶を探知した船舶の動作（第4項）

(1)　「著しく接近すること」等を判断する義務（第4項前段）
　　他の船舶の存在をレーダーのみにより探知した船舶は，次のことを判断しなければならない。
　⑴　他の船舶に著しく接近することとなるかどうか。
　⑵　他の船舶と衝突するおそれがあるかどうか。
　1．レーダー装備船は，レーダーを使用して遠距離に他船を探知し，著しく接近すること又は衝突するおそれを判断する義務がある。
　　　判断する場合は，第7条第2項の規定に従い，衝突のおそれを早期に知るための長距離レーダーレンジによる走査，レーダープロッティングその他の系統的な観察等を行うことにより，レーダーを適切に用いなければならない。
　2．「著しく接近すること」とは，§1-2-11(1)に述べたとおりである。
(2)　「著しく接近すること」等を避けるための動作をとる義務（第4項後段）
　　レーダーのみにより探知した船舶は，①他の船舶に著しく接近することとなり，又は②他の船舶と衝突するおそれがあると判断した場合は，十分に余裕のある時期に，これらの事態を避けるための動作（針路，速力又はその両方の変更）をとらなければならない。
　1．動作として，変針し又は変速する場合は，第8条第2項に規定しているとおり，他の船舶が容易に認めることができるように大幅に行わなければならない。
　　　視界制限状態でレーダーのみで探知している他の船舶に容易に認められるためには，変針の角度は約60度以上がよい。ただし，状況がよければ30度以上でもよい。変速は，思い切って速力に変化をつける。（§1-2-10参照）
　2．この動作を針路の変更で行う場合は，第5項（§1-2-66）の「制限」に

従わなければならない。

§1-2-65 視界制限状態におけるレーダーレンジの使い方（一例）

洋上で衝突予防のためにレーダーを用いる場合，そのレンジの使い方は，速力や四囲の状況にも左右されるが，一例をあげると，次のとおりである。
1. 通常，レーダーレンジを12〜24海里程度とし，適宜切り替え，他船の映像を見落とさないように見張りをする。
2. 他船の映像を探知したら，プロッティングその他の系統的な観察等を行い，最接近距離や最接近時間，他船の針路・速力，衝突を回避すべき針路・速力を求める。
3. 著しく接近することとなり又は衝突のおそれがあると判断した場合は，回避動作をとる。その動作は，十分に余裕のある時期にとられなければならず，遅くとも4海里程度までにおいてとられなければならない。
4. 著しく接近することを避けることができない場合，又は霧中信号を聞いた場合は，第6項の規定による。（§1-2-67）

§1-2-66 レーダーのみにより他の船舶を探知した船舶が針路の変更を行う場合の制限（第5項）

第4項の「著しく接近することとなり又は衝突するおそれのある事態を避けるための動作」をとる船舶は，その動作を針路の変更で行う場合は，やむを得ない場合を除き，次に掲げる針路の変更を行ってはならない。
(1) 他の船舶が自船の正横より前方にある場合（自船に追い越される船舶である場合を除く。）において，左転すること。（第1号）　　　（図1・19）
(2) 自船の正横又は正横より後方にある他の船舶の方向に転針すること。
（第2号）　　　　　　　　　　　　　　　　　　　　　　　（図1・20）

図 1・19　正横より前方の他の船舶に対する転針

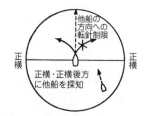

図 1・20　正横又は正横より後方の他の船舶に対する転針

1. 「やむを得ない場合」とは，例えば，右転すると，右方の水域にある第3船に新たに著しく接近することとなるような場合である。このような場合には左転することもあるが，十分に余裕のある時期になされなければならない。
2. 第1号の規定の「正横より前方にある」船舶には，正横にある船舶は含まれない。正横にある船舶に対しては，第2号の規定による。
3. 図1・19において，もし他船もレーダーのみで正横より前方に本船を探知し，針路の変更で動作をとるならば，右転することになる。

§1-2-67　霧中信号を聞いた場合又は著しく接近することを避けることができない場合の舵効のある最低速力・停止・注意航行（第6項）

　すべての船舶は，視界制限状態において，他の船舶と衝突するおそれがないと判断した場合を除き，①霧中信号（第35条）を自船の正横より前方に聞いた場合，又は②自船の正横より前方にある他の船舶と著しく接近することを避けることができない場合は，次の動作をとらなければならない。
　(1)　速力を針路を保つことができる最小限度の速力に減じること。
　(2)　必要に応じて停止すること。
　(3)　衝突の危険がなくなるまでは，十分に注意して航行すること。
1. 「衝突するおそれがないと判断した場合を除き」とあるのは，レーダーを有効に使用している船舶に対して，より柔軟性を持たせることを考慮したものである。
2. 音の伝播は，風や波浪，障害物などの影響を受けて非常に複雑となり，時には音の聞こえない水域も生じる。また，音の大きさは，かならずしも距離の遠近に比例しない。
　　したがって，霧中信号を聞いて直ちに他船の方位や距離を推定することは危険であり，また音響の有無によって他船の有無を早合点してはならない。霧中信号を何回も慎重に聴取して位置の確認に努めなければならない。
3. レーダー装備船は，霧中信号を聞いた場合に，その信号を発している船舶とレーダーによって探知している船舶とは同一であるとは限らないことに注意を要する。
4. 霧中信号を聞いた場合等には，まず舵効のある最低速力に減じなければならないが，すぐ停止することは要求されない。しかし，他船と接近したら必要に応じて機関を後進にかけて直ちに停止，すなわち行き足を完全に止め，場合によっては，投錨を併用する。

第2章 航　法（§1-2-68）　　63

5.　「十分に注意して」航行するとは，この場合は，単に視界制限状態を航行
　　しているだけでなく，近距離に衝突する危険のある他の船舶が存在している
　　場合であるから，次のように厳重な注意をすることである。
　①　その時の状況に適した適切な見張り（第5条）を厳格に行う。特に，霧
　　　中信号を何回も聴取して他の船舶の位置の確認に努め（前述），また，レー
　　　ダー装備船はレーダーに専従の監視員を配置し他の船舶の動静を連続的に
　　　監視するなど見張りを強化する。
　②　他の船舶と接近するおそれがあると感知した場合は，ためらわず機関を
　　　後進にかけ停止する。
　③　当然のことながら，昼間でも航海灯を表示（第20条）して他の船舶が視
　　　認しやすいようにし，また，霧中信号を規定どおり的確に行う。
　④　霧中信号やレーダー情報により，他の船舶が十分な距離のところにあり
　　　安全な方向に航行していると判断できる場合は，舵効のある最低速力とし
　　　てよいが，霧中信号が正横後にかわるか，衝突するおそれがなくなるまで
　　　は，必要に応じて機関の運転を止めるなど慎重に航行する。
　⑤　他の船舶の位置や動向を確かめず，又は不十分なレーダー情報に基づい
　　　て漫然と転針してはならない。

§1-2-68　レーダーの使用に関する規定

　レーダー装備船は，予防法において，衝突予防のためレーダーを活用しなけ
ればならないことが規定されている。その主な規定をあげると，次のとおりで
ある。
　⑴　視覚及び聴覚によるほか，レーダーも併用して適切な見張りをしなけれ
　　　ばならない。（第5条）
　⑵　視界の状態，レーダーの性能などを考慮して，レーダー装備船としての
　　　安全な速力を決めて航行しなければならない。（第6条）
　⑶　衝突のおそれを早期に知るための長距離レンジによる走査，レーダープ
　　　ロッティングなどの観察等を行わなければならない。（第7条）
　⑷　衝突を避けるため，レーダープロッティングなどの解析結果に基づき，
　　　早期に大幅に有効な動作をとらなければならない。（第8条）
　⑸　レーダーのみにより探知した場合は，著しく接近することとなるかどう
　　　か又は衝突するおそれがあるかどうかを判断しなければならず，また，そ
　　　の事態にあると判断した場合は，それを避けるための動作をとらなければ

ならない。ただし，その動作が転針である場合には，一定の制限の規定に従わなければならない。（第19条）

〔注1〕　本書における灯火の表現について

　　　本書においては，法定灯火を示した図が多数掲げられているが，色刷りされていないので，灯火をよく理解し覚え易くするために，次のように色付けされたい。

(1)　〇は白灯を示す。紙面が白色であるから，そのままとする。

(2)　◍は紅灯を示すので，赤く塗る。

(3)　⊗は緑灯を示すので，緑で塗る。（青でない。）

(4)　⊛は黄灯を示すので，黄で塗る。

(5)　⬤は点灯している灯火で射光範囲外であることを示しており，白灯以外は各灯火に該当する赤，緑，黄の各色で塗る。

　　　法定灯火は，船舶の種類や状態などを示す極めて重要な航海用具である。その意味を確実に判断することは，航海士の責務であり，船舶の衝突予防のための重要な第一歩である。

〔注2〕　**漢字及び送り仮名**

(1)　びょう泊のびょう（錨），げん灯のげん（舷），えい航のえい（曳），せん光のせん（閃）などは，常用漢字ではないが，航海法規でよく用いるので，本書では漢字を用いた。

(2)　仮名づかいや漢字は，時に改正が加えられているので，特に海上交通安全法及び港則法の条文は制定・改正の時期により新旧のものが若干混在しているが，条文はすべてそのまま掲げている。

　　　例えば，次のとおりである。

新	行う	向かう	ただし	おそれ	かつ	3月
旧	行なう	向う	但し	虞	且つ	3箇月

第3章　灯火及び形象物

第20条　通　　則

第20条　船舶（船舶に引かれている船舶以外の物件を含む。以下この条において同じ。）は，この法律に定める灯火（以下この項及び次項において「法定灯火」という。）を日没から日出までの間表示しなければならず，また，この間は，次の各号のいずれにも該当する灯火を除き，法定灯火以外の灯火を表示してはならない。
　(1)　法定灯火と誤認されることのない灯火であること。
　(2)　法定灯火の視認又はその特性の識別を妨げることとならない灯火であること。
　(3)　見張りを妨げることとならない灯火であること。
　2　法定灯火を備えている船舶は，視界制限状態においては，日出から日没までの間にあってもこれを表示しなければならず，また，その他必要と認められる場合は，これを表示することができる。
　3　船舶は，昼間においてこの法律に定める形象物を表示しなければならない。
　4　この法律に定めるもののほか，灯火及び形象物の技術上の基準並びにこれらを表示すべき位置については，国土交通省令で定める。

§1-3-1　灯火の表示（第1項前段・第2項）
（1）　日没から日出までの間における灯火の表示義務
　　船舶（引かれている物件を含む。）は，法定灯火（予防法に定める灯火，すなわち航海灯，錨泊灯など。）を日没から日出までの間表示しなければならない。
（2）　日出から日没までの間における灯火の表示
　(1)　視界制限状態における表示義務
　　　法定灯火を備えている船舶は，視界制限状態においては，日出から日没までの間にあっても，これを表示しなければならない。
　　（具体例）
　　　昼間，スコールが来た場合とか，霧の発生で視界が制限された場合など。
　(2)　その他必要と認められる場合の表示
　　　法定灯火を備えている船舶は，その他必要と認められる場合は，これを

表示することができる。（任意規定）

　この場合の表示は，任意であるが，衝突を予防する予防法の目的から判断して，積極的に表示すべきである。

（具体例）

　昼間，日食で一時的に夜間のように暗くなった場合など。

§1-3-2　表示してはならない「法定灯火以外の灯火」（第1項後段）

　第1項後段の規定は，日没から日出までの間において同項各号（第1項第1号〜第3号）のいずれにも該当する灯火を除き，「法定灯火以外の灯火」を表示することを禁止している。

　つまり，次の灯火を表示することを禁止している。

（1）　法定灯火と誤認される灯火

　（具体例）

　　船室の窓に緑色又は紅色のカーテンをつるし強い室内灯を点けたため，あたかも舷灯であるかのように他船に誤認させる。

（2）　法定灯火の視認又はその特性の識別を妨げる灯火

　（具体例）

　　①　強力な作業灯を掲げたため法定灯火が視認しにくい。

　　②　法定灯火の特性，すなわち，その視認圏や数などの識別を妨げる灯火で，船尾灯のそばに白色の作業灯をつるしたため，他船から見て船尾灯の視認圏外であるのに，あたかも船尾灯であるかのように識別を妨げる。

（3）　見張りを妨げる灯火

　（具体例）

　　他船を眩惑させるような強力な集魚灯や探照灯を使用したり，甲板上でみだりに作業灯を点けたりする。

　　特に，視界制限状態にあるときは，弱い灯火でも見張りの妨げとなるものである。

§1-3-3　形象物の表示（第3項）

　船舶は，昼間において，予防法に定める形象物を表示しなければならない。

1．形象物は，日出から日没まででなく，昼間に表示されなければならない。
　　したがって，薄明時は灯火とともに表示されるべきものである。

2．船舶が灯火又は形象物を表示するのは，互いに自船の存在，船舶の種類，

第3章 灯火及び形象物 (§1-3-4)　　　67

状態などを示すためである。見合い関係にある場合の適用すべき航法も，こ
れによって決められる。

§1-3-4　灯火・形象物の技術上の基準等 (第4項)

　灯火及び形象物の技術上の基準並びにこれらを表示すべき位置については，
予防法に定めるもののほかは，施行規則に定められる。

　第3章においては，灯火及び形象物について，船員が当直中他船を確認する
のに必要な主要事項を規定し，これらの技術上の基準や表示位置など構造的・
艤装的な事項については，施行規則に規定し，船員に分かりやすいように内容
を区分している。これは，第4章においても，同様である。

第21条　定　　義

第21条　この法律において「マスト灯」とは，225度にわたる水平の弧を照らす白
　灯であって，その射光が正船首方向から各げん正横後22度30分までの間を照らす
　ように船舶の中心線上に装置されるものをいう。
2　この法律において「げん灯」とは，それぞれ112度30分にわたる水平の弧を照
　らす紅灯及び緑灯の1対であって，紅灯にあってはその射光が正船首方向から左
　げん正横後22度30分までの間を照らすように左げん側に装置される灯火をいい，
　緑灯にあってはその射光が正船首方向から右げん正横後22度30分までの間を照ら
　すように右げん側に装置される灯火をいう。
3　この法律において「両色灯」とは，紅色及び緑色の部分からなる灯火であって，
　その紅色及び緑色の部分がそれぞれげん灯の紅灯及び緑灯と同一の特性を有する
　こととなるように船舶の中心線上に装置されるものをいう。
4　この法律において「船尾灯」とは，135度にわたる水平の弧を照らす白灯であっ
　て，その射光が正船尾方向から各げん67度30分までの間を照らすように装置され
　るものをいう。
5　この法律において「引き船灯」とは，船尾灯と同一の特性を有する黄灯をいう。
6　この法律において「全周灯」とは，360度にわたる水平の弧を照らす灯火をいう。
7　この法律において「せん光灯」とは，一定の間隔で毎分120回以上のせん光を
　発する全周灯をいう。

§1-3-5　マスト灯等の定義 (第21条)

（1）　マスト灯 (第1項)

　　「マスト灯」とは，225度にわたる水平の弧を照らす白灯であって，その

射光が正船首方向から各舷正横後22度30分までの間を照らすように船舶の中心線上に装置されるものをいう。

（2）　舷灯（第2項）

　「舷灯」とは，それぞれ112度30分にわたる水平の弧を照らす紅灯及び緑灯の1対であって，紅灯にあってはその射光が正船首方向から左舷正横後22度30分までの間を照らすように左舷側に装置される灯火をいい，緑灯にあってはその射光が正船首方向から右舷正横後22度30分までの間を照らすように右舷側に装置される灯火をいう。

　長さ20メートル以上の船舶が掲げる舷灯は，黒色のつや消し塗装を施した内側隔板を取り付けたものでなければならない（則第7条）。また，その灯火は，射光範囲（則第5条）の規定に合致したものでなければならない。

（3）　両色灯（第3項）

　「両色灯」とは，紅色及び緑色の部分からなる灯火であって，その紅色及び緑色の部分がそれぞれ舷灯の紅灯及び緑灯と同一の特性を有することとなるように船舶の中心線上に装置されるものをいう。

　両色灯は，長さ20メートル未満の船舶が舷灯の代わりに掲げることができるものである。

（4）　船尾灯（第4項）

　「船尾灯」とは，135度にわたる水平の弧を照らす白灯であって，その射光が正船尾方向から各舷67度30分までの間を照らすように装置されるものをいう。

（5）　引き船灯（第5項）

　「引き船灯」とは，船尾灯と同一の特性（135度，正船尾方向から各舷67度30分）を有する黄灯をいう。

　黄色の灯火は，従来の白色，紅色及び緑色の灯火に加えて，1972年国際規則から新たに定められたものである。したがって，予防法の灯火の色の種類は，白色，紅色，緑色及び黄色の4色となった。これらの灯火の色度の基準については，施行規則に定められている。（則第2条）

（6）　全周灯（第6項）

　「全周灯」とは，360度にわたる水平の弧を照らす灯火をいう。

　全周灯は，射光が全周から全く妨げられないように掲げることが困難な場合もあるので，施行規則により，水平射光範囲が，マストその他の構造物によって6度を超えて妨げられないような位置に掲げることに定められてい

る。ただし，錨泊灯はできる限り高い位置でよいとなっている。
　また，1個の全周灯のみでは前記の位置とすることができない場合は，2個の全周灯を，隔板を取り付けるなどの方法で1海里の距離から1個の灯火として見えるようにすることをもって足りる。（則第14条）
（7）　閃光灯（第7項）
　「閃光灯」とは，一定の間隔で毎分120回以上の閃光を発する全周灯をいう。
　1．閃光灯の色は，予防法では，黄色（エアクッション船）及び紅色（表面効果翼船）の2色である。閃光を発する装置は，電球を点滅する方法等によって行っている。
　2．海上交通安全法においては，閃光回数の特定された全周灯が，同法の巨大船（緑色），危険物積載船（紅色），緊急船舶（紅色）及び進路警戒船（緑色）に用いられている。

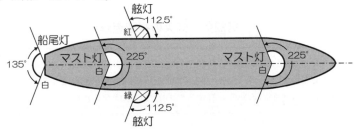

図 1・21(a)　灯火の射光範囲（航行中の動力船）

§1-3-6　形象物
（1）　形象物の種類，形状及び大きさ（第24条等，則第8条）

(1)	球形の形象物	直径0.6メートル以上
(2)	円すい形の形象物	底の直径0.6メートル以上，高さが底の直径と等しい
(3)	円筒形の形象物	直径0.6メートル以上，高さが直径の2倍
(4)	ひし形の形象物	底の直径0.6メートル以上，高さが底の直径に等しい2個の同形の円すいをその底で上下に結合させた形のもの
(5)	鼓形の形象物	2個の同形の円すい（(2)と同じもの）をこれらの頂点で垂直線上の上下に結合した形のもの

　長さ20メートル未満の船舶が掲げる形象物の大きさは，その船舶の大きさに適したものとすることができる。
　形象物の形状（直径，高さ等）は，図1・21(b)のとおりである。

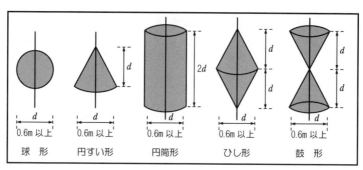

図 1・21(b)　形象物の形状

(2) 形象物の色（則第8条）

形象物の色は，すべて黒色である。

第22条　灯火の視認距離

> 第22条　次の表の左欄に掲げる船舶その他の物件が表示する灯火は，同表中欄に掲げる灯火の種類ごとに，同表右欄に掲げる距離以上の視認距離を得るのに必要な国土交通省令で定める光度を有するものでなければならない。
>
> | | | |
> |---|---|---|
> | 長さ50メートル以上の船舶（他の動力船に引かれている航行中の船舶であって，その相当部分が水没しているため視認が困難であるものを除く。） | マスト灯 | 6海里 |
> | | げん灯 | 3海里 |
> | | 船尾灯 | 3海里 |
> | | 引き船灯 | 3海里 |
> | | 全周灯 | 3海里 |
> | 長さ12メートル以上50メートル未満の船舶（他の動力船に引かれている航行中の船舶であって，その相当部分が水没しているため視認が困難であるものを除く。） | マスト灯 | 5海里（長さ20メートル未満の船舶にあっては，3海里） |
> | | げん灯 | 2海里 |
> | | 船尾灯 | 2海里 |
> | | 引き船灯 | 2海里 |
> | | 全周灯 | 2海里 |
> | 長さ12メートル未満の船舶（他の動力船に引かれている航行中の船舶であって，その相当部分が水没しているため視認が困難であるものを除く。） | マスト灯 | 2海里 |
> | | げん灯 | 1海里 |
> | | 船尾灯 | 2海里 |
> | | 引き船灯 | 2海里 |
> | | 全周灯 | 2海里 |

第3章　灯火及び形象物（§1-3-7）

他の動力船に引かれている航行中の船舶その他の物件であって，その相当部分が水没しているため視認が困難であるもの	全周灯	3海里	

§1-3-7　灯火の視認距離（第22条）

　灯火は，船舶の長さ等に応じて定められた距離（第22条に規定する「表」の距離）以上の視認距離を有するものでなければならない。

　つまり，灯火の視認距離は，次のとおりである。

灯火 ＼ 長さ等	50メートル以上（水没被曳航船舶を除く。）	12メートル以上50メートル未満（水没被曳航船舶を除く。）	12メートル未満（水没被曳航船舶を除く。）	水没被曳航船舶・物件
マスト灯	6海里以上	5海里（20メートル未満は3海里）以上	2海里以上	――――
舷　灯	3　〃	2海里以上	1　〃	――――
船 尾 灯	3　〃	2　〃	2　〃	――――
引き船灯	3　〃	2　〃	2　〃	――――
全 周 灯	3　〃	2　〃	2　〃	3海里以上

　この視認距離を得るのに必要な光度は，施行規則（則第4条）に定められている。

〔注〕　船舶設備規程は，灯火（船灯及び操船信号灯）について，①同規程第9号表（属具表）に掲げるものを備え付け（第146条の3），②その灯火等の要件は告示（航海用具の基準を定める告示）による旨（第146条の4）を定めている。これらは，もちろん本法及び施行規則に定めるものに適合している。

　　灯火の種類は，例えば，マスト灯は，第1種マスト灯（6海里以上），第2種マスト灯（5海里以上）及び第3種マスト灯（3海里以上）に分けられている。

§1-3-8　灯火・形象物を連掲する場合の垂直間隔等（施行規則）

　第3章の規定により，2個又は3個の灯火・形象物を垂直線上に掲げる場合があるが，施行規則は，これらの垂直間隔等について，図1・22(a)及び(b)のとおり定めている。（則第12条・第17条）

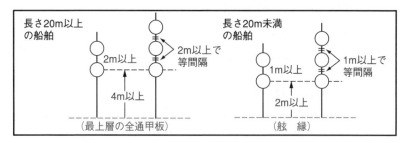

図 1・22(a) 灯火を連掲する場合の垂直間隔等（ただし，引き船灯を掲げる場合の船尾灯（下方）の「高さ」については適用しない。）

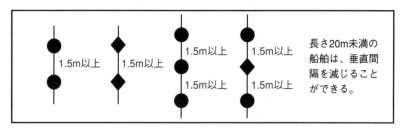

図 1・22(b) 形象物を連掲する場合の垂直間隔等

第23条　航行中の動力船

第23条　航行中の動力船（次条第1項，第2項，第4項若しくは第7項，第26条第1項若しくは第2項，第27条第1項から第4項まで若しくは第6項又は第29条の規定の適用があるものを除く。以下この条において同じ。）は，次に定めるところにより，灯火を表示しなければならない。
(1) 前部にマスト灯1個を掲げ，かつ，そのマスト灯よりも後方の高い位置にマスト灯1個を掲げること。ただし，長さ50メートル未満の動力船は，後方のマスト灯を掲げることを要しない。
(2) げん灯1対（長さ20メートル未満の動力船にあっては，げん灯1対又は両色灯1個。第4項及び第5項並びに次条第1項第2号及び第2項第2号において

第3章　灯火及び形象物（§1-3-9）　　73

　　同じ。）を掲げること。

　⑶　できる限り船尾近くに船尾灯1個を掲げること。

2　水面から浮揚した状態で航行中のエアクッション船（船体の下方へ噴出する空気の圧力の反作用により水面から浮揚した状態で移動することができる動力船をいう。）は，前項の規定による灯火のほか，黄色のせん光灯1個を表示しなければならない。

3　特殊高速船（その有する速力が著しく高速であるものとして国土交通省令で定める動力船をいう。）は，第1項の規定による灯火のほか，紅色のせん光灯1個を表示しなければならない。

4　航行中の長さ12メートル未満の動力船は，第1項の規定による灯火の表示に代えて，白色の全周灯1個及びげん灯1対を表示することができる。

5　航行中の長さ7メートル未満の動力船であって，その最大速力が7ノットを超えないものは，第1項又は前項の規定による灯火の表示に代えて，白色の全周灯1個を表示することができる。この場合において，その動力船は，できる限りげん灯1対を表示しなければならない。

6　航行中の長さ12メートル未満の動力船は，マスト灯を表示しようとする場合において，そのマスト灯を船舶の中心線上に装置することができないときは，マスト灯と同一の特性を有する灯火1個を船舶の中心線上の位置以外の位置に表示することをもって足りる。

7　航行中の長さ12メートル未満の動力船は，両色灯を表示しようとする場合において，マスト灯又は第4項若しくは第5項の規定による白色の全周灯を船舶の中心線上に装置することができないときは，その両色灯の表示に代えて，これと同一の特性を有する灯火1個を船舶の中心線上の位置以外の位置に表示することができる。この場合において，その灯火は，前項の規定によるマスト灯と同一の特性を有する灯火又は第4項若しくは第5項の規定による白色の全周灯が装置されている位置から船舶の中心線に平行に引いた直線上又はできる限りその直線の近くに掲げるものとする。

§1-3-9　航行中の動力船の灯火（第1項）

航行中の動力船は，次の灯火を表示しなければならない。（図1・23）

⑴	①　マ　ス　ト　灯	1	個	前部
	②　マ　ス　ト　灯	1	個	①のマスト灯よりも後方の高い位置 50m未満は掲げることを要しない
⑵	舷　　　　　　灯	1	対	20m未満は両色灯1個でもよい
⑶	船　　尾　　灯	1	個	できる限り船尾近く

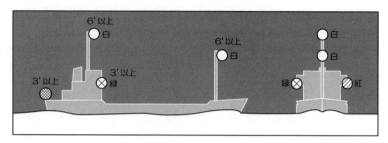

図 1·23 航行中の動力船の灯火

（備考） この図において，船尾灯に網目を施しているのは，正横など射光範囲外から見た場合に同灯の光は見えないが，点灯されていることを示すものである。（以下，本書の灯火の図において同様である。）

　船尾灯を掲げる位置は，「できる限り船尾に近く」と定められているが，これは船舶の構造上又は作業の性質上，船尾に掲げることができないものがあることを考慮したためである。この規定は，船尾灯を掲げることに定められている他のすべての船舶についても同じである。なお，本書では，船尾灯であることを明確にするため，できるだけ船尾に図示している。

〔注〕　適用除外

　　本項のかっこ書規定に適用除外が明示されているとおり，この動力船には，引き船など次に掲げる船舶である場合は除かれる。これらの場合には，それぞれの規定の灯火又は形象物を表示する。

① 曳航船等（結合型押し船列を除く。）（第24条第１項〜第４項）
② 漁ろうに従事している船舶（第26条第１項・第２項）
③ 運転不自由船（第27条第１項）
④ 操縦性能制限船（第27条第２項〜第４項・第６項）
⑤ 水先船（第29条）

　　なお，この適用除外は，本条に規定する第２項以下の動力船についても同じである。

§1-3-10　マスト灯・舷灯等の位置等（施行規則）

　マスト灯（又は本条第６項等のマスト灯と同一の特性を有する灯火）の垂直位置，マスト灯の間の水平距離等及び舷灯等の位置は，施行規則に次のとおり定められている。（図1·24，図1·25）

（１）　マスト灯の垂直位置（則第９条）

　⑴　前部マスト灯の位置（則第９条第１項）

　　①　長さ20メートル以上の動力船（下記③を除く。）……船体上の高さが

第3章　灯火及び形象物（§1-3-10）

6メートル（船舶の最大の幅が6メートルを超えるものは，その幅）以上であること。ただし，12メートルを超えることを要しない。（第1号）
② 長さ20メートル未満の動力船……舷縁上の高さが2.5メートル以上であること。ただし，長さ12メートル未満のものは，この限りでない。（第2号）

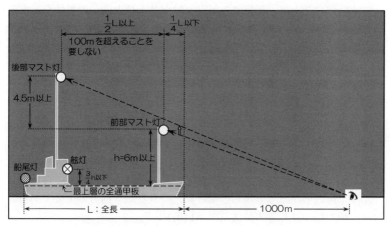

図 1・24　航行中の動力船の灯火の位置・間隔

③ 長さ20メートル以上の動力船であって海上保安庁長官が告示で定めるもの……船体上の高さが，前部マスト灯と舷灯を頂点とする二等辺三角形を当該船舶の船体中心線に垂直な平面に投影した二等辺三角形の底角が27度以上となるものであること。（第3号）

1．告示で定める動力船とは，最強速力が同告示で定める値以上の，いわゆる「高速船」といわれるものである。（同告示は，$p.116$〔注〕に掲載している。）
2．この高速船の前部マスト灯の高さは，図1・25に示すとおり，二等辺三角形の底角が27度以上となる高さであればよいと緩和することを定めたものである。
〔注〕「船体上の高さ」とは，灯火の直下の最上層の全通甲板からの高さをいう。

図 1・25　高速船の前部マスト灯の高さの緩和

(2)　後部マスト灯の位置（則第9条第2項）

　　　前部マスト灯よりも4.5メートル以上上方でなければならず，かつ，通常のトリムの状態において，船首から1,000メートル離れた海面から見たときに前部マスト灯と分離して見える高さであること。

(3)　マスト灯と他の灯火・構造物との関係（則第9条第4項）

　　　前部マスト灯，後部マスト灯又はマスト灯と同一の特性を有する灯火の位置は，他のすべての灯火（操船信号灯（則第21条）などの灯火を除く。）よりも上方でなければならず，かつ，これらの灯火及び妨害となる上部構造物によって，その射光が妨げられないような高さであること。

（2）　動力船のマスト灯の間の水平距離等（則第10条）

(1)　動力船の両マスト灯の間の水平距離は，L（船舶の長さ）× $\frac{1}{2}$ 以上であること。ただし，100メートルを超えることを要しない。

(2)　船首から前部マスト灯までの水平距離は，$\frac{1}{4}L$ 以下であること。

(3)　前部マスト灯のみを掲げる場合は，船体中央部より前方の位置であること。ただし，長さ20メートル未満の動力船は，この限りでない。

(4)　上記(3)のただし書規定の場合は，できる限り前方の位置であること。

（3）　動力船の舷灯等の位置（則第11条）

(1)　舷灯

　①　前部マスト灯（マスト灯と同一の特性を有する灯火を含む。以下この条において同じ。）の船体上の高さの $\frac{3}{4}$ 以下であること。

　②　甲板の照明灯によって射光が妨げられるような低い位置にないこと。

　③　前部マスト灯又は全周灯（第23条第4項）を舷縁上2.5メートル未満の高さに掲げる場合は，①にかかわらず，その前部マスト灯又は全周灯よりも1メートル以上下方にあること。

　④　前部マスト灯よりも前方になく，かつ，舷側又はその付近にあること。（長さ20メートル以上の動力船が掲げる舷灯に限る。）

(2)　両色灯及び両色灯と同一の特性を有する灯火

　　　前部マスト灯よりも1メートル以上下方にあること。

§1-3-11　後部マスト灯を掲げた場合の利点

（1）　舷灯をまだ視認できない距離において，前部マスト灯と後部マスト灯との開き加減によって，その動力船のおよその進行方向を知ることができる。

（2）　舷灯を視認できる距離において，舷灯のみでは分かりにくい小角度の変

針も，2つのマスト灯の開き加減の僅かな変化によって知ることができる。
(3) 2つのマスト灯の間の水平距離はL（船舶の長さ）×$1/2$ 以上であることや長さ50メートル以上の動力船はかならず掲げなければならない灯火であることから，船舶のおよその大きさを判断するのに役立つ。

§1-3-12 航行中の長さ50メートル未満の動力船の灯火（第1項）

航行中の動力船のうち，長さが50メートル未満のものは，前述の図1・23の灯火を表示しない場合には，その船舶の長さに応じて灯火の視認距離及び灯火の表示を緩和することができる。（図1・26，図1・27）

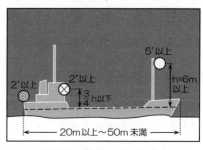

図 1・26　航行中の長さ50m未満の動力船の灯火

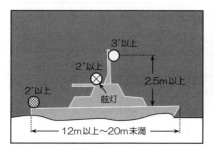
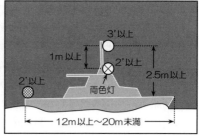

図 1・27　航行中の長さ12m以上20m未満の動力船の灯火

§1-3-13 浮揚状態で航行中のエアクッション船の灯火（第2項）

航行中のエアクッション船（例：ホバークラフト）は，浮揚状態である場合は，次の灯火を表示しなければならない。（図1・28）

(1)	① マ ス ト 灯	1	個	前部
	② マ ス ト 灯	1	個	①のマスト灯よりも後方の高い位置　50m未満は掲げることを要しない
(2)	舷　　　　　灯	1	対	20m未満は両色灯1個でもよい
(3)	船　　尾　　灯	1	個	できる限り船尾近く
(4)	黄 色 の 閃 光 灯	1	個	§1-3-5(7)

黄色の閃光灯は，航行中のエアクッション船が風の影響を受けやすい浮揚状態にあることを示すもので，同船が浮揚状態にない場合は，第1項の航行中の動力船の灯火のみを表示する。

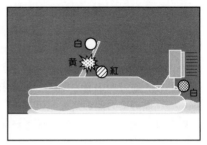

図1・28 浮揚状態で航行中のエアクッション船の灯火

§1-3-14 滑走中又は水面に接近して飛行中の表面効果翼船の灯火（第3項）

(1)	航行中の動力船の灯火	第1項・§1-3-9
(2)	紅色の閃光灯	1個	§1-3-5(7)

1．表面効果翼船（特殊高速船）が航行中の動力船の灯火のほか，紅色の閃光灯を表示するのは，施行規則（則第21条の2）により，次に掲げる状態のときに限られる。
　① 離水若しくは着水に係る滑走の状態
　② 水面に接近して飛行している状態
2．同船が，上記の状態でなく，水上を航行中は，動力船として，航行中の動力船の灯火のみを表示し，紅色の閃光灯を表示してはならない。

§1-3-15 航行中の長さ12メートル未満の動力船の灯火の表示緩和（第4項～第7項）

（1） 長さ12メートル未満の動力船の灯火（第4項）
　第1項の規定による灯火の表示に代えて，次の灯火を表示することができる。（図1・29）

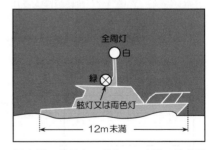

図1・29 航行中の長さ12m未満の動力船の灯火の表示緩和

(1)	白色の全周灯	1	個	舷灯より1メートル以上
(2)	舷灯（又は両色灯）	1対（1個）		

第3章　灯火及び形象物（§1-3-15）　　　79

　この場合の白色の全周灯は，マスト灯と船尾灯に代えて表示できるものである。

（2）　長さ7メール未満の動力船で最大速力が7ノットを超えないものの灯火（第5項）

　　第1項又は第4項の規定による灯火の表示に代えて，次の灯火を表示することができる。

⑴	白色の全周灯	1　　　　個	
⑵	舷灯（又は両色灯）	1対（1個）	できる限り表示しなければならない

　小型の動力船で低速のものに限って，更に表示を緩和したものである。

（3）　長さ12メートル未満の動力船のマスト灯・両色灯の位置の緩和（第6項・第7項）

⑴　マスト灯の位置の緩和（第6項）

　　長さ12メートル未満の動力船は，マスト灯を船舶の中心線上に装置することができないときは，それ以外の位置に表示することをもって足りる。

　　「マスト灯と同一の特性を有する灯火」とあるのは，マスト灯そのものは第21条第1項の規定により船舶の中心線上に装置されるものと定義されているからである。

⑵　両色灯の位置の緩和（第7項）

　　両色灯を表示しようとする場合に，マスト灯又は全周灯（第4項・第5項）を船舶の中心線上に装置することができないときは，それ以外の位置に表示することができる。この場合は，図1・29に示すとおり，マスト灯又は全周灯が装置されている位置から船舶の中心線に平行に引いた直線上又はできる限りその直線の近くに掲げるものとする。

　1．「両色灯と同一の特性を有する灯火」とあるのは，両色灯そのものは第21条第3項の規定により船舶の中心線上に装置されるものと定義されているからである。

　2．本条の航行中の動力船には，昼間の形象物についての規定はない。

第24条　航行中のえい航船等

第24条　船舶その他の物件を引いている航行中の動力船（次項，第26条第1項若し

80 　　　　　　　第 1 編　海 上 衝 突 予 防 法

くは第 2 項又は第27条第 1 項から第 4 項まで若しくは第 6 項の規定の適用がある
ものを除く。以下この項において同じ。）は，次に定めるところにより，灯火又
は形象物を表示しなければならない。
(1)　次のイ又はロに定めるマスト灯を掲げること。ただし，長さ50メートル未満
　　の動力船は，イに定める後方のマスト灯を掲げることを要しない。
　　イ　前部に垂直線上にマスト灯 2 個（引いている船舶の船尾から引かれている
　　　　船舶その他の物件の後端までの距離（以下この条において「えい航物件の後
　　　　端までの距離」という。）が200メートルを超える場合にあっては，マスト灯
　　　　3 個）及びこれらのマスト灯よりも後方の高い位置にマスト灯 1 個
　　ロ　前部にマスト灯 1 個及びこのマスト灯よりも後方の高い位置に垂直線上に
　　　　マスト灯 2 個（えい航物件の後端までの距離が200メートルを超える場合に
　　　　あっては，マスト灯 3 個）
(2)　げん灯 1 対を掲げること。
(3)　できる限り船尾近くに船尾灯 1 個を掲げること。
(4)　前号の船尾灯の垂直線上の上方に引き船灯 1 個を掲げること。
(5)　えい航物件の後端までの距離が200メートルを超える場合は，最も見えやす
　　い場所にひし形の形象物 1 個を掲げること。
2　船舶その他の物件を押し，又は接げんして引いている航行中の動力船（第26条
　第 1 項若しくは第 2 項又は第27条第 1 項，第 2 項若しくは第 4 項の規定の適用が
　あるものを除く。以下この項において同じ。）は，次に定めるところにより，灯
　火を表示しけなければならない。
(1)　次のイ又はロに定めるマスト灯を掲げること。ただし，長さ50メートル未満
　　の動力船は，イに定める後方のマスト灯を掲げることを要しない。
　　イ　前部に垂直線上にマスト灯 2 個及びこれらのマスト灯よりも後方の高い位
　　　　置にマスト灯 1 個
　　ロ　前部にマスト灯 1 個及びこのマスト灯よりも後方の高い位置に垂直線上に
　　　　マスト灯 2 個
(2)　げん灯 1 対を掲げること。
(3)　できる限り船尾近くに船尾灯 1 個を掲げること。
3　遭難その他の事由により救助を必要としている船舶を引いている航行中の動力
　船であって，通常はえい航作業に従事していないものは，やむを得ない事由によ
　り前二項の規定による灯火を表示することができない場合は，これらの灯火の表
　示に代えて，前条の規定による灯火を表示し，かつ，当該動力船が船舶を引いて
　いることを示すため，えい航索の照明その他の第36条第 1 項の規定による他の船
　舶の注意を喚起するための信号を行うことをもって足りる。
4　他の動力船に引かれている航行中の船舶その他の物件（第 1 項，第 7 項（第 2

号に係る部分に限る。），第26条第1項若しくは第2項又は第27条第2項から第4項までの規定の適用がある船舶及び次項の規定の適用がある船舶その他の物件を除く。以下この項において同じ。）は，次に定めるところにより，灯火又は形象物を表示しなければならない。

(1) げん灯1対（長さ20メートル未満の船舶その他の物件にあっては，げん灯1対又は両色灯1個）を掲げること。

(2) できる限り船尾近くに船尾灯1個を掲げること。

(3) えい航物件の後端までの距離が200メートルを超える場合は，最も見えやすい場所にひし形の形象物1個を掲げること。

5 他の動力船に引かれている航行中の船舶その他の物件であって，その相当部分が水没しているため視認が困難であるものは，次に定めるところにより，灯火又は形象物を表示しなければならない。この場合において，2以上の船舶その他の物件が連結して引かれているときは，これらの物件は，1個の物件とみなす。

(1) 前端又はその付近及び後端又はその付近に，それぞれ白色の全周灯1個を掲げること。ただし，石油その他の貨物を充てんして水上輸送の用に供するゴム製の容器は，前端又はその付近に白色の全周灯を掲げることを要しない。

(2) 引かれている船舶その他の物件の最大の幅が25メートル以上である場合は，両側端又はその付近にそれぞれ白色の全周灯1個を掲げること。

(3) 引かれている船舶その他の物件の長さが100メートルを超える場合は，前二号の規定による白色の全周灯の間に，100メートルを超えない間隔で白色の全周灯を掲げること。

(4) 後端又はその付近にひし形の形象物1個を掲げること。

(5) えい航物件の後端までの距離が200メートルを超える場合は，できる限り前方の最も見えやすい場所にひし形の形象物1個を掲げること。

6 前二項に規定する他の動力船に引かれている航行中の船舶その他の物件は，やむを得ない事由により前二項の規定による灯火又は形象物を表示することができない場合は，照明その他その存在を示すために必要な措置を講ずることをもって足りる。

7 次の各号に掲げる船舶（第26条第1項若しくは第2項又は第27条第2項から第4項までの規定の適用があるものを除く。）は，それぞれ当該各号に定めるところにより，灯火を表示しなければならない。この場合において，2隻以上の船舶が一団となって，押され，又は接げんして引かれているときは，これらの船舶は，1隻の船舶とみなす。

(1) 他の動力船に押されている航行中の船舶　前端にげん灯1対（長さ20メートル未満の船舶にあっては，げん灯1対又は両色灯1個。次号において同じ。）を掲げること。

(2) 他の動力船に接げんして引かれている航行中の船舶　前端にげん灯1対を掲げ、かつ、できる限り船尾近くに船尾灯1個を掲げること。
8　押している動力船と押されている船舶とが結合して一体となっている場合は、これらの船舶を1隻の動力船とみなしてこの章の規定を適用する。

§1-3-16　航行中の引き船（動力船）の灯火・形象物（第1項）
（1）灯火（図1・30）

(1)	(イ)又は(ロ)のマスト灯			
	(イ)	① マスト灯	2個連掲	前部。曳航物件の後端までの距離が200mを超える場合は3個連掲
		② マスト灯	1個	①のマスト灯よりも後方の高い位置。50m未満は掲げることを要しない
	(ロ)	① マスト灯	1個	前部
		② マスト灯	2個連掲	後部。①のマスト灯よりも後方の高い位置。曳航物件の後端までの距離が200mを超える場合は3個連掲
(2)	舷　　　　　灯		1対	20m未満は両色灯1個でもよい
(3)	船　尾　　　灯		1個	できる限り船尾近く
(4)	引　き　船　灯		1個	船尾灯の上方

（備考）　図の引かれ船（物件）の灯火については、第4項に規定されている。（後述）

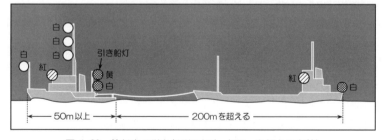

図 1・30　航行中の引き船列の灯火（200mを超える曳航）

1．連掲の2個又は3個のマスト灯は、上表の(1)により、前部又は後部のいずれでもよいことになる。図1・30は、後部に掲げた場合を示している。
2．前部マスト又は後部マストに連掲の2個又は3個のマスト灯のうちいずれか1個は、動力船の前部マスト灯又は後部マスト灯と同一の位置に掲げることに定められている。
　　また、後部マストにマスト灯を連掲する場合は、上記の規定のほか、連

掲のマスト灯の最も下方のものの位置が前部マスト灯よりも4.5メートル以上上方でなければならないことに定められている。

これは，第2項の押し船・引き船（接舷）の後部に連掲するマスト灯についても同じである。　　　　　　　　　　　　　　　　（則第9条）

3．上表の(1)の(イ)又は(ロ)の後方又は前部に掲げるマスト灯1個は，引き船列の進行方向を識別させるのに有効なものである。

4．引き船灯（黄色）は，追越し船などがこれを掲げている船舶を船尾側から見た場合に引き船であることを容易に識別させるためのものである。

(2) 形象物（図1・31）

| (1) | 黒色のひし形 | 1 | 個 | 最も見えやすい場所
曳航物件の後端までの距離が200mを超える場合にのみ掲げる |

（備考）　図の引かれ船（物件）の形象物については，第4項に規定されている。（後述）

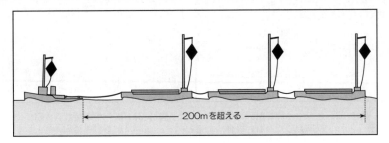

図 1・31　航行中の引き船列の形象物（200mを超える曳航のみ）

〔注〕　適用除外

本項のかっこ書規定に適用除外が明示されているとおり，この引き船には，次に掲げる船舶である場合は除かれる。これらの場合には，それぞれの規定の灯火又は形象物を表示する。

① 船舶・物件を接舷して引いている動力船（第2項）
② 漁ろうに従事している船舶（第26条第1項・第2項）
③ 運転不自由船（第27条第1項）
④ 操縦性能制限船（第27条第2項〜第4項・第6項）

§1-3-17　航行中の押し船（動力船）又は接舷して引いている引き船（動力船）の灯火（第2項）

航行中の押し船（動力船）又は接舷して引いている引き船（動力船）は，次

の灯火を表示しなければならない。(図1・32, 図1・33)

(1)	(イ)又は(ロ)のマスト灯				
	(イ)	① マスト灯	2個	連掲	前部
		② マスト灯	1	個	①のマスト灯よりも後方の高い位置。50m未満は掲げることを要しない
	(ロ)	① マスト灯	1	個	前部
		② マスト灯	2個	連掲	①のマスト灯よりも後方の高い位置
(2)	舷　　　　　灯		1	対	20m未満は両色灯1個でもよい
(3)	船　尾　　　灯		1	個	できる限り船尾近く

(備考)　図の押され船又は接舷して引かれている船舶の灯火については，第7項に規定されている。(後述)

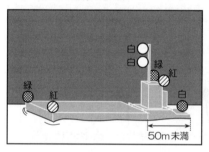 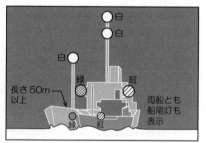

図 1・32　航行中の押し船列の灯火　　　図 1・33　航行中の接舷して引いて
　　　　　（結合していない場合）　　　　　　　　　いる引き船列の灯火

〔注〕　適用除外
　　　本項のかっこ書規定に適用除外が明示されているとおり，本項の押し又は接舷して引いている動力船には，次に掲げる船舶である場合は除かれる。これらの場合には，それぞれの規定の灯火又は形象物を表示する。
　①　漁ろうに従事している船舶（漁具を横引きしている場合等）（第26条第1項・第2項）
　②　運転不自由船（第27条第1項）
　③　操縦性能制限船（第27条第2項・第4項）

§1-3-18　通常曳航作業に従事しない動力船の灯火の表示緩和（第3項）
　通常曳航作業に従事しない動力船が，遭難その他の事由により救助を必要としている船舶を曳航する場合に，やむを得ない事由により，第1項（引き船）又は第2項（接舷の引き船）の規定による灯火を表示することができないとき

は，これらの灯火の表示に代えて，次の灯火の表示等を行うことをもって足りる。
（1）　航行中の動力船の灯火（第23条）
（2）　曳航索の照明その他の注意喚起信号（第36条第1項）
　（2）の注意喚起信号は，条文にあるとおり「動力船が船舶を引いていることを示すため」であり，これらの船舶の間の状況をよく示すよう，探照灯による曳航索の照射のようなすべての可能な措置をとることによってなされなければならない。

§1-3-19　航行中の引かれ船（物件）の灯火・形象物（第4項・第6項）

（1）　灯火（第4項）（図1・30　前掲）

(1)	舷　　　　　灯	1	対	20m未満は両色灯1個でもよい
(2)	船　尾　　灯	1	個	できる限り船尾近く

（2）　形象物（第4項）（図1・31　前掲）

(1)	黒 色 の ひ し 形	1	個	最も見えやすい場所 曳航物件の後端までの距離が200mを超える場合にのみ掲げる

〔注〕　適用除外
　　　本項のかっこ書規定に適用除外が明示されているとおり，この引かれ船・物件には，次に掲げる船舶又は物件である場合は除かれる。これらの場合には，それぞれの規定の灯火又は形象物を掲げる。
　　①　引き船（第1項）
　　②　接舷して引かれている船舶（第7項第2号）
　　③　漁ろうに従事している船舶（第26条第1項・第2項）
　　④　操縦性能制限船（掃海作業船を除く。）（第27条第2項～第4項）
　　⑤　水没被曳航船舶・物件（第5項）
（3）　灯火・形象物の表示緩和（第6項）
　　第4項に規定する引かれ船・物件は，やむを得ない事由により，前記の灯火又は形象物を表示することができない場合は，第6項の規定により，照明その他その存在を示すために必要な措置を講ずることをもって足りる。
　　この照明は，灯火を掲げることが難しい引かれ船又は物件があることを考慮したものである。

§1-3-20　航行中の水没被曳航物件の灯火・形象物（第5項・第6項）

相当部分が水没しているため視認が困難である航行中の引かれている船舶・物件（以下「水没被曳航物件」と略する。）は，次の灯火又は形象物を表示しなければならない。

（1）　灯火（第5項第1号〜第3号）

　(a)　最大の幅が25メートル未満の水没被曳航物件（第1号）（図1・34）

(1)	白色の全周灯	1	個	前端又はその付近
(2)	白色の全周灯	1	個	後端又はその付近
ただし，石油その他の貨物を充てんして水上輸送の用に供するゴム製の容器（ドラコーンと呼ばれている。）は，(1)の灯火を掲げることを要しない。				

水没被曳航物件には，ドラコーン，いかだなどがある。

　(b)　最大の幅が25メートル以上の水没被曳航物件（第2号）（図1・35）

(1)	第1号の規定(a)による灯火			
(2)	白色の全周灯	1	個	左端又はその付近
(3)	白色の全周灯	1	個	右端又はその付近

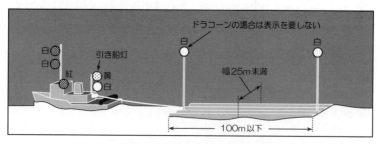

図 1・34　最大の幅が25m未満の水没被曳航物件の灯火

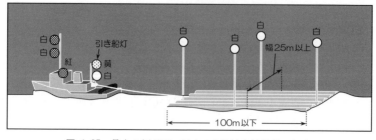

図 1・35　最大の幅が25m以上の水没被曳航物件の灯火

(c) 長さが100メートルを超える水没被曳航物件（第3号）（図1・36）

(1)	第1号は第2号の規定（(a)又は(b)）による灯火			
(2)	白色の全周灯	各	1	個	(1)の灯火の間に，100メートルを超えない間隔で

　第5項において2以上の船舶その他の物件は，連結して引かれている場合は，条文に示されているとおり，これらの物件は1個の物件とみなして，灯火又は形象物を表示しなければならない。

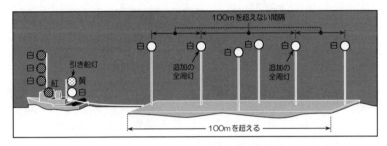

図 1・36　長さが100mを超える水没被曳航物件の灯火

（2）形象物（第5項第4号・第5号）
　(a) 曳航物件の後端までの距離が200メートル以下の水没被曳航物件（第4号）（図1・37）

(1)	黒色のひし形	1	個	後端又はその付近

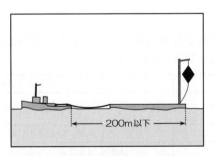

図 1・37　水没被曳航物件の形象物
（200m以下の曳航）

　(b) 曳航物件の後端までの距離が200メートルを超える水没被曳航物件（第5号）（図1・38）

(1)	第4号の規定(a)による形象物		
(2)	黒色のひし形	1個	できる限り前方の最も見えやすい場所

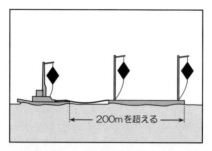

図1・38 水没被曳航物件の形象物
(200mを超える曳航)

 2以上の船舶その他の物件は，連結して引かれている場合は，前述のとおり，これらの物件は1個の物件とみなして，形象物を表示しなければならない。
(3) 灯火・形象物の表示緩和（第6項）
 第5項に規定する水没被曳航物件は，やむを得ない事由により，（1）又は（2）の灯火又は形象物を表示することができない場合は，照明その他その存在を示すために必要な措置を講ずることをもって足りる。
 灯火の表示緩和については，例えば水没被曳航物件を照射するなどの措置を講ずることであり，また，形象物の表示緩和については，いかだ等の水没被曳航物件に，例えば旗を掲げ，その存在を示す措置を講ずることである。

§1-3-21 航行中の押され船・接舷して引かれている船舶の灯火（第7項）
（1） 航行中の押され船（図1・32 前掲）

(1)	舷灯	1対	前端。20m未満は両色灯1個でもよい

（2） 航行中の接舷して引かれている船舶（図1・33 前掲）

(1)	舷灯	1対	前端。20m未満は両色灯1個でもよい
(2)	船尾灯	1個	できる限り前方の最も見えやすい場所

 2隻以上の船舶が一団となって，押され，又は接舷して引かれているときは，これらの船舶は1隻の船舶とみなして灯火を表示しなければならない。
〔注〕 適用除外

第3章　灯火及び形象物（§1-3-22）

本項のかっこ書規定に適用除外が明示されているとおり，これらの押され船・引かれ船には，次に掲げる船舶である場合は除かれる。
① 漁ろうに従事している船舶（第26条第1項・第2項）
② 操縦性能制限船（掃海作業船を除く。）（第27条第2項～第4項）

§1-3-22　結合して一体となっている押し船列の灯火（第8項）

押している動力船と押されている船舶とが，図1・39に示すプッシャーとバージのように結合して一体となっている場合は，1隻の動力船とみなされて，第3章の規定が適用される。

したがって，航行中の場合は，第23条の動力船の灯火を表示しなければならない。

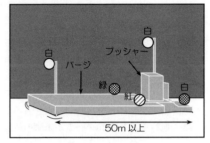

図 1・39　航行中の結合して一体となっている押し船列の灯火

1. 「結合して一体となっている」とは，押し船と押され船とが，その結合部において船舶の中心線に対し左右の運動を生じない程度に一体となっていることを意味する。なお，第5項の「2以上の船舶その他の物件が連結して引かれている」の連結は，単なる連結であって，本項の「結合して一体」とは異なるものである。
2. この結合型押し船列を1隻の動力船とみなすのは，通常外海を航行することができる性能を持っているからである。

§1-3-23　引き船・引かれ船一体の原則

引き船・引かれ船一体の原則とは，航法上引き船と引かれ船との関係をそれぞれ独立のものと考えず，両者を一体であるとみなすことをいう。すなわち，引き船列全体を引き船（動力船）と同一の種類の1隻の船舶（動力船）とみなすことである。

引き船列は，「進路から離れることを著しく制限する曳航作業に従事している操縦性能制限船」である場合を除いて，航法上は特権を与えられるものではない。

しかし，引き船列は単独で航行する動力船に比べて軽快な動作ができないことがあるから，自船・他船ともに十分に注意して運航しなければならない。

第25条　航行中の帆船等

第25条　航行中の帆船（前条第４項若しくは第７項，次条第１項若しくは第２項又
は第27条第１項，第２項若しくは第４項の規定の適用があるものを除く。以下こ
の条において同じ。）であって，長さ７メートル以上のものは，げん灯１対（長
さ20メートル未満の帆船にあっては，げん灯１対又は両色灯１個。以下この条に
おいて同じ。）を表示し，かつ，できる限り船尾近くに船尾灯１個を表示しなけ
ればならない。

2　航行中の長さ７メートル未満の帆船は，できる限り，げん灯１対を表示し，か
つ，できる限り船尾近くに船尾灯１個を表示しなければならない。ただし，これ
らの灯火又は次項に規定する三色灯を表示しない場合は，白色の携帯電灯又は点
火した白灯を直ちに使用することができるように備えておき，他の船舶との衝突
を防ぐために十分な時間これを表示しなければならない。

3　航行中の長さ20メートル未満の帆船は，げん灯１対及び船尾灯１個の表示に代
えて，三色灯（紅色，緑色及び白色の部分からなる灯火であって，紅色及び緑色
の部分にあってはそれぞれげん灯の紅灯及び緑灯と，白色の部分にあっては船尾
灯と同一の特性を有することとなるように船舶の中心線上に装置されるものをい
う。）１個をマストの最上部又はその付近の最も見やすい場所に表示することが
できる。

4　航行中の帆船は，げん灯１対及び船尾灯１個のほか，マストの最上部又はその
付近の最も見えやすい場所に，紅色の全周灯１個を表示し，かつ，その垂直線上
の下方に緑色の全周灯１個を表示することができる。ただし，これらの灯火を前
項の規定による三色灯と同時に表示してはならない。

5　ろかいを用いている航行中の船舶は，前各項の規定による帆船の灯火を表示す
ることができる。ただし，これらの灯火を表示しない場合は，白色の携帯電灯又
は点火した白灯を直ちに使用することができるように備えておき，他の船舶との
衝突を防ぐために十分な時間これを表示しなければならない。

6　機関及び帆を同時に用いて推進している動力船（次条第１項若しくは第２項又
は第27条第１項から第４項までの規定の適用があるものを除く。）は，前部の最
も見えやすい場所に円すい形の形象物１個を頂点を下にして表示しなければなら
ない。

§1-3-24　航行中の長さ７メートル以上の帆船の灯火（第１項）

航行中の長さ７メートルの帆船は，次の灯火を表示しなければならない。
ただし，(3)の紅・緑の全周灯は，第４項（任意）に規定されている。（図1·40）

第3章　灯火及び形象物（§1-3-25）

(1)	舷　　　　灯	1	対	20m未満は両色灯1個でもよい
(2)	船　尾　灯	1	個	できる限り船尾近く
(3)	紅色の全周灯（上方） 緑色の全周灯（下方） 任意（第4項） （§1-3-27）	1個 1個	連掲	マストの最上部又はその付近の最も見えやすい場所 三色灯（第3項）と同時に表示してはならない

〔注〕　適用除外

本項のかっこ書規定に適用除外が明示されているとおり、この帆船には、次に掲げる船舶である場合は除かれる。

① 引かれ船（第24条第4項）
② 押され船・接舷して引かれている船舶（第24条第7項）
③ 漁ろうに従事している船舶（第26条第1項・第2項）
④ 運転不自由船（第27条第1項）
⑤ 操縦性能制限船（第27条第2項・第4項）

なお、この適用除外は、本条に規定する第2項以下の帆船についても同じである。

図1・40　航行中の帆船の灯火

§1-3-25　航行中の長さ7メートル未満の帆船の灯火（第2項）

（1）できる限り正規の灯火の表示（第2項本文）

できる限り、次の灯火を表示しなければならない。

(1)	舷　　　　灯	1	対	両色灯1個でもよい
(2)	船　尾　灯	1	個	できる限り船尾近く

（2）白灯の臨時表示（第2項ただし書）

前記(1)の灯火又は三色灯（第3項）を表示しない場合は、次の灯火を表示しなければならない。

(1)	白色の携帯電灯又は点火した白灯	1	個	臨時表示

臨時表示は、条文に明示しているとおり「直ちに使用することができるように備えておき、他の船舶との衝突を防ぐために十分な時間表示しなければならない」ことになっている。

したがって、臨時表示をする船舶は、適切な見張りを行い他船を早く発見

して，距離的にも時間的にも余裕のある時期に，他船から見えやすいように表示しなければならない。

§1-3-26　航行中の長さ20メートル未満の帆船の三色灯（第3項）

航行中の長さ20メートル未満の帆船は，①舷灯1対（又は両灯色1個）及び②船尾灯1個の表示に代えて，次の灯火を表示することができる。（図1・41）

| (1) | 三　色　灯 | 1 | 個 | マストの最上部又はその付近の最も見えやすい場所 |

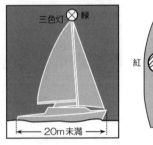

図1・41　航行中の長さ20m未満の帆船の三色灯

§1-3-27　航行中の帆船の紅・緑の全周灯（第4項）

航行中の帆船は，①舷灯（又は両色灯）及び②船尾灯のほか，マストの最上部又はその付近に紅・緑の全周灯を表示することができる。（§1-3-24）

これは，帆船の存在・動向を早期に他船に視認してもらうのに助けとなる。

§1-3-28　航行中のろかい船の灯火（第5項）

(1)　帆船の灯火の表示（第5項本文）

　　航行中のろかい船は，帆船の灯火（第1項～第4項）を表示することができる。

(2)　白灯の臨時表示（第5項ただし書）

　　前記(1)の灯火を表示しない場合は，次の灯火を表示しなければならない。

| (1) | 白色の携帯電灯又は点火した白灯 | 1 | 個 | 臨時表示
（図1・42） |

第3章　灯火及び形象物（§1-3-29）

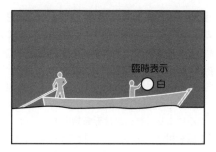

図 1・42　航行中のろかい船の灯火

§1-3-29　機関と帆を同時に用いている動力船の形象物（第6項）

機関と帆を同時に用いて推進している動力船は，昼間次の形象物を表示しなければならない。（図1・43）

| (1) | 黒色の円すい形
（頂点を下） | 1 | 個 | 前部の最も見えやすい場所 |

（この形象物を規定した理由）

機関及び帆を用いている船舶（例えば，ヨットが帆を併用して機走。）は，第3条（定義）第2項の規定により動力船であるが，昼間は，他船から見ると帆を用いて推進している船舶が同時に機関を用いて推進しているのかどうか判断が難しい。したがって，帆・機併用の場合には，この形象物を表示して動力船であることを明示し，航法上の認識の不一致を避けるためである。

夜間は，動力船の航行中の灯火を表示するから，他船から見て，帆船か動力船かの疑念は起こらない。

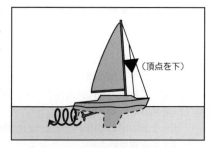

図 1・43　機関と帆を用いている動力船の形象物

〔注〕　適用除外

本項のかっこ書規定に適用除外が明示されているとおり，この動力船には，次に掲げる船舶である場合は除かれる。これらの場合には，それぞれの規定の灯火又は形象物を表示する。

① 漁ろうに従事している船舶（第26条第1項・第2項）
② 運転不自由船（第27条第1項）
③ 操縦性能制限船（第27条第2項〜第4項）

第26条　漁ろうに従事している船舶

第26条　航行中又はびょう泊中の漁ろうに従事している船舶（次条第1項の規定の適用があるものを除く。以下この条において同じ。）であって，トロール（けた網その他の漁具を水中で引くことにより行う漁法をいう。第4項において同じ。）により漁ろうをしているもの（以下この条において「トロール従事船」という。）は，次に定めるところにより，灯火又は形象物を表示しなければならない。

  (1)　緑色の全周灯1個を掲げ，かつ，その垂直線上の下方に白色の全周灯1個を掲げること。

  (2)　前号の緑色の全周灯よりも後方の高い位置にマスト灯1個を掲げること。ただし，長さ50メートル未満の漁ろうに従事している船舶は，これを掲げることを要しない。

  (3)　対水速力を有する場合は，げん灯1対（長さ20メートル未満の漁ろうに従事している船舶にあっては，げん灯1対又は両色灯1個。次項第2号において同じ。）を掲げ，かつ，できる限り船尾近くに船尾灯1個を掲げること。

  (4)　2個の同形の円すいをこれらの頂点で垂直線上の上下に結合した形の形象物1個を掲げること。

2　トロール従事船以外の航行中及びびょう泊中の漁ろうに従事している船舶は，次に定めるところにより，灯火又は形象物を表示しなければならない。

  (1)　紅色の全周灯1個を掲げ，かつ，その垂直線上の下方に白色の全周灯1個を掲げること。

  (2)　対水速力を有する場合は，げん灯1対を掲げ，かつ，できる限り船尾近くに船尾灯1個を掲げること。

  (3)　漁具を水平距離150メートルを超えて船外に出している場合は，その漁具を出している方向に白色の全周灯1個又は頂点を上にした円すい形の形象物1個を掲げること。

  (4)　2個の同形の円すいをこれらの頂点で垂直線上の上下に結合した形の形象物1個を掲げること。

3　長さ20メートル以上のトロール従事船は，他の漁ろうに従事している船舶と著しく接近している場合は，第1項の規定による灯火のほか，次に定めるところにより，同項第1号の白色の全周灯よりも低い位置の最も見えやすい場所に灯火を表示しなければならない。この場合において，その灯火は，第22条の規定にかかわらず，1海里以上3海里未満（長さ50メートル未満のトロール従事船にあっては，1海里以上2海里未満）の視認距離を得るのに必要な国土交通省令で定める光度を有するものでなければならない。

  (1)　投網を行っている場合は，白色の全周灯2個を垂直線上に掲げること。

第3章　灯火及び形象物（§1-3-30）

(2) 揚網を行っている場合は，白色の全周灯1個を掲げ，かつ，その垂直線上の下方に紅色の全周灯1個を掲げること。
(3) 網が障害物に絡み付いている場合は，紅色の全周灯2個を垂直線上に掲げること。
4　長さ20メートル以上のトロール従事船であって，2そうびきのトロールにより漁ろうをしているものは，他の漁ろうに従事している船舶と著しく接近している場合は，それぞれ，第1項及び前項の規定による灯火のほか，第20条第1項及び第2項の規定にかかわらず，夜間において対をなしている他方の船舶の進行方向を示すように探照灯を照射しなければならない。
5　長さ20メートル以上のトロール従事船以外の国土交通省令で定める漁ろうに従事している船舶は，他の漁ろうに従事している船舶と著しく接近している場合は，第1項又は第2項の規定による灯火のほか，国土交通省令で定める灯火を国土交通省令で定めるところにより表示することができる。

§1-3-30　航行中・錨泊中のトロール従事船の灯火・形象物（第1項）
(1) 灯火（図1・44）

(1)	緑色の全周灯（上方） 白色の全周灯（下方）	1個 1個 } 連掲	白色の全周灯の位置は，2個の全周灯の間の距離（a）の2倍以上舷灯よりも上方であること（則第12条）
(2)	マスト灯	1	個	緑色の全周灯よりも後方の高い位置。50m未満は掲げることを要しない
(3)	対水速力を 有する場合	①舷　灯	1	対	長さ20m未満は両色灯1個でもよい
		②船尾灯	1	個	できる限り船尾近く

〔注〕　対水速力は，水に対しての前進又は後進の行き足の有無で決まり，対地速力の有無に関係はない。したがって，例えば，①機関の運転を止めても惰力で水に対して動いている場合は，対水速力を有する場合であり，一方，②潮流により圧流されていても，水に対して行き足のない場合は，対水速力を有しない場合である。

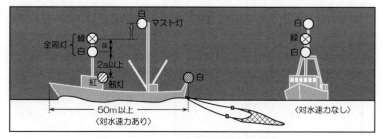

図1・44　トロール従事船の灯火（航行中・錨泊中）

（2） 形象物（図1・45）

| ⑴ | 黒色の鼓形 | 1 | 個 | |

1．長さ20メートル未満の漁ろうに従事している船舶の形象物の大きさは，すべてその船舶の大きさに適したものとすることができることになっている。（§1-3-6）
2．漁ろうに従事している船舶は，錨泊中も本条に規定する灯火・形象物のみを表示することに定められており，錨泊中の船舶の灯火・形象物（第30条）の規定の適用がないので，他の船舶の場合と混同しないようにしなければならない。

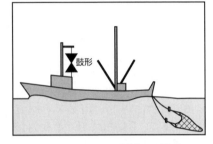

図1・45　トロール従事船の形象物
（航行中・錨泊中）

〔注〕　適用除外

本項のかっこ書規定に適用除外が明示されているとおり，漁ろうに従事している船舶には，次に掲げる船舶である場合は除かれる。

運転不自由船（第27条第1項）

なお，この適用除外は，以下本条において同じである。

§1-3-31　航行中・錨泊中のトロール従事船以外の漁ろうに従事している船舶の灯火・形象物（第2項）

（1）　灯火（図1・46）

⑴	緑色の全周灯（上方) 白色の全周灯（下方)	1個 1個	連掲	白色の全周灯の位置は，2個の全周灯の間の距離（a）の2倍以上舷灯よりも上方であること（則第12条）
⑵	対水速力を有する場合	①舷灯	1	対	長さ20m未満は両色灯1個でもよい
		②船尾灯	1	個	できる限り船尾近く
⑶	白色の全周灯	1	個	漁具を出している方向に（漁具を水平距離150mを超えて船外に出している場合）位置は，①白色の全周灯からの水平距離が2メートル以上6メートル以下で，②同灯よりも高くなく，舷灯よりも低くないこと（則第15条）

第3章 灯火及び形象物（§1-3-32）

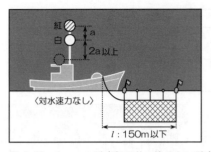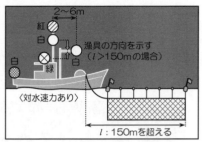

図 1・46　トロール従事船以外の漁ろうに従事している船舶の灯火（航行中・錨泊中）

(2) 形象物（図1・47）

(1)	黒　色　の　鼓　形	1	個	
(2)	黒色の円すい形 （頂点を下）	1	個	漁具を出している方向に（漁具を水平距離150mを超えて船外に出している場合）

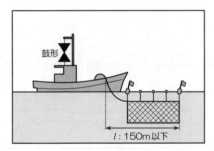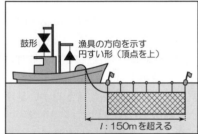

図 1・47　トロール従事船以外の漁ろうに従事している船舶の形象物（航行中・錨泊中）

〔注〕　漁船といわれる船舶であっても，漁ろうに従事していない場合は，本条の灯火又は形象物を表示してはならず，他の船舶と同様に，その船の長さに応じて定められた灯火又は形象物を表示しなければならない。

§1-3-32　長さ20メートル以上のトロール従事船の投網等を示す灯火（第3項）

　長さ20メートル以上のトロール従事船は，他の漁ろうに従事している船舶と著しく接近している場合は，第1項の規定による灯火のほか，次の灯火を表示しなければならない。

(1)	投網を行っている場合（図1・48）	白色の全周灯	2個 連掲
(2)	揚網を行っている場合（図1・49）	白色の全周灯（上方） 紅色の全周灯（下方）	1個 1個 } 連掲
(3)	網が障害物に絡み付いている場合（図1・50）	紅色の全周灯	2個 連掲

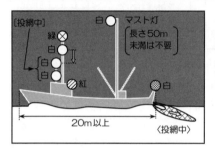

図1・48　トロール従事船の「投網中」を示す灯火

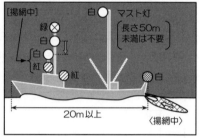

図1・49　トロール従事船の「揚網中」を示す灯火

これらの灯火の位置，視認距離及び間隔は，次のとおり定められている。

① 位置は，緑色・白色の全周灯（第1項第1号）の白色の全周灯より低い位置の最も見えやすい場所であること。

② 視認距離は，1海里以上3海里未満（長さ50メートル未満のものは，1海里以上2海里未満）であ

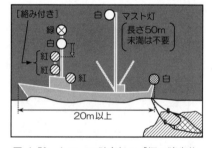

図1・50　トロール従事船の「網の障害物に絡み付き」を示す灯火

ること。その光度は，施行規則（則第4条）に定められている。

③ 間隔（連掲する灯火の間の距離）は，0.9メートル以上であること。

(則第12条)

§1-3-33　長さ20メートル以上の2そう引きのトロール従事船の探照灯の照射
（第4項）

　長さ20メートル以上のトロール従事船で2そう引きのトロールにより漁ろうをしているものは，他の漁ろうに従事している船舶と著しく接近している場合は，第1項及び第3項の灯火のほか，夜間は，次の方法により探照灯を照射し

なければならない。(図1・51)

方法……対をなしている他方の船舶の進行方向を示すように照射する。

この探照灯の照射は、第20条第1項及び第2項の規定（法定灯火の表示）にかかわらず、つまり、例えばその照射で一瞬他の船舶を眩惑させるようなことがあっても、それにかかわらず、2そう引き漁ろうの操業状態を他の船舶に示すため探照灯の照射をしなければならないと定めている。

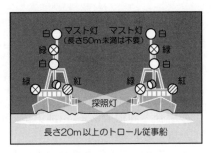

図 1・51 探照灯による照射（2そうびきの長さ20メートル以上のトロール従事船）

§1-3-34 長さ20メートル以上のトロール従事船以外の漁ろうに従事している船舶の追加の灯火（第5項）

つまり、①長さ20メートル未満のトロール従事船及び②トロール従事船以外の漁ろうに従事している船舶は、次に掲げる追加の灯火を施行規則の定めるところにより、表示することができる。

これらの追加の灯火は、第3項・第4項の規定と同じく、他の漁ろうに従事している船舶と著しく接近している場合に、表示又は照射することができるものである。

(1) 長さ20メートル未満のトロール従事船の追加の灯火（任意）
  (1) 投網・揚網・網の絡み付きを示す灯火（則第16条第1項）
    これらの灯火は、第3項と同様の灯火であるが、その表示は任意である。
    これらの灯火の位置、視認距離及び間隔は、第3項の場合と同様のものが施行規則に定められている。（則第16条第1項・第2項）
  (2) 2そう引きの場合の探照灯の照射（則第16条第3項）
    それぞれ、夜間において対をなしている他方の船舶の進行方向を示すように探照灯を表示することができる。
    この探照灯の照射は、第4項の場合と同様のものであるが、その表示は任意である。
(2) きんちゃく網を用いて漁ろうに従事している船舶の追加の灯火（則第16条第1項）（任意）（図1・52）

| (1) | 黄色の全周灯 | 2個連掲 | 1秒ごとに交互に閃光を発し，かつ，各々の明間と暗間とが等しいもの |

この灯火の表示は，任意である。

これらの灯火の位置，視認距離及び間隔は，前記の投網等を示す灯火の場合と同様である。(則第16条第1項・第2項)

1. 第3項から第5項までの灯火又は探照灯の規定を設けたのは，さきにも触れたが，漁ろうに従事している船舶の操業状態を他の船舶によりよく識別してもらうためである。

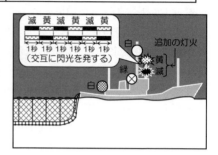

図 1・52　きんちゃく網漁ろう船の追加の灯火

2. 漁ろうに従事している船舶が漁ろう作業をするために用いる作業灯は，予防法に定める灯火の視認やその特性の識別を妨げたり，見張りを妨げたりしないもの（第20条第1項）であれば，これを用いることができる。

第27条　運転不自由船及び操縦性能制限船

第27条　航行中の運転不自由船（第24条第4項又は第7項の規定の適用があるものを除く。以下この項において同じ。）は，次に定めるところにより，灯火又は形象物を表示しなければならない。ただし，航行中の長さ12メートル未満の運転不自由船は，その灯火又は形象物を表示することを要しない。
(1)　最も見えやすい場所に紅色の全周灯2個を垂直線上に掲げること。
(2)　対水速力を有する場合は，げん灯1対（長さ20メートル未満の運転不自由船にあっては，げん灯1対又は両色灯1個）を掲げ，かつ，できる限り船尾近くに船尾灯1個を掲げること。
(3)　最も見えやすい場所に球形の形象物2個又はこれに類似した形象物2個を垂直線上に掲げること。
2　航行中又はびょう泊中の操縦性能制限船（前項，次項，第4項又は第6項の規定の適用があるものを除く。以下この項において同じ。）は，次に定めるところにより，灯火又は形象物を表示しなければならない。
(1)　最も見えやすい場所に白色の全周灯1個を掲げ，かつ，その垂直線上の上方

第3章　灯火及び形象物（§1-3-34）　　101

　及び下方にそれぞれ紅色の全周灯1個を掲げること。

⑵　対水速力を有する場合は，マスト灯2個（長さ50メートル未満の操縦性能制
　限船にあっては，マスト灯1個。第4項第2号において同じ。）及びげん灯1
　対（長さ20メートル未満の操縦性能制限船にあっては，げん灯1対又は両色灯
　1個。同号において同じ。）を掲げ，かつ，できる限り船尾近くに船尾灯1個
　を掲げること。

⑶　最も見えやすい場所にひし形の形象物1個を掲げ，かつ，その垂直線上の上
　方及び下方にそれぞれ球形の形象物1個を掲げること。

⑷　びょう泊中においては，最も見えやすい場所に第30条第1項各号の規定によ
　る灯火又は形象物を掲げること。

3　航行中の操縦性能制限船であって，第3条第7項第6号に規定するえい航作業
　に従事しているもの（第1項の規定の適用があるものを除く。）は，第24条第1
　項各号並びに前項第1号及び第3号の規定による灯火又は形象物を表示しなけれ
　ばならない。

4　航行中又はびょう泊中の操縦性能制限船であって，しゅんせつその他の水中作
　業（掃海作業を除く。）に従事しているもの（第1項の規定の適用があるものを
　除く。）は，その作業が他の船舶の通航の妨害となるおそれがある場合は，次の
　各号に定めるところにより，灯火又は形象物を表示しなければならない。

⑴　最も見えやすい場所に白色の全周灯1個を掲げ，かつ，その垂直線上の上方
　及び下方にそれぞれ紅色の全周灯1個を掲げること。

⑵　対水速力を有する場合は，マスト灯2個及びげん灯1対を掲げ，かつ，でき
　る限り船尾近くに船尾灯1個を掲げること。

⑶　その作業が他の船舶の通航の妨害となるおそれがある側のげんを示す紅色の
　全周灯2個又は球形の形象物2個をそのげんの側に垂直線上に掲げること。

⑷　他の船舶が通航することができる側のげんを示す緑色の全周灯2個又はひし
　形の形象物2個をそのげんの側に垂直線上に掲げること。

⑸　最も見えやすい場所にひし形の形象物1個を掲げ，かつ，その垂直線上の上
　方及び下方にそれぞれ球形の形象物1個を掲げること。

5　前項に規定する操縦性能制限船であって，潜水夫による作業に従事しているも
　のは，その船体の大きさのために同項第2号から第5号までの規定による灯火又
　は形象物を表示することができない場合は，次に定めるところにより，灯火又は
　信号板を表示することをもって足りる。

⑴　最も見えやすい場所に白色の全周灯1個を掲げ，かつ，その垂直線上の上方
　及び下方にそれぞれ紅色の全周灯1個を掲げること。

⑵　国際海事機関が採択した国際信号書に定めるA旗を表す信号板を，げん縁上
　1メートル以上の高さの位置に周囲から見えるように掲げること。

6 航行中又はびょう泊中の操縦性能制限船であって，掃海作業に従事しているものは，次に定めるところにより，灯火又は形象物を表示しなければならない。
(1) 当該船舶から1,000メートル以内の水域が危険であることを示す緑色の全周灯3個又は球形の形象物3個を掲げること。この場合において，これらの全周灯3個又は球形の形象物3個のうち，1個は前部マストの最上部付近に掲げ，かつ，他の2個はその前部マストのヤードの両端に掲げること。
(2) 航行中においては，第23条第1項各号の規定による灯火を掲げること。
(3) びょう泊中においては，最も見えやすい場所に第30条第1項各号の規定による灯火又は形象物を掲げること。
7 航行中又はびょう泊中の長さ12メートル未満の操縦性能制限船（潜水夫による作業に従事しているものを除く。）は，第2項から第4項まで及び前項の規定による灯火又は形象物を表示することを要しない。

§1-3-35　航行中の運転不自由船の灯火・形象物（第1項）

（1）灯火（図1・53）

(1)	紅色の全周灯		2個連掲	最も見えやすい場所
(2)	対水速力を有する場合	①舷灯	1対	長さ20m未満は両色灯1個でもよい
		②船尾灯	1個	できる限り船尾近く

（2）形象物（図1・54）

(1)	黒色の球形（又は類似のもの）	2個連掲	最も見えやすい場所

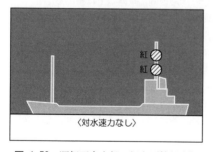

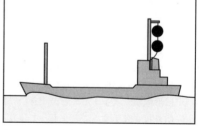

図1・53　運転不自由船の灯火（航行中）　　図1・54　運転不自由船の形象物（航行中）

ただし，長さ12メートル未満の運転不自由船は，上記（本文規定）の灯火又は形象物を表示することを要しない。

〔注〕 適用除外
　本項のかっこ書規定に適用除外が明示されているとおり，この運転不自由船には，次に掲げる船舶である場合は除かれる。これらの場合には，それぞれの規定の灯火又は形象物を表示する。
　① 引かれ船（第24条第4項）
　② 押され船・接舷して引かれている船舶（第24条第7項）

§1-3-36　航行中・錨泊中の航路標識敷設等の作業に従事している操縦性能制限船の灯火・形象物（第2項）

（1）灯火（図1・55）

(1)	紅色の全周灯（上方） 白色の全周灯（中央） 紅色の全周灯（下方)	1個 1個 1個 } 連掲	最も見えやすい場所	
(2)	対水速力 を有する 場合	①マスト灯	2　個	長さ50m未満はマスト灯1個
		②舷　灯	1　対	長さ20m未満は両色灯1個でもよい
		③船尾灯	1　個	できる限り船尾近く
(3)	錨泊中	①錨泊灯	2　個	長さ50m未満は1個でもよい （第30条）
		②甲板照明 の作業灯		長さ100m未満は甲板を照明すること を要しない

（2）形象物（図1・56）

(1)	黒色の球形（上方） 黒色のひし形（中央） 黒色の球形（下方）	1個 1個 1個 } 連掲	最も見えやすい場所
(2)	錨泊中	黒色の球形	1　個	前部。最も見えやすい場所

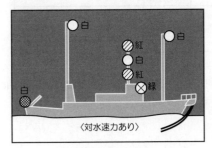

図1・55　「航路標識敷設等」の操縦性能制限船の灯火（航行中）

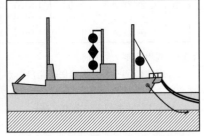

図1・56　「航路標識敷設等」の操縦性能制限船の形象物（錨泊中）

〔注〕 適用除外

本項のかっこ書規定に適用除外が明示されているとおり，この操縦性能制限船には，次に掲げる船舶である場合は除かれる。
① 運転不自由船（第27条第１項）
② 第27条第３項，第４項又は第６項の操縦性能制限船

§1-3-37　航行中の「進路から離れることを著しく制限する曳航作業」に従事している操縦性能制限船の灯火・形象物（第３項）

（１）灯火（図1・57）

(1)	引き船の灯火			第24条第１項
(2)	紅色の全周灯（上方） 白色の全周灯（中央） 紅色の全周灯（下方）	１個 １個 １個	連掲	最も見えやすい場所

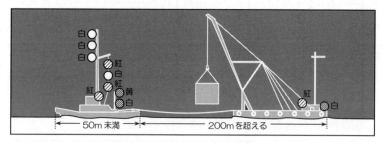

図 1・57　「進路から離れることを著しく制限する曳航作業」に従事している操縦性能制限船の灯火（航行中）

（２）形象物（図1・58）

(1)	引き船の形象物			第24条第１項
(2)	黒色の球形（上方） 黒色のひし形（中央） 黒色の球形（下方）	１個 １個 １個	連掲	最も見えやすい場所

〔注〕 適用除外

本項のかっこ書規定に適用除外が明示してあるとおり，この操縦性能制限船には，次に掲げる船舶である場合は除かれる。
運転不自由船（第27条第１項）

第3章 灯火及び形象物（§1-3-38）

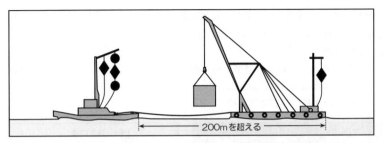

図 1·58　「進路から離れることを著しく制限する曳航作業」に従事している操縦性能制限船の形象物（航行中）

§1-3-38　航行中・錨泊中の浚渫等の水中作業（掃海作業を除く。）に従事している操縦性能制限船の灯火・形象物（第4項）

（1）灯火（図1·59）

(1)	紅色の全周灯（上方）　1個 白色の全周灯（中央）　1個　連掲 紅色の全周灯（下方）　1個			最も見えやすい場所
(2)	対水速力を有する場合	①マスト灯	2　個	長さ50m未満はマスト灯1個
		②舷　灯	1　対	長さ20m未満は両色灯1個でもよい
		③船尾灯	1　個	できる限り船尾近く
(3)	紅 色 の 全 周 灯	2 個 連 掲		通航妨害のおそれのある舷の側に 位置は、①(1)の全周灯からの水平距離が2m以上でできる限り長く、②(1)の全周灯の最も下方のものより高くないこと（則第15条）
(4)	緑 色 の 全 周 灯	2 個 連 掲		通航可能な舷の側に 位置は，上記(3)と同じ

（2）形象物（図1·60）

(1)	黒色の球形（上方）　　1個 黒色のひし形（中央）　1個　連掲 黒色の球形（下方）　　1個		最も見えやすい場所
(2)	黒 色 の 球 形	2 個 連 掲	通航妨害のおそれのある舷の側に 位置は、①(1)の形象物からの水平距離が2m以上でできる限り長く、②(1)の形象物の最も下方のものより高くないこと（則第15条）
(3)	黒 色 の ひ し 形	2 個 連 掲	通行可能な舷の側に 位置は，上記(2)と同じ

この操縦性能制限船は，錨泊中に錨泊船の灯火又は形象物（第30条）を掲げる規定がないから，これを掲げてはならない。

〔注〕　適用除外

　　本項のかっこ書規定に適用除外が明示してあるとおり，この操縦性能制限船には，次に掲げる場合は，除かれる。

　　運転不自由船（第27条第１項）

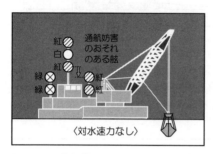
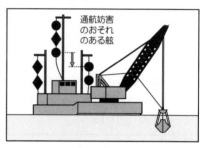

図 1・59　「浚渫等の水中作業」に従事している操縦性能制限船の灯火（錨泊中）

図 1・60　「浚渫等の水中作業」に従事している操縦性能制限船の形象物（航行中・錨泊中）

§1-3-39　航行中・錨泊中の潜水夫による水中作業に従事している操縦性能制限船の灯火・形象物の表示緩和（第５項）

　第４項の操縦性能制限船（§1-3-38）であって，潜水夫による作業に従事しているものも，第４項に規定する灯火又は形象物を表示することになっているが，その船体の大きさが小型であるために，第４項に定めるすべての灯火又は形象物を表示することができない場合は，次の灯火又は信号板を表示することをもって足りる。

（１）　灯火（図1・61）

⑴	紅色の全周灯（上方） 白色の全周灯（中央） 紅色の全周灯（下方）	１個 １個 １個 } 連掲	最も見えやすい場所

（２）　信号板（図1・62）

⑴	Ａ旗を表す信号板	１	個	舷縁上１m以上の高さ 周囲から見えるように

　この操縦性能制限船は，潜水夫が水中で作業をしているから，この船舶に接近する他の船舶は，人命に危険を及ぼさないよう，十分に離し，かつ，速

力を減じるなどの注意をしなければならない。
〔注〕 「A」は，国際信号書（1字信号）では，「私は，潜水夫をおろしている。微速で十分避けよ。」を意味する。

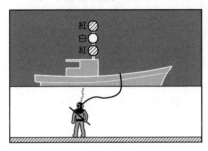

図1・61 「潜水夫による水中作業」に従事している操縦性能制限船の灯火（航行中・錨泊中）

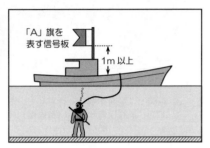

図1・62 「潜水夫による水中作業」に従事している操縦性能制限船の信号板（航行中・錨泊中）

§1-3-40 航行中・錨泊中の掃海作業に従事している操縦性能制限船の灯火・形象物（第6項）

(1) 灯火（図1・64）

⑴	緑色の全周灯	3	個	1個は前部マストの最上部付近，他の2個は前部マストのヤードの両端
⑵	航行中	航行中の動力船の灯火		第23条第1項
⑶	錨泊中	錨泊灯（第30条第1項）		最も見えやすい場所

(2) 形象物（図1・65）

⑴	黒色の球形	3	個	1個は前部マストの最上部付近，他の2個は前部マストのヤードの両端
⑵	錨泊中	黒色の球形	1	個	前部。最も見えやすい場所

緑色の全周灯3個又は黒色の球形の形象物3個は，掃海作業船が機雷を掃海する作業をしているため，図1・63に示す範囲が危険であることを示すものである。

掃海作業船と出会う他の船舶は，この危険範囲に接近しないよう十分に注意して運航しなければならない。

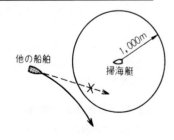

図1・63 危険範囲（掃海作業）

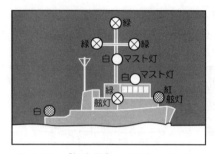 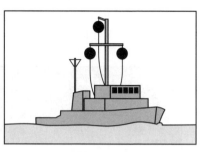

図 1·64 「掃海作業」に従事している操縦性能制限船（自衛艦）の灯火（航行中）

図 1·65 「掃海作業」に従事している操縦性能制限船の形象物（航行中）

§1-3-41 航行中・錨泊中の長さ12メートル未満の操縦性能制限船の灯火・形象物の表示緩和（第7項）

航行中又は錨泊中の長さ12メートル未満の操縦性能制限船（潜水夫による作業をしているものを除く。）は，次の灯火又は形象物を表示することを要しない。
(1) 航路標識敷設等の作業に従事している操縦性能制限船の灯火・形象物（§1-3-36）（第2項）
(2) 曳航作業（進路から離れることを著しく制限する。）に従事している操縦性能制限船の灯火・形象物（§1-3-37））（第3項）
(3) 浚渫等の水中作業（掃海作業を除く。）に従事している操縦性能制限船（潜水夫による作業船を除く。）の灯火・形象物（§1-3-38）（第4項）
(4) 掃海作業に従事している操縦性能制限船の灯火・形象物（§1-3-40）（第6項）

潜水夫による作業に従事している操縦性能制限船は，長さが12メートル未満の小型のものであっても，人命に対する危険を予防するため灯火・形象物の表示緩和を認められていない。したがって，少なくとも第5項の灯火・信号版を表示しなければならない。

〔注〕 本条に定める運転不自由船及び操縦性能制限船の灯火及び形象物は，遭難して救助を求めているものではない。遭難して救助を求める場合の遭難信号は，第37条に規定されている。

§1-3-42 対水速力の有無により舷灯等の表示が異なる船舶

漁ろうや操縦性能を制限する作業に従事している船舶には，自船の状態をよ

第3章　灯火及び形象物（§1-3-43）　　109

りよく他船に知らせる必要があるため，灯火のうち一定のもの（舷灯，船尾灯
又はマスト灯）については，対水速力を有する場合にのみ掲げることに定めら
れている場合があるが，それは，次のとおりである。
（1）　対水速力を有する場合にのみ舷灯（両色灯）及び船尾灯を掲げる船舶
　⑴　漁ろうに従事している船舶（第26条第1項・第2項）
　　①　トロールにより漁ろうに従事している船舶（トロール従事船）
　　②　トロール従事船以外の漁ろうに従事している船舶
　⑵　運転不自由船（第27条第1項）
（2）　対水速力を有する場合にのみマスト灯，舷灯（両色灯）及び船尾灯を掲
　げる船舶
　　操縦性能制限船（①進路から離れることを著しく制限する曳航作業及び②
　掃海作業に従事しているものを除く。）（第27条第2項・第4項）

第28条　喫水制限船

> **第28条**　航行中の喫水制限船（第23条第1項の規定の適用があるものに限る。）は，
> 　同項各号の規定による灯火のほか，最も見えやすい場所に紅色の全周灯3個又は
> 　円筒形の形象物1個を垂直線上に表示することができる。

§1-3-43　航行中の喫水制限船の灯火・形象物（第28条）

　航行中の喫水制限船は，航行中の動力船の灯火（第23条第1項）のほか，次
の灯火又は形象物を表示することができる。（任意）
（1）　灯火（図1·66）

⑴	紅 色 の 全 周 灯	3 個 連 掲	最も見えやすい場所

（2）　形象物（図1·67）

⑴	黒 色 の 円 筒 形	1 　 個	最も見えやすい場所

1．全周灯を前部マスト灯よりも下方の位置とすることができない場合は，次の
　いずれかの位置でもよいことになっている。これは，第27条第2項及び第4項
　の操縦性能制限船の紅・白・紅の全周灯についても同じである。（則第14条）
　⑴　前部マスト灯の高さと後部マスト灯の高さの間であって，船舶の中心線
　　からの水平距離が2メートル以上である位置

(2) 後部マスト灯よりも上方の位置
2．紅色の全周灯3個（連掲）又は円筒形の形象物1個を表示することは，任意であるが，喫水制限船がこれを表示しない場合は，第18条第4項（船舶が喫水制限船の安全な通航を妨げない義務）の規定の適用はない。

〔注〕 この喫水制限船は，本条のかっこ書規定に明示されているとおり，第23条（航行中の動力船）第1項の規定の適用がある動力船に限られる。したがって，例えば，帆船や操縦性能制限船は，喫水制限船になり得ない。

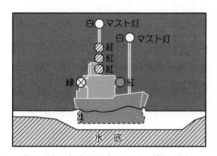

図1・66　喫水制限船の灯火（航行中）

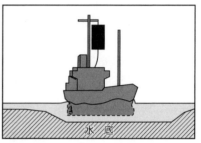

図1・67　喫水制限船の形象物（航行中）

第29条　水先船

第29条　航行中又はびょう泊中の水先船であって，水先業務に従事しているものは，次に定めるところにより，灯火又は形象物を表示しなければならない。
(1) マストの最上部又はその付近に白色の全周灯1個を掲げ，かつ，その垂直線上の下方に紅色の全周灯1個を掲げること。
(2) 航行中においては，げん灯1対（長さ20メートル未満の水先船にあっては，げん灯1対又は両色灯1個）を掲げ，かつ，できる限り船尾近くに船尾灯1個を掲げること。
(3) びょう泊中においては，最も見えやすい場所に次条第1項各号の規定による灯火又は形象物を掲げること。

§1-3-44　航行中・錨泊中の水先船（水先業務に従事中）の灯火・形象物（第29条）
(1) 灯火（図1・68，図1・69）

(1)	白色の全周灯（上方） 紅色の全周灯（下方）	1個 1個 } 連掲	マストの最上部又はその付近

第3章　灯火及び形象物（§1-3-44）　　　111

(2)	航行中	①舷灯	1	対	20m未満は両色灯1個でもよい
		②船尾灯	1	個	できる限り船尾近く
(3)	錨泊中	錨泊灯	第30条第1項		最も見えやすい場所

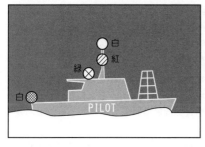
図 1・68　水先船の灯火（航行中）

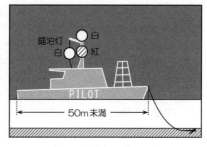
図 1・69　水先船の灯火（錨泊中）

（2）形象物

(1)	錨泊中	黒色の球形	第30条第1項	最も見えやすい場所

1．水先船には，昼間の航行中の形象物の規定はない。
2．水先船といわれる船舶であっても，水先業務に従事していない場合は，本条の適用はない。例えば，夜間水先業務を終え（水先人を収容して）基地に帰る水先船は，同船が動力船であるならば，動力船の航行中の灯火のみを表示する。

第30条　びょう泊中の船舶及び乗り揚げている船舶

第30条　びょう泊中の船舶（第26条第1項若しくは第2項，第27条第2項，第4項若しくは第6項又は前条の規定の適用があるものを除く。次項及び第4項において同じ。）は，次に定めるところにより，最も見えやすい場所に灯火又は形象物を表示しなければならない。
　⑴　前部に白色の全周灯1個を掲げ，かつ，できる限り船尾近くにその全周灯よりも低い位置に白色の全周灯1個を掲げること。ただし，長さ50メートル未満の船舶は，これらの灯火に代えて，白色の全周灯1個を掲げることができる。
　⑵　前部に球形の形象物1個を掲げること。
2　びょう泊中の船舶は，作業灯又はこれに類似した灯火を使用してその甲板を照明しなければならない。ただし，長さ100メートル未満の船舶は，その甲板を照

明することを要しない。

3 乗り揚げている船舶は，次に定めるところにより，最も見えやすい場所に灯火又は形象物を表示しなければならない。

(1) 前部に白色の全周灯1個を掲げ，かつ，できる限り船尾近くにその全周灯よりも低い位置に白色の全周灯1個を掲げること。ただし，長さ50メートル未満の船舶は，これらの灯火に代えて，白色の全周灯1個を掲げることができる。

(2) 紅色の全周灯2個を垂直線上に掲げること。

(3) 球形の形象物3個を垂直線上に掲げること。

4 長さ7メートル未満のびょう泊中の船舶は，そのびょう泊をしている水域が，狭い水道等，びょう地若しくはこれらの付近又は他の船舶が通常航行する水域である場合を除き，第1項の規定による灯火又は形象物を表示することを要しない。

5 長さ12メートル未満の乗り揚げている船舶は，第3項第2号又は第3号の規定による灯火又は形象物を表示することを要しない。

§1-3-45　錨泊船の灯火・形象物（第1項・第2項）

（1）　灯火（図1・70，図1・71）

(1)	① 白色の全周灯	1	個	前部。最も見えやすい場所
	② 白色の全周灯	1	個	できる限り船尾近くに，①の全周灯よりも低い位置 最も見えやすい場所
	ただし，50m未満の船舶は，これらの灯火に代えて，白色の全周灯1個を掲げることができる。最も見えやすい場所			
(2)	甲板照明の作業灯 （又は類似した灯火）			100m未満は甲板を照明することを要しない

1．前部錨泊灯の位置は，①後部錨泊灯より4.5メートル以上上方であり，また，②長さ50メートル以上の船舶にあっては，船体上の高さが6メートル以上であることに定められている。（則第13条）

2．全周灯はすべて，その位置は，原則としてその水平射光範囲がマストその他の上部構造物によって6度を超えて妨げられないような位置でなければならない。しかし，錨泊灯については，やむを得ない場合は，この限りでないが，できる限り高い位置でなければならないことになっている。（則第14条）

3．甲板照明の作業灯は，錨泊船を識別するのに助けとなる。特に，船舶が大型になると，2個の錨泊灯だけでは2隻の船舶であるかのように見誤る

おそれのある場合があるが，これを防ぐのに有効である。
4．長さ50メートル未満の船舶の白色の全周灯1個を掲げる位置は，最も見えやすい場所であれば，前部でも中央部でもどこに掲げてもよい。

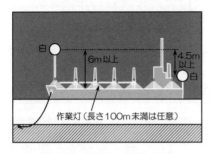

図 1・70　錨泊中の船舶の灯火

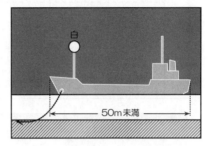

図 1・71　錨泊中の船舶（長さ50m未満）の灯火

(2)　形象物（図1・72）

| (1) | 黒色の球形 | 1 | 個 | 前部。最も見えやすい場所 |

〔注〕　適用除外

　　本項のかっこ書規定に適用除外が明示されているとおり，この錨泊船には，次に掲げる船舶である場合は除かれる。これらの場合には，それぞれの規定の灯火又は形象物を表示する。
　　①　漁ろうに従事している船舶（第26条第1項・第2項）
　　②　操縦性能制限船（第27条第2項・第4項・第6項）
　　③　水先船（第29条）
　　なお，この適用除外は，本条第2項及び第4項の錨泊船についても同じである。

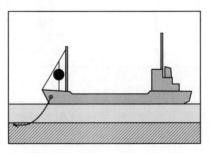

図 1・72　錨泊中の船舶の形象物

§1-3-46　乗揚げ船の灯火・形象物（第3項）

（1）　灯火（図1・73，図1・74）

(1)	① 白色の全周灯	1	個	前部。最も見えやすい場所
	② 白色の全周灯	1	個	できる限り船尾近くに，①の全周灯よりも低い位置 最も見えやすい場所
	ただし，50m未満の船舶は，これらの灯火に代えて，白色の全周灯1個を掲げることができる。最も見えやすい場所			
(2)	紅色の全周灯	2	個 連掲	最も見えやすい場所

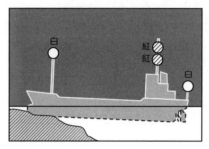 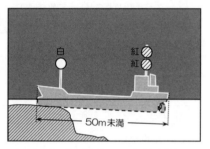

図 1・73　乗り揚げている船舶の灯火　　　図 1・74　乗り揚げている船舶（長さ50m未満）の灯火

（2）　形象物（図1・75）

(1)	黒色の球形	3個 連掲	最も見えやすい場所

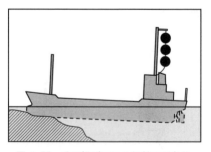

図 1・75　乗り揚げている船舶の形象物

§1-3-47　長さ7メートル未満の錨泊船の灯火・形象物の表示緩和（第4項）

　長さ7メートル未満の船舶は，錨泊をしている水域が，次の水域である場合を除き，錨泊船の灯火又は形象物（第1項）を表示することを要しない。（図

1・76)
  (1) 狭い水道等（狭い水道・航路筋）又はその付近
  (2) 錨地又はその付近
  (3) 他の船舶が通常航行する水域

長さ7メートル未満の船舶は，上記(1)〜(3)の水域において，錨泊している場合は，規定の灯火又は形象物を表示しなければならない。

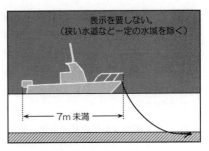

図1・76　長さ7m未満の錨泊中の船舶の灯火・形象物の表示緩和

§1-3-48　長さ12メートル未満の乗揚げ船の灯火・形象物の表示緩和（第5項）

長さ12メートル未満の乗揚げ船は，次の灯火又は形象物を表示することを要しない。（図1・77）

  (1) 紅色の全周灯　2個　連掲（第3項第2号）
  (2) 黒色の球形の形象物　3個連掲（第3項第3号）
  1．灯火については，紅色の全周灯2個連掲の表示についての緩和であって，錨泊灯（第3項第1号）は，これを掲げなければならない。
  2．乗揚げ船の灯火・形象物の表示が緩和される水域は，第4項の小型の錨泊船の場合とは異なり，いずれの水域においてもである。

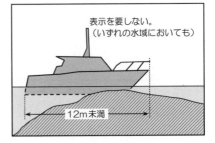

図1・77　長さ12m未満の乗り揚げている船舶の形象物の表示緩和（灯火の場合，錨泊灯は掲げる。）

第31条　水上航空機等

第31条　水上航空機等は，この法律の規定による灯火又は形象物を表示することができない場合は，その特性又は位置についてできる限りこの法律の規定に準じてこれを表示しなければならない。

§1-3-49　水上航空機等の灯火・形象物の表示緩和（第31条）

　水上航空機等（水上航空機及び特殊高速船（表面効果翼船））は，予防法の規定による灯火又は形象物を表示することができない場合は，その特性（例：灯火の射光範囲）又は位置（例：マスト灯の高さ）について，できる限り，予防法の規定に準じてこれを表示しなければならない。

〔注〕　**海上衝突予防法施行規則第9条第1項第3号の動力船を定める告示**（*p.*75関連）
　　　　　（平成7年海上保安庁告示第139号，最近改正平成15年同告示第305号）
　　　海上衝突予防法施行規則（昭和52年運輸省令第19号）第9条第1項第3号の海上保安庁長官が定める動力船は，最強速力が次の算式で算定した値以上となるものとする。
　　　　　$3.7\nabla^{0.1667}$（メートル毎秒）
　　　この場合において，∇は，計画満載喫水線における排水容積（立方メートル）とする。

第4章　音響信号及び発光信号

第32条　定　　義

> **第32条**　この法律において「汽笛」とは，この法律に規定する短音及び長音を発す
> ることかできる装置をいう。
> 2　この法律において「短音」とは，約1秒間継続する吹鳴をいう。
> 3　この法律において「長音」とは，4秒以上6秒以下の時間継続する吹鳴をいう。

§1-4-1　定義（第32条）
（1）　汽笛（第1項）
　　予防法に規定する短音及び長音を発することができる装置をいう。
　　汽笛は，短音及び長音を発することができるものであれば，電気，蒸気，
圧搾空気などのいずれの作動によるかを問わない。
（2）　短音及び長音（第2項・第3項）
　⑴　「短音」とは，約1秒間継続する吹鳴をいう。
　⑵　「長音」とは，4秒以上6秒以下の時間継続する吹鳴をいう。

第33条　音響信号設備

> **第33条**　船舶は，汽笛及び号鐘（長さ100メートル以上の船舶にあっては，汽笛並
> びに号鐘及びこれと混同しない音調を有するどら）を備えなければならない。た
> だし，号鐘又はどらは，それぞれこれと同一の音響特性を有し，かつ，この法律
> の規定による信号を手動により行うことができる他の設備をもって代えることが
> できる。
> 2　長さ20メートル未満の船舶は，前項の号鐘（長さ12メートル未満の船舶にあっ
> ては，同項の汽笛及び号鐘）を備えることを要しない。ただし，これらを備えな
> い場合は，有効な音響による信号を行うことができる他の手段を講じておかなけ
> ればならない。
> 3　この法律に定めるもののほか，汽笛，号鐘及びどらの技術上の基準並びに汽笛
> の位置については，国土交通省令で定める。

§1-4-2 音響信号設備（第1項・第2項）

（1） 備えなければならない音響信号設備（第1項）

　⑴　長さ100メートル以上の船舶

　　①汽笛，②号鐘，③号鐘と混同しない音調を有するどら

　⑵　長さ100メートル未満の船舶

　　①汽笛，②号鐘

　　ただし，これらの号鐘又はどらは，それぞれこれと同一の音響特性を有する他の設備（例：自動吹鳴装置）に代えることができる。この場合には，同設備の故障などに備えて，いつでも手動で規定の信号（例えば，錨泊中の霧中信号）を行うことができるものでなければならない。

（2） 小型船舶の音響信号設備の備付けの緩和（第2項）

　⑴　長さ12メートル以上20メートル未満の船舶

　　前記(1)⑵の①汽笛・②号鐘のうち，号鐘を備えることを要しない。

　⑵　長さ12メートル未満の船舶

　　前記(1)⑵の①汽笛・②号鐘のいずれも備えることを要しない。

　　ただし，これらを備えない場合は，有効な音響による信号を行うことができる他の手段（例：石油缶をたたく。）を講じておかなければならない。

§1-4-3 汽笛等の技術上の基準等（第3項）

　汽笛，号鐘及びどらの技術上の基準並びに汽笛の位置については，法に定めるもののほか，施行規則で定められる。

　施行規則は，概ね次のとおり定めている。

（1） 汽笛（則第18条・第19条）

　1．汽笛の音の基本周波数及び音圧は，船舶の長さ（200m以上，75m以上200m未満，20m以上75m未満，20m未満の4区分）に応じて基準が定められている。

　2．指向性を有する汽笛は，音の最強方向の左右にそれぞれ45度の範囲の音圧及びその範囲外の音圧について基準が定められている。

　3．汽笛の位置は，㋑できる限り高い位置，㋺他船の汽笛を聴取する場所における音圧が一定値を超えないような位置，㋩指向性の汽笛1個を設置の場合は正船首で音圧が最大となるような位置であること。

　4．その他，複合汽笛装置などについて定められている。

第4章　音響信号及び発光信号（§1-4-3）　　　119

（2）　号鐘及びどら（則第20条）
　1．号鐘の音圧，材料，音色，径，打子の重量及び動力式の号鐘の打子（手動による操作が可能なもの）の基準が定められている。
　2．どらの音圧，材料及び音色の基準が定められている。

第34条　操船信号及び警告信号

第34条　航行中の動力船は，互いに他の船舶の視野の内にある場合において，この法律の規定によりその針路を転じ，又はその機関を後進にかけているときは，次の各号に定めるところにより，汽笛信号を行わなければならない。
　⑴　針路を右に転じている場合は，短音を1回鳴らすこと。
　⑵　針路を左に転じている場合は，短音を2回鳴らすこと。
　⑶　機関を後進にかけている場合は，短音を3回鳴らすこと。
　2　航行中の動力船は，前項の規定による汽笛信号を行わなければならない場合は，次の各号に定めるところにより，発光信号を行うことができる。この場合において，その動力船は，その発光信号を10秒以上の間隔で反復して行うことができる。
　⑴　針路を右に転じている場合は，せん光を1回発すること。
　⑵　針路を左に転じている場合は，せん光を2回発すること。
　⑶　機関を後進にかけている場合は，せん光を3回発すること。
　3　前項のせん光の継続時間及びせん光とせん光との間隔は，約1秒とする。
　4　船舶は，互いに他の船舶の視野の内にある場合において，第9条第4項の規定による汽笛信号を行うときは，次の各号に定めるところにより，これを行わなければならない。
　⑴　他の船舶の右げん側を追い越そうとする場合は，長音2回に引き続く短音1回を鳴らすこと。
　⑵　他の船舶の左げん側を追い越そうとする場合は，長音2回に引き続く短音2回を鳴らすこと。
　⑶　他の船舶に追い越されることに同意した場合は，順次に長音1回，短音1回，長音1回及び短音1回を鳴らすこと。
　5　互いに他の船舶の視野の内にある船舶が互いに接近する場合において，船舶は，他の船舶の意図若しくは動作を理解することができないとき，又は他の船舶

が衝突を避けるために十分な動作をとっていることについて疑いがあるときは，直ちに急速に短音を5回以上鳴らすことにより汽笛信号を行わなければならない。この場合において，その汽笛信号を行う船舶は，急速にせん光を5回以上発することにより発光信号を行うことができる。

6　船舶は，障害物があるため他の船舶を見ることができない狭い水道等のわん曲部その他の水域に接近する場合は，長音1回の汽笛信号を行わなければならない。この場合において，その船舶に接近する他の船舶は，そのわん曲部の付近又は障害物の背後においてその汽笛信号を聞いたときは，長音1回の汽笛信号を行うことによりこれに応答しなければならない。

7　船舶は，2以上の汽笛をそれぞれ100メートルを超える間隔を置いて設置している場合において，第1項又は前三項の規定による汽笛信号を行うときは，これらの汽笛を同時に鳴らしてはならない。

8　第2項及び第5項後段の規定による発光信号に使用する灯火は，5海里以上の視認距離を有する白色の全周灯とし，その技術上の基準及び位置については，国土交通省令で定める。

§1-4-4　汽笛による操船信号（第1項）

（1）　汽笛による操船信号を行わなければならない場合
　(1)　航行中の動力船であること。
　(2)　互いに他の船舶の視野の内にあること。
　(3)　「この法律の規定」により針路を転じ，又は機関を後進にかけているときであること。（§1-4-5参照）

（2）　信号方法

(1)	短音1回（　　●　　　）	針路を右に転じている場合
(2)	短音2回（　●　●　　）	針路を左に転じている場合
(3)	短音3回（●　●　●）	機関を後進にかけている場合

　操船信号は，針路を転じている場合又は機関を後進にかけている場合に行うものであるから，これらの動作をとる前にあらかじめ鳴らしてはならない。例えば，転針している場合は，回頭しつつあるか，転舵を発令した後に鳴らさなければならない。

§1-4-5　「この法律の規定」により針路を転じ，又は機関を後進にかけている場合

　「この法律の規定」とは，予防法の規定により要求され，又は容認される動

作をとる次に掲げる規定の場合を指す。

（1） 要求される動作をとる場合
 ⑴ 追越し船（動力船）が，追い越される船舶を避航するとき。（第13条第1項）
 ⑵ 行会い船が，互いに右転するとき。（第14条第1項）
 ⑶ 横切り船が，他の動力船を避航するとき。（第15条第1項）
 ⑷ 動力船（漁ろうに従事している船舶を除く。）が，運転不自由船，操縦性能制限船，漁ろうに従事している船舶又は帆船を避航するとき。（第18条第1項）
 ⑸ 漁ろうに従事している船舶（動力船）が，運転不自由船又は操縦性能制限船を避航するとき。（第18条第3項）
 ⑹ 船舶（動力船）が，喫水制限船の安全な通航を妨げない動作をとるとき。（第18条第4項）
 ⑺ 漁ろうに従事している船舶（動力船）が，狭い水道等（狭い水道又は航路筋）の内側を航行している他の船舶の通航を妨げない動作をとるとき。（第9条第3項ただし書）
 ⑻ 狭い水道等において，追い越される船舶（動力船）が，追越し船を安全に通過させるための動作をとるとき。（第9条第4項）
 ⑼ 船舶（動力船）が，狭い水道等の内側でなければ安全に航行することができない他の船舶の通航を妨げることとなる場合に，その狭い水道等を横切らない動作をとるとき。（第9条第5項）
 ⑽ 長さ20メートル未満の動力船が，狭い水道等の内側でなければ安全に航行することができない他の動力船の通航を妨げない動作をとるとき。（第9条第6項）
 ⑾ 漁ろうに従事している船舶（動力船）が，分離通航帯の通航路をこれに沿って航行している他の船舶の通航を妨げない動作をとるとき。（第10条第7項ただし書）
 ⑿ 長さ20メートル未満の動力船が，分離通航帯の通航路をこれに沿って航行している他の動力船の安全な通航を妨げない動作をとるとき。（第10条第8項）　など。

（2） 容認される動作をとる場合
 ⑴ 保持船（動力船）が，自船のみによる衝突回避動作をとるとき。（第17条第2項）

(2) 保持船（動力船）が，最善の協力動作をとるとき。（第17条第3項）

(3) 動力船が，注意義務としての動作，船員の常務としての動作又は切迫した危険を避けるための動作をとるとき。（第38条・第39条）

操船信号は，この法律の規定により転針し，又は機関を後進にかけているときに行うものであるから，次のような場合は，これを行う場合に該当しない。

① 狭い水道のわん曲部に沿って航行するため，変針するとき。

② 他船との見合い関係がなく，予定の変針点に達したため，変針するとき。

§1-4-6 発光による操船信号 （第2項・第3項）

（1） 発光による操船信号を行うことができる場合

航行中の動力船は，第1項の汽笛による操船信号を行わなければならない場合（§1-4-4）に，発光による操船信号を併用することができる。（任意規定）

この発光信号は，視覚に訴えるもので，聴覚に訴える汽笛信号を補うものである。自船の動作をより的確に他船に知らせることができ，特に夜間に有効である。

（2） 信号方法 （下記の閃光は，白色（第8項）である。）

(1)	閃光1回	約1秒 ←10秒以上→	針路を右に転じている場合
(2)	閃光2回	約1秒 ←10秒以上→	針路を左に転じている場合
(3)	閃光3回	←10秒以上→	機関を後進にかけている場合

§1-4-7 狭い水道等における追越し信号・同意信号 （第4項）

（1） 追越し船の追越し信号

(1) 追越し信号を行わなければならない場合

① 互いに他の船舶の視野の内にあること。

② 狭い水道等（狭い水道又は航路筋）において，追越し船（船舶の種類を問わずいかなる船舶でも）は，追い越される船舶が自船を安全に通過させるための動作をとらなければこれを追い越すことができない場合であること。

第4章　音響信号及び発光信号（§1-4-8）　　123

(2)　信号方法

①	長音2回に引き続く短音1回 （― ― ●）	他の船舶の右舷側を追い越そうとする場合
②	長音2回に引き続く短音2回 （― ― ● ●）	他の船舶の左舷側を追い越そうとする場合

（2）　追い越される船舶の同意信号

(1)　同意信号を行わなければならない場合

　　前記(1)のとおり追越し船が追越し信号で追越しの意図を示した場合において，追い越される船舶がその意図に同意したとき。

　　なお，追越しが安全でなく疑問がある場合は，警告信号を行う。（第5項）

(2)　信号方法

①	順次に長音1回，短音1回，長音1回及び短音1回　　（― ● ― ●）	追越しに同意した場合
②	警告信号（直ちに急速に短音5回以上）(第5項)　　（● ● ● ● ●）	追越しが安全でなく疑問がある場合

§1-4-8　警告信号（疑問信号）（第5項）

（1）　警告信号を行わなければならない場合（次の条件を具備）

(1)　船舶（船舶の種類を問わずいかなる船舶でも）が互いに他の船舶の視野の内にあり，互いに接近する場合であること。

(2)　船舶が，①他の船舶の意図若しくは動作を理解することができないとき，又は②他の船舶が衝突を避けるために十分な動作をとっていることについて疑いがあるときであること。

〔注〕　警告信号は，旧法のころは疑問信号と呼ばれていたものである。

（2）　信号方法

(1)　汽笛信号

　　直ちに急速に短音を5回以上鳴らす。

(2)　発光信号（任意）

　　上記(1)の汽笛信号に加えて，急速に閃光を5回以上発することにより発光信号を行うことができる。なお，下記の閃光は，白色（第8項）である。

⑴	（汽笛信号）直ちに急速に短音5回以上	● ● ● ● ●	① 他船の意図・動作を理解できないとき。② 他船が衝突回避の十分な動作をとっていることについて疑いがあるとき。
⑵	（発光信号）急速に閃光5回以上（任意）	▲▲▲▲▲	

1．警告信号を行わなければならない場合の具体例

　①　狭い水道において，自船が右側端航行中，右側端航行していた小型の反航船が途中から左側航行して接近してきたが，その意図（又は動作）を理解することができないとき。

　②　横切り関係において，避航船がなかなか避航動作をとらないので，保持船が，避航船の動作について疑いを持つとき。

2．船舶は，他船に対して警告信号を行ったからといって，その船舶に課せられている予防法の義務が免除されるものでなく，その後も本法を遵守しなければならない。

3．発光信号は任意であるが，発光による操船信号と同様に，特に夜間に有効なものである。

§1-4-9　わん曲部信号・応答信号（第6項）

（1）　わん曲部信号

　⑴　わん曲部信号を行わなければならない場合

　　　船舶（船舶の種類を問わずいかなる船舶でも）が，障害物（陸岸，島，防波堤，突堤など）があるため他の船舶を見ることができない狭い水道等のわん曲部その他の水域に接近する場合。

　⑵　信号方法

　　　長音1回（ ― ）（汽笛）

（2）　応答信号

　⑴　応答信号を行わなければならない場合

　　　前記(1)のわん曲部信号を行った船舶に接近する他の船舶が，わん曲部の付近又は障害物の背後においてわん曲部信号を聞いた場合。

　⑵　信号方法

　　　長音1回（ ― ）（汽笛）

第4章　音響信号及び発光信号（§1-4-10）　　　125

§1-4-10　2以上の汽笛の同時吹鳴の制限（第7項）

　2以上の汽笛を100メートルを超える間隔を置いて設置している船舶は，次の汽笛信号を行うときは，これらの汽笛を同時に鳴らしてはならない。

(1)　操船信号（第1項）

(2)　狭い水道等における追越し信号・同意信号（第4項）

(3)　警告信号（第5項）

(4)　わん曲部信号・応答信号（第6項）

　1つの汽笛しか鳴らしてはならないとした理由は，音の速度（0℃の乾燥した空気中で，1秒間に332メートル）は遅いので，2つ以上の汽笛を同時に鳴らすと，同一の汽笛信号が他船の位置によっては時間差をもって聞こえ混乱を生じるためである。

§1-4-11　発光信号に使用する灯火（第8項）

　操船信号及び警告信号は，それぞれ汽笛信号に加えて，発光信号（第2項・第5項後段）を行うことができるが，それに使用する灯火（操船信号灯）の視認距離や位置等については，次のとおりである。

(1)　灯火の視認距離等

　　5海里以上の視認距離を有する白色の全周灯

(2)　灯火の位置（則第21条）

　　灯火の位置は，次の3つの要件に適合するものでなければならない。

　①　船舶の中心線上にあること。

　②　前部マスト灯及び後部マスト灯を掲げる船舶にあっては，できる限り前部マスト灯よりも2メートル以上上方であり，かつ，後部マスト灯よりも2メートル以上上方又は下方であること。

　③　前部マスト灯のみを表示する船舶にあっては，そのマスト灯よりも2メートル以上上方又は下方であり，かつ，最も見えやすい位置にあること。

　　なお，前部マスト灯及び後部マスト灯の位置は，他のすべての灯火よりも上方でなければならないと定められているが，「他のすべての灯火」からこの操船信号灯は除かれている。（則第9条）

第35条　視界制限状態における音響信号

第35条　視界制限状態にある水域又はその付近における船舶の信号については，次項から第13項までに定めるところによる。

2　航行中の動力船（第4項又は第5項の規定の適用があるものを除く。次項において同じ。）は，対水速力を有する場合は，2分を超えない間隔で長音を1回鳴らすことにより汽笛信号を行わなければならない。

3　航行中の動力船は，対水速力を有しない場合は，約2秒の間隔の2回の長音を2分を超えない間隔で鳴らすことにより汽笛信号を行わなければならない。

4　航行中の船舶（帆船，漁ろうに従事している船舶，運転不自由船，操縦性能制限船及び喫水制限船（他の動力船に引かれているものを除く。）並びに他の船舶を引き，及び押している動力船に限る。）は，2分を超えない間隔で，長音1回に引き続き短音2回を鳴らすことにより汽笛信号を行わなければならない。

5　他の動力船に引かれている航行中の船舶（2隻以上ある場合は，最後部のもの）は，乗組員がいる場合は，2分を超えない間隔で，長音1回に引き続き短音3回を鳴らすことにより汽笛信号を行わなければならない。この場合において，その汽笛信号は，できる限り，引いている動力船が行う前項の規定による汽笛信号の直後に行わなければならない。

6　びょう泊中の長さ100メートル以上の船舶（第8項の規定の適用があるものを除く。）は，その前部において，1分を超えない間隔で急速に号鐘を約5秒間鳴らし，かつ，その後部において，その直後に急速にどらを約5秒間鳴らさなければならない。この場合において，その船舶は，接近してくる他の船舶に対し自船の位置及び自船との衝突の可能性を警告する必要があるときは，順次に短音1回，長音1回及び短音1回を鳴らすことにより汽笛信号を行うことができる。

7　びょう泊中の長さ100メートル未満の船舶（次項の規定の適用があるものを除く。）は，1分を超えない間隔で急速に号鐘を約5秒間鳴らさなければならない。この場合において，前項後段の規定を準用する。

8　びょう泊中の漁ろうに従事している船舶及び操縦性能制限船は，2分を超えない間隔で，長音1回に引き続き短音2回を鳴らすことにより汽笛信号を行わなければならない。

9　乗り揚げている長さ100メートル以上の船舶は，その前部において，1分を超えない間隔で急速に号鐘を約5秒間鳴らすとともにその直前及び直後に号鐘をそれぞれ3回明確に点打し，かつ，その後部において，その号鐘の最後の点打の直後に急速にどらを約5秒間鳴らさなければならない。この場合において，その船舶は，適切な汽笛信号を行うことができる。

10　乗り揚げている長さ100メートル未満の船舶は，1分を超えない間隔で急速に

号鐘を約5秒間鳴らすとともにその直前及び直後に号鐘をそれぞれ3回明確に点打しなければならない。この場合において，前項後段の規定を準用する。

11 長さ12メートル以上20メートル未満の船舶は，第7項及び前項の規定による信号を行うことを要しない。ただし，その信号を行わない場合は，2分を超えない間隔で他の手段を講じて有効な音響による信号を行わなければならない。

12 長さ12メートル未満の船舶は，第2項から第10項まで（第6項及び第9項を除く。）の規定による信号を行うことを要しない。ただし，その信号を行わない場合は，2分を超えない間隔で他の手段を講じて有効な音響による信号を行わなければならない。

13 第29条に規定する水先船は，第2項，第3項又は第7項の規定による信号を行う場合は，これらの信号のほか短音4回の汽笛信号を行うことができる。

14 押している動力船と押されている船舶とが結合して一体となっている場合は，これらの船舶を1隻の動力船とみなしてこの章の規定を適用する。

§1-4-12　霧中信号の吹鳴（第1項）

視界制限状態にある水域又はその付近において，航行し，錨泊し又は乗り揚げている船舶は，昼間であると夜間であるとにかかわらず，第2項から第13項までに定める「視界制限状態における音響信号」（霧中信号）を行わなければならない。霧中信号は，霧などで他船が見えなくなったときに，目に代わって，互いに自船の存在・動向を音響によって他船に示す重要な手段である。

「霧中信号を開始する時期」は，視界制限状態となったときであるが，具体的に視界がどの程度に制限されたときであるかは，明示されていない。

船舶は，視界良好時には，夜間互いに他船の灯火，特に舷灯を視認することにより，航法上の関係が明確になるものであるから，従来は，舷灯（甲種舷灯：旧法）の視認距離（最低）である2海里の程度に視界が制限されたときが，一つの目安であった。

しかし，現在は，舷灯の視認距離（最低）は，長さ50メートル以上の船舶で3海里（第1種舷灯）と改まり，また汽笛の可聴距離（最低）（国際規則附属書Ⅲ）は，長さ200メートル以上の船舶で2海里と定められている。船舶が小型になると，例えば，長さ20メートル未満の船舶で，舷灯の視認距離は2海里（長さ12メートル未満の船舶で1海里），また汽笛の可聴距離は0.5海里と短くなっている。

このように，舷灯の視認距離や汽笛の可聴距離は，船舶の大きさ（長さ）によって種々異なっている。

128　　　　　　　　第1編　海上衝突予防法

　一方，レーダーなど電子機器の発達は著しく，それを適正に活用すると，他船の探知及びその動向の判断に大いに役立っている。ただし，小型船（総トン数300トン未満の旅客船以外の船舶）はレーダー備付けの義務がないので，レーダーを装備していないものがあることに留意しなければならない。

　したがって，「霧中信号を開始する時期」は，その時の視界の状態，自船の汽笛の可聴距離，自船の操縦性能，船舶交通のふくそうの程度，風浪の状態，さらには視界が目測では分かりにくいものであることや汽笛音はその可聴距離より遠くまで聞こえることがあり得ることなどを考慮し決定する必要がある。霧中時は特に衝突の危険性が高いため，視界良好時との相違を考えて，安全サイドに立って注意深く判断しなければならない。

　なお，船舶は，視界制限状態においては，特に視界の状態を重視して安全な速力（第6条）に減じているはずであり，また，他船の霧中信号を聞いた場合又は著しく接近することを避けることができない場合には，舵効のある最低速力に減じ，又は停止して注意航行している（第19条第6項）はずである。

§1-4-13　航行中の船舶の霧中信号（第2項〜第5項，第12項〜第14項）

　航行中の船舶の霧中信号は，表1・1に示すとおりである。
1. 航行中の霧中信号は，すべて2分を超えない間隔で鳴らすこと（水先船の識別信号を除く。）に定められている。
2. 長音・短音・短音の霧中信号は，運転が不自由な船舶や，一般動力船に比べ操縦が制限されている船舶（引かれ船を除く。）が鳴らす。

§1-4-14　錨泊中の船舶及び乗揚げ船の霧中信号（第6項〜第14項）

　錨泊中の船舶及び乗揚げ船の霧中信号は，表1・2に示すとおりである。
1. 錨泊中及び乗揚げ時の霧中信号（号鐘やどらを用いるもの）は，すべて1分を超えない間隔で鳴らすことに定められている。
2. 漁ろうに従事している船舶及び操縦性能制限船は，錨泊中も，第8項により航行中の霧中信号（第4項）と同じものを行うことになっている。
3. 乗揚げ船が号鐘やどらの信号に加えて行うことができる「適切な汽笛信号」は，接近する他船に対して警告をするために定められたもので，例えば，短音・短音・長音（● ● ━）（U：あなたは危険に向かっている。）（表1・2）の信号を行えばよい。

第4章　音響信号及び発光信号（§1-4-14）　　　129

表 1·1　航行中の霧中信号　　　（第35条）

船舶の種類 ＼ 航泊等の別	航　　行　　中
動　　力　　船	対水速力を有する場合　　　　　　　　　　長音（汽笛） 　■■■　　　　　　　■■■■■ ├─ 2分を超えない ─┤　　　　　（第2項） 対水速力を有しない場合 　　　　　約2秒 　■■■ ■■■　　　　　■■■　■■■ ├─ 2分を超えない ─┤　　　　　（第3項）
(1)　帆　　　　　　　船 (2)＊漁ろうに従事している船舶 (3)　運 転 不 自 由 船 (4)＊操縦性能制限船 (5)　喫 水 制 限 船 (6)　引き船（動力船） (7)　押し船（動力船）	短音（汽笛） 　■■■ ■ ■　　　■■■ ■ ■ ├─ 2分を超えない ─┤　　　　　（第4項） ＊　漁ろうに従事している船舶・操縦性能制限船は， 　錨泊中も，第4項の信号を行う。（表1・2の錨泊中の 　信号は行わない。）　　　　　　　　　　　（第8項）
引　か　れ　船 （2隻以上ある場合は 　最後部の船舶）	乗組員がいる場合 　■■■■ ■ ■　　　■■■■ ■ ■ ├─ 2分を超えない ─┤　　　　　（第5項） できる限り，引き船が行う信号の直後に行う。
長さ12m未満の船舶	上記の各信号を行うことを要しない。その場合は， 他の手段を講じて有効な音響信号を行う。 　▨▨▨　　　　　　　▨▨▨　有効な音響信号 ├─ 2分を超えない ─┤　　　　　（第12項）
水　　先　　船 （水先業務従事中）	第2項，第3項又は第7項の信号のほか，次の信号を行うことができる。 　■ ■ ■ ■　識別信号 　　　　　　　　　　　　　　　　　（第13項）
結 合 型 押 し 船 列	1隻の動力船とみなして，上記の該当する信号を行う。（表1・2においても，1隻の動力船とみなす。） 　　　　　　　　　　　　　　　　　（第14項）

表 1・2　錨泊中及び乗揚げ時の霧中信号　　　（第35条）

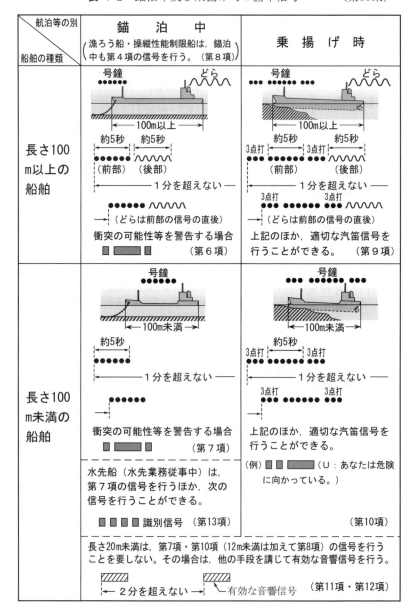

第4章　音響信号及び発光信号（§1-4-15）　　　131

第36条　注意喚起信号

第36条　船舶は，他の船舶の注意を喚起するために必要があると認める場合は，この法律に規定する信号と誤認されることのない発光信号又は音響による信号を行い，又は他の船舶を眩惑させない方法により危険が存する方向に探照灯を照射することができる。

2　前項の規定による発光信号又は探照灯による照射は，船舶の航行を援助するための施設の灯火と誤認されるものであってはならず，また，ストロボ等による点滅し，又は回転する強力な灯火を使用して行ってはならない。

§1-4-15　注意喚起信号（第36条）

（1）　注意喚起信号を行うことができる場合（第1項）

　　船舶が，他の船舶の注意を喚起するために必要があると認める場合に行うことができる。

　　「注意喚起信号」は，すべての種類の船舶が，視界のいかんにかかわらず，かつ航泊を問わず行うことができる。この信号は，任意であるが，衝突予防の見地より判断して有効な場合は積極的に行うべきである。

（2）　信号方法（第1項・第2項）

(1)	発 光 信 号	①　予防法に規定する信号（操船信号，警告信号などの発光信号。）と誤認されることのないものであること。 ②　航行援助施設の灯火と誤認されるものでないこと。 ③　ストロボ（閃光式の強力な灯火）等による点滅し又は回転する強力な灯火を使用しないこと。
(2)	音 響 信 号	予防法に規定する信号（操船信号，追越し信号，警告信号，わん曲部信号，霧中信号などの音響信号。）と誤認されることのないものであること。
(3)	探 照 灯	①　他の船舶を眩惑させない方法により危険が存する方向に照射すること。 ②　航行援助施設の灯火と誤認されるものでないこと。 ③　ストロボ等による点滅し又は回転する強力な灯火を使用しないこと。

（具体例）

①　視界制限状態において，船舶（対水速力なく長音2回吹鳴）が，レーダーで他の船舶が接近してくるのを感知したので，霧中信号のほか，注意喚起信号（音響信号又は発光信号）で他の船舶の注意を喚起する。

132　　　第1編　海上衝突予防法

② 漁ろうに従事している船舶が，漁網を投入してある水面に接近してくる他の船舶の注意を探照灯（その水面の方向に照射）で喚起する。

③ 船舶が，不注意にも航海灯を表示しないで航行している他の船舶に対し，発光信号又は音響信号で注意を喚起する。

〔注〕 例えば，── ●●●● ── ●●●● の汽笛信号を行う。

第37条　遭難信号

> **第37条**　船舶は，遭難して救助を求める場合は，国土交通省令で定める信号を行わなければならない。
> **2**　船舶は，遭難して救助を求めていることを示す目的以外の目的で前項の規定による信号を行ってはならず，また，これと誤認されるおそれのある信号を行ってはならない。

§1-4-16　遭難信号（第37条第1項）

（1）遭難信号を行わなければならない場合
　　船舶が，①遭難して，②救助を求める場合に行わなければならない。

（2）遭難信号の種類及び信号方法
　⑴ 遭難信号の種類及び信号方法は，施行規則で次のとおり定められている。（則第22条第1項）

① 約1分間の間隔で行う1回の発砲その他の爆発による信号

② 霧中信号器による連続音響による信号

③ 短時間の間隔で発射され，赤色の星火を発するロケット又はりゅう弾による信号

④ あらゆる信号方法によるモールス符号の「●●●───●●●」（SOS）の信号

⑤ 無線電話による「メーデー」という語の信号
　　「メーデー」は，フランス語で"help me"を意味する。

⑥ 縦に上から国際信号書に定めるN旗及びC旗を掲げることによって示される遭難信号

⑦ 方形旗であって，その上方又は下方に球又はこれに類似するもの1個の付いたものによる信号

第4章 音響信号及び発光信号（§1-4-16） 133

⑧ 船舶上の火炎（タールおけ，油たる等の燃焼によるもの）による信号
⑨ 落下傘の付いた赤色の炎火ロケット又は赤色の手持ち炎火による信号
⑩ オレンジ色の煙を発することによる信号
⑪ 左右に伸ばした腕を繰り返しゆっくり上下させることによる信号
⑫ デジタル選択呼出装置による2,187.5キロヘルツ，4,207.5キロヘル
　ツ，6,312キロヘルツ，8,414.5キロヘルツ，12,577キロヘルツ若しくは
　16,804.5キロヘルツ又は156.525メガヘルツの周波数の電波による遭難
　警報
⑬ インマルサット船舶地球局（国際移動通信衛星機構が監督する法人が
　開設する人工衛星局の中継により海岸地球局と通信を行うために開設す
　る船舶地球局をいう。）その他の衛星通信の船舶地球局の無線設備によ
　る遭難警報
⑭ 非常用の位置指示無線標識による信号
⑮ 前各号に掲げるもののほか，海上保安庁長官が告示で定める信号
　　同告示（平成4年海上保安庁告示第17号，最近改正平成21年同告示第329号）は，
　次のとおり定めている。
　　1. 衛星の中継を利用した非常用の位置指示無線標識による遭難警報
　　2. 捜索救助用のレーダートランスポンダによる信号
　　3. 直接印刷電信による「MAYDAY」という語の信号
　信号を行う場合は，これらの信号を同時又は個別に使用し又は表示する。
　　〔注〕 第4号は，従来，「無線電信その他の方法による……」と定められていた
　　　が，「あらゆる信号方法による……」に改正された。さらに，第12号及び第
　　　13号においても，無線電信及び無線電話による警急信号が廃止され，人工
　　　衛星等を利用したGMDSSによる遭難信号が追加されている。
　　　　これは，GMDSS導入の完了に伴い，モールス無線電信の利用実態がな
　　　くなっていること，及び新たな通信手段が増加したことにより国際規則が
　　　改正されたことによるものである。
⑵ 遭難信号を行う場合の考慮すべき事項（則第22条第2項）
　　船舶は，⑴の遭難信号を行うに当たっては，次の各号に定める事項を考
　慮するものとする。
① 国際信号書に定める遭難に関連する事項
② 国際海事機関（IMO）が採択した国際航空海上捜索救助手引書
　（IAMSERマニュアル）第3巻に定める事項

③ 黒色の方形及び円又は他の適当な図若しくは文字を施したオレンジ色の帆布を空からの識別のために使用すること。
④ 染料による標識を使用すること。

§1-4-17 遭難信号の目的以外の使用の禁止 (第37条第2項)

船舶は，遭難して救助を求めていることを示す目的以外の目的で遭難信号及びこれと誤認されるおそれのある信号を行ってはならない。

遭難信号を受けた船舶や陸上の救助機関はその船舶の救助に赴く義務を負う。したがって遭難していないにもかかわらずこの信号を行った場合，救助するものが多大の迷惑を被ることは明らかであるため，その使用の禁止を明示したものである。

〔注〕 海の事件・事故の海上保安庁への電話による通報
電話番号（局番なし）「118」

第5章 補　　則

第38条　切迫した危険のある特殊な状況

第38条　船舶は，この法律の規定を履行するに当たっては，運航上の危険及び他の船舶との衝突の危険に十分に注意し，かつ，切迫した危険のある特殊な状況（船舶の性能に基づくものを含む。）に十分に注意しなければならない。
2　船舶は，前項の切迫した危険のある特殊な状況にある場合においては，切迫した危険を避けるためにこの法律の規定によらないことができる。

§1-5-1　切迫した危険のある特殊な状況（第38条）

　本条以外の予防法の各条の規定を遵守すれば，多くの場合は衝突を予防できる。しかし海上には，その種類，大きさ，性能，状態などが異なる様々な船舶があり，しかも複雑な様相を呈することから，船舶の間のすべての衝突を予防するには万全とはいい難いときがある。

　また，予防法の規定を解釈する場合には，その意味するところを正しく解釈するとともに，杓子定規なものでなく，衝突予防の見地から船員のセンスを持って有機的に解釈するものでなければならない。

　したがって，本条は，予防法の目的を達成するため，予防法の規定を解釈し，かつ履行するに当たっては，次に掲げる注意義務を遵守しなければならないことを定めたものである。

（1）　運航上の危険及び他の船舶との衝突の危険に対する注意義務

　　（具体例）

　　①　マスト灯に煤煙が付着して視認距離が減少していないか注意する。

　　②　帆船というものは，風向・風力の変転に伴って，その針路・速力が若干変化するものであることに注意する。

　　③　錨泊しようとする場合で，風潮流の強いときは，その影響を特に注意し，他の錨泊船の前方を進行しないで船尾を回って錨地に向かう。

　　④　広い水域において，動力船は，群走している帆船や集団で漁ろうに従事している船舶を認めた場合は，これらに近寄らず大回りして避航する。

　　⑤　3隻の船舶の間において衝突するおそれがある態勢となった場合は，

各船はそれぞれ他の船舶の動静に十分に注意し，早期に適切な衝突回避の動作をとる。

（2）　切迫した危険のある特殊な状況（船舶の性能に基づくものを含む。）に対する注意義務（この状況の場合においては，切迫した危険を避けるために予防法の規定によらないことができる。）　　　　　　　　　（§1-5-2参照）

§1-5-2　切迫した危険のある特殊な状況に対する注意義務

（1）　注意義務

　　船舶は，切迫した危険のある特殊な状況（船舶の性能に基づくものを含む。）に十分に注意しなければならない。つまり，臨機の処置をとらなければならない。

　1．「切迫した危険のある特殊な状況」とは，単に船舶間に衝突の危険があるだけでなく，目前に他の船舶（物件）との衝突が差し迫った特殊な状況のことである。

　2．この特殊な状況に「船舶の性能に基づくものを含む。」（かっこ書規定）とあるのは，超大型船や水上航空機などの性能が一般の船舶と著しく異なることを考慮したものである。

　3．具体例

　　①　狭い水道において，自船が右側端航行中，反航してくる他の船舶が突然激左転してきて危険が切迫した場合に，本条の臨機の処置をとる。

　　②　レーダーを装備していない船舶が視界制限状態において速力を減じて航行中，霧中信号を行うことを怠っている他の船舶が突然前方至近に現れ危険が切迫した場合に，本条の臨機の処置をとる。

（2）　予防法の規定から離れることができる要件

　　「切迫した危険のある特殊な状況」を避けるためには，本法の規定によらないことができるが，それは次の用件を満たした場合である。

　⑴　単に危険が存在するだけでなく切迫した危険があること。

　⑵　予防法の規定に従っては，切迫した危険を避けることができないこと。

　⑶　予防法の規定から離れることが唯一の方法で，かつ，これによって切迫した危険を避ける見込みが十分にあること。

（3）　切迫した危険を避けるための動作

　⑴　時期

　　衝突のおそれや危険のあるときでなく，客観的に，切迫した危険に陥っ

たと判断されるときである。

⑵　方法

　　動作の方法は，その時の状況に即応した最善の手段を尽して切迫した危険を避けなければならないが，具体的には，船舶が互いに停止（行き足を止める。）すれば衝突を回避できる場合が多いとされている。

　　操舵のみによってかわそうとすると時期を失するおそれがあるから，機関を使用することが肝要である。

§1-5-3　予防法が定める「臨機の処置」

　予防法は，あくまでも衝突を避けるために，いわゆる「臨機の処置」の規定を定めているが，これらをまとめて掲げると，次のとおりである。

1．保持船のみによる衝突回避動作（第17条第2項）
2．保持船の最善の協力動作（第17条第3項）
3．切迫した危険のある特殊な状況を避けるための動作（第38条）
4．船員の常務として又はその時の特殊な状況により必要とされる注意によりとる臨機の動作（第39条）

第39条　注意等を怠ることについての責任

> 第39条　この法律の規定は，適切な航法で運航し，灯火若しくは形象物を表示し，若しくは信号を行うこと又は船員の常務として若しくはその時の特殊な状況により必要とされる注意をすることを怠ることによって生じた結果について，船舶，船舶所有者，船長又は海員の責任を免除するものではない。

§1-5-4　注意等を怠ることについての責任（第39条）

　予防法のいかなる規定も，次に掲げる過失によって生じた結果について，船舶所有者，船長又は海員の責任を免除するものではない。つまり，衝突が発生した場合に，その原因が不可抗力でなく，過失によるものであれば，その責任を問われることになる。

⑴　適切な航法で運航し，灯火・形象物を表示し，又は信号を行うことを怠ること。

⑵　船員の常務として又はその時の特殊な状況により必要とされる注意をす

ることを怠ること。(§1-5-5参照)

　注意等を怠り衝突すると責任を問われるから，船員は，予防法のすべての条項を厳格に遵守して，衝突を予防しなければならない。

§1-5-5　船員の常務として必要とされる注意義務等

（1）　船員の常務として必要とされる注意義務

　　これは，船員の通常の慣行，知識及び経験に基づいて必要とされる注意義務である。

　（具体例）

　　①　航行船は，錨泊船を避ける。

　　②　船舶は，狭い水道に入ろうとする場合は，相当の距離を隔てたところから，その水道の方向に向かう態勢で入る。出入口の近くで大角度の転針を行って入るようなことをしてはならない。

　　③　濃霧となって仮泊しようとする場合は，他の船舶の航行の妨げとならないような場所に投錨する。

　　④　港を出入するときや船舶交通のふくそうする狭い水道を通航するときは，機関用意・投錨用意とし，各員を配置につける。

（2）　その時の特殊な状況により必要とされる注意義務

　　これは，切迫した危険のあるなしにかかわらず，特殊な状況であるために衝突予防上その状況に対処するため特に必要とされる注意義務である。

　（具体例）

　　①　狭い水道を航行中，他の船舶が違法側を航行して接近する場合には，警告信号を行うほか，速力を減じ，余地があれば少しでも右転し，又は機関を止めるか後進にかける。必要に応じて投錨をする。

　　②　洋上で単独で航行している動力船と編隊航行をしている艦船の1隻とが横切り関係となり衝突するおそれがある場合には，動力船は，保持船の立場であっても，特殊な状況とみて早期に同艦を避け，編隊からも十分に遠ざかる動作をとる。

第5章　補　則（§1-5-6）　　139

第40条　他の法令による航法等についてのこの法律の規定の適用等

第40条　第16条，第17条，第20条（第4項を除く。），第34条（第4項から第6項までを除く。），第36条，第38条及び前条の規定は，他の法令において定められた航法，灯火又は形象物の表示，信号その他運航に関する事項についても適用があるものとし，第11条の規定は，他の法令において定められた避航に関する事項について準用するものとする。

§1-5-6　予防法の規定の他の法令の航法等への適用・準用（第40条）

　予防法と他の法令（港則法及び海上交通安全法）とは，一般法と特別法の関係にある。特別法は一般法よりも優先して適用されるが，特別法に規定のない事項については，一般法の規定が適用される。すなわち，特別法である港則法や海上交通安全法の適用水域においても，それらの法令に規定のない事項については，一般法である予防法の規定が適用される。

　よって，本条に列挙された第16条等の各条のように，「この法律の規定により……」などの限定的な文言がある規定についても，当然，他の法令の航法等に関する事項にも適用又は準用される。本条は，このことに疑義を生じないように，特に明文規定をもって示したものである。

他の法令において定められた事項	適用又は準用される規定	
航法に関する事項	第16条（避航船） 第17条（保持船）	適用
灯火又は形象物の表示に関する事項	第20条（灯火・形象物の表示）	
信号に関する事項	第34条（操船信号） 第36条（注意喚起信号）	
運航に関する事項	第38条（切迫した危険のある特殊な状況） 第39条（注意等を怠ることについての責任）	
避航に関する事項	第11条（視野の内にある船舶に適用）	準用

（具体例）

　例えば，港則法は，第13条第1項において，航路出入等の船舶（A船）は航路航行船（B船）を避航しなければならないことを規定し，A船の避航義務を定めているが，B船については何も規定していない。また，この航法規定が視野の内にある場合にのみ適用があるかどうかも明示していない。

　したがって，これらについては，一般法である予防法の規定を適用・準用して動作等を履行することになるが，このことについて，本条は，次のこと

を明示している。

① 港則法のこの規定は,「航法に関する事項」であって,B船（他の船舶）には第17条（保持船）の規定が適用される。したがって,B船は保持船としての動作をとらなければならない。

② 港則法のこの規定は,「避航に関する事項」であって,第11条（視野の内）の規定が準用される。したがって,A船とB船とが互いに視覚によって他の船舶を見ることができる場合にのみ成立する航法規定である。

③ これらのほか,避航船（A船）には第16条（避航船）の規定が適用されるなどである。

〔注〕 例えば,予防法第34条のかっこ書規定に「第4項から第6項までを除く。」とあるが,これは,これらの規定には「この法律（予防法）の規定により…」の文言がなく,同条第4項〜第6項の規定は,他の法令の規定と抵触しない限り,何の疑義もなく,他の法令の航法等にも適用されるからである。

第41条　この法律の規定の特例

第41条 船舶の衝突予防に関し遵守すべき航法,灯火又は形象物の表示,信号その他運航に関する事項であって,港則法（昭和23年法律第174号）又は海上交通安全法（昭和47年法律第115号）の定めるものについては,これらの法律の定めるところによる。

2 政令で定める水域における水上航空機等の衝突予防に関し遵守すべき航法,灯火又は形象物の表示,信号その他運航に関する事項については,政令で特例を定めることができる。

3 国際規則第1条(c)に規定する位置灯,信号灯,形象物若しくは汽笛信号又は同条(e)に規定する灯火若しくは形象物の数,位置,視認距離若しくは視認圏若しくは音響信号装置の配置若しくは特性（次項において「特別事項」という。）については,国土交通省令で特例を定めることができる。

4 条約の締約国である外国が特別事項について特別の規則を定めた場合において,国際規則第1条(c)又は(e)に規定する船舶であって当該外国の国籍を有するものが当該特別の規則に従うときは,当該特別の規則に相当するこの法律又はこの法律に基づく命令の規定は,当該船舶について適用しない。

第5章 補　則（§1-5-7）　　　141

§1-5-7　予防法の規定の特例（第41条）

　港湾や内水などにおいては，船舶交通のふくそう化や自然的・地理的な条件により，予防法の規定のみでは衝突予防に十分でない場合があるため，特別の規則を必要とすることがある。

　また，集団漁ろう船等の灯火等についての特別の規則を定めたり，あるいは特殊な構造の船舶等がその特殊な機能を損わないためにその灯火や音響信号装置等についての特別の規則を定めたりする必要がある場合がある。

　本条は，これらの必要性に鑑み特例について，次のとおり定めている。

（1）　港則法及び海上交通安全法（第1項）

　　衝突予防に関する事項で，港則法又は海上交通安全法の定めるものについては，これらの定めるところによる。

（2）　水上航空機等（水上航空機及び特殊高速船（表面効果翼船））の衝突予防に関する特例（第2項）

　　これに関して，政令で特例を定めることができる。

　　この特例（政令）は，現在のところ定められていない。

（3）　集団漁ろう船等の灯火等についての特例（第3項）

　　次に掲げる事項については，施行規則で特例を定めることができる。

　⑴　2隻以上の軍艦又は護送されている船舶のための追加の位置灯，信号灯，形象物又は汽笛信号（国際規則第1条(c)）

　⑵　集団で漁ろうに従事している漁船のための追加の位置灯，信号灯又は形象物（国際規則第1条(c)）

　⑶　特殊な構造又は目的を有する船舶の灯火・形象物の数，位置，視認距離又は視認圏（国際規則第1条(e)）

　⑷　特殊な構造又は目的を有する船舶の音響信号装置の配置又は特性（国際規則第1条(e)）

　　この特例として，施行規則は，海上自衛隊の自衛鑑，海上保安庁の巡視船などについて，これを定めている。（則第23条）

（4）　外国が特別の規則を定めた場合の予防法の該当規定の適用除外（第4項）

　　外国が第3項の事項（特別事項）について特別の規則を定めた場合は，その国の船舶については，その特別の規則に相当する予防法（命令を含む。）の規定は適用されない。

§1-5-8 予防法と特例との関係

　予防法と特例（特別規則）とは，一般法と特別法の関係にある。特別法とは，一般法よりも狭い範囲の事柄又は人若しくは場所に適用される法で，特別法の定めている事柄に関しては，特別法の規定が優先して適用され，一般法の規定は特別法の規定と矛盾抵触しない範囲でのみ補充的に適用される。

　したがって，特例である港則法又は海上交通安全法の規定が，それらの適用海域においては，予防法の規定に優先して適用される。すなわち，①予防法の規定と特例の規定とが異なる場合や相反する場合は，当然特例の規定が適用され，②特例に規定されていない事項については，予防法の規定が適用される。（§1-5-6参照）

第42条　経過措置

> **第42条**　この法律の規定に基づき命令を制定し，又は改廃する場合においては，その命令で，その制定又は改廃に伴い合理的に必要と判断される範囲内において，所要の経過措置を定めることができる。

§1-5-9　経過措置（第42条）

　予防法の規定に基づき命令を制定し，又は改廃する場合においては，その内容によっては，すぐに施行することができにくいものもあるので，それについて経過措置を定めることができる，と定めたものである。

練 習 問 題

<定 義>

問 次の(1)と(2)にあてはまる船の例を1つずつあげよ。　　　　　（五級）

(1)　運転不自由船

(2)　操縦性能制限船

〔ヒント〕(1)　舵故障のため転針できず他の船舶の進路を避けることができない船舶。
（§1-1-8）

(2)　掃海作業に従事しているため他の船舶の進路を避けることができない
船舶。（§1-1-9）

問　「びょう泊」とは，いかりを用いて船を海底に係止するほか，どのようにすること
をいうか，例を2つあげよ。　　　　　　　　　　　　　　　　　　　（三級）

〔ヒント〕①　係船浮標にする係留　　　②　びょう泊している他の船舶にする係留

<安全な速力>

問　「安全な速力」について，次の文の 　　　 内にあてはまる語句を，番号とともに
記せ。（四級）

船舶は，他の船舶との衝突を避けるための適切かつ 　(1)　 をとること又はその
時の 　(2)　 距離で停止することができるように， 　(3)　 安全な速力で航行しな
ければならない。

〔ヒント〕(1)　有効な動作　　　(2)　状況に適した　　　(3)　常時

問　船舶は，安全な速力の決定に当たりレーダーの性能を考慮しなければならないが，
適切なレーダーレンジでレーダーを使用する場合においても，どのような物件を探知
することができないことがあることに留意しなければならないか。　　　　　（三級）

〔ヒント〕小型船舶及び氷塊その他の漂流物

問　視界の状態は，船舶が安全な速力の決定に当たって考慮しなければならない重要事
項の1つであるが，視界の状態を正確に把握するための最も効果的な方法を述べよ。

（三級）

〔ヒント〕レーダーによる方法で，他の船舶や物件が見えてきたとき又は見えなくな
ろうとするときに，レーダーでその距離を測定すると視界の状態を正確に把
握できることがある。

144 第1編 海上衝突予防法

＜衝突のおそれ＞

問 接近してくる他船と衝突のおそれがあるかどうかは，どのようにして知るか。
(五級)

〔ヒント〕その時の状況に適したすべての手段（コンパス方位による方法，レーダーによる方法など。）を用いて知る。具体的には，第7条第2項（レーダー），第4項（コンパス方位）など。

問 次の文の _____ 内にあてはまる語句を番号とともに記せ。
　　船舶は，周囲の状況及び他船との衝突のおそれについて十分に判断することができるように， (1) ， (2) 及びその時の状況に適した他のすべての手段により， (3) 適切な見張りをしなければならない。 (五級)
〔ヒント〕(1) 視覚　　(2) 聴覚　　(3) 常時

問 レーダーを使用している船舶は，他船と衝突するおそれがあるかどうかを早期に知るためにレーダーを適切に用いなければならないが，それにはどのようにすればよいか。
(四級)
〔ヒント〕第7条第2項（§1-2-7）

問 船舶は，接近してくる他の船舶のコンパス方位に明確な変化が認められる場合であっても，この船舶と衝突するおそれがあり得ることを考慮しなければならないことがあるが，それはどのような場合か。 (五級，四級)
〔ヒント〕大型船舶若しくは曳航作業に従事している船舶に接近し，又は近距離で他の船舶に接近する場合

＜衝突を避けるための動作＞

問 「衝突を避けるための動作」についての次の文の _____ 内にあてはまる語句を番号とともに記せ。
　　船舶は，他の船舶との衝突を避けるための動作をとる場合は，できる限り，十分に (1) 時期に，船舶の運用上の適切な (2) に従って (3) にその動作をとらなければならない。 (五級)
〔ヒント〕(1) 余裕のある　　(2) 慣行　　(3) ためらわず

問 衝突を避けるための動作についての次の文の _____ 内にあてはまる語句を，記号とともに記せ。 (四級)
　　航行中の船舶は， (ア) 水域で針路の変更を行う場合には，後に述べる2つのことを同時に守って行う場合に限り，針路だけの変更が他の船舶に著しく接近すること

練 習 問 題　　　　　145

を避けるための最も有効な動作となる場合があることを考慮しなければならない。
　(1)　針路の変更により　[イ]　に他の船に著しく接近することとならないこと。
　(2)　[ウ]　な時期に　[エ]　に行うこと。
　〔ヒント〕(ア)　広い　　　(イ)　新た　　　(ウ)　適切　　　(エ)　大幅

＜狭い水道等＞

問　狭い水道等において，追越し船が追越し信号を行わなければならないのは，どのような場合か。　　　　　　　　　　　　　　　　　　　　　　　　　　　　　　（四級）
　〔ヒント〕互いに他の船舶の視野の内にあり，追い越される船舶が自船（追越し船）を安全に通過させるための動作をとらなければこれを追い越すことができない場合で，追越しの意図を示すとき。

問　狭い水道等の航法について：
　(1)　「狭い水道等」とは，「狭い水道」のほか，どのようなところをいうか。
　(2)　狭い水道等をこれに沿って航行する船舶は，どのように航行しなければならないか。
　(3)　狭い水道等において，航行中の一般動力船と航行中の漁ろうに従事している船舶が接近する場合，両船はそれぞれどんな航法をとらなければならないか。　　（四級）
　〔ヒント〕(1)　航路筋
　　　　　　(2)　安全であり，かつ，実行に適する限り，右側端に寄って航行。
　　　　　　(3)　一般動力船は漁ろうに従事している船舶の進路を避ける。漁ろうに従事している船舶は保持船の動作をとる。ただし，漁ろうに従事している船舶は，一般動力船の通航を妨げることとなる場合は，同船の通航を妨げない動作をとる。

＜分離通航方式＞

問　法第10条（分離通航方式）の規定の一部についての次の文の　[　　　]　内に適合する語句を，番号とともに記せ。　　　　　　　　　　　　　　　　　　　　　　　（三級）
　「船舶は，分離通航帯を航行する場合は，この法律の他の規定に定めるもののほか，次の各号に定めるところにより，航行しなければならない。
　1　通航路をこれについて定められた　[(1)]　方向に航行すること。
　2　分離線又は　[(2)]　からできる限り離れて航行すること。
　3　できる限り通航路の　[(3)]　から出入すること。ただし，通航路の側方から出入する場合は，その通航路について定められた(1)方向に対しできる限り　[(4)]　で出入しなければならない。」
　〔ヒント〕(1)　船舶の進行　　　(2)　分離帯　　　(3)　出入口　　　(4)　小さい角度

146 　　　　　　第 1 編　海 上 衝 突 予 防 法

問 　海上衝突予防法第10条（分離通航方式）の航法規定について：
　⑴　通航路の横断については，どのように規定されているか。
　⑵　通航路を横断しようとする漁ろうに従事している船舶と通航路をこれに沿って航
　　　行している一般動力船とが衝突のおそれがあるときは，どちらの船舶が避航船とな
　　　るか。
　⑶　分離通行帯の出入口付近において，船舶が守らなければならない事項をあげよ。
　　　　　　　　　　　　　　　　　　　　　　　　　　　　　　　　　　　　（三級）

　〔ヒント〕⑴　第10条第 3 項
　　　　　　⑵　一般動力船（第10条第 7 項）
　　　　　　⑶　①　十分に注意して航行しなければならない。（第10条第10項）
　　　　　　　　②　やむを得ない場合を除き，錨泊してはならない。第10条第11項）
　　　　　　　　③　分離通行帯を航行しない船舶は，（当然のことながら出入口付近に
　　　　　　　　　　おいても）できる限り分離通行帯から離れて航行しなければならな
　　　　　　　　　　い。（第10条第12項）

＜互いに他の船舶の視野の内にある船舶の航法＞

問 　 A， B 2 隻の動力船が真向かい又はほとんど真向かいに行き会い，衝突するおそれ
　　があるときに， A 船が短音 1 回を鳴らすと同時に右転した。この場合における B 船の
　　航法について述べた次の文のうち，正しいものはどれか。
　⑴　針路及び速力を保持する。
　⑵　短音 2 回を鳴らすと同時に左転する。
　⑶　針路を保持し，速力を減ずる。
　⑷　短音 1 回を鳴らすと同時に右転する。　　　　　　　　　　　　　　　（六級）
　〔ヒント〕⑷（§1-2-38）

問 　「行会い船」とは， 2 隻の動力船がどのような状況にある関係をいうか，夜間の場
　　合について述べよ。　　　　　　　　　　　　　　　　　　　　　　　　（五級）
　〔ヒント〕第14条第 2 項（§1-2-39（1））

問 　動力船は，自船が他の動力船に対して行会い船の状況にあるかどうかを確かめるこ
　　とができない場合は，どのような状況にあると判断しなければならないか。　（五級）
　〔ヒント〕第14条第 3 項（§1-2-39（2））

問 　法第14条（行会い船）第 1 項の航法規定について：
　⑴　 2 隻の動力船がほとんど真向かいに行き会う場合に，衝突の危険が生じやすい両
　　　船の体制の例を 2 つあげ，図示して説明せよ。

練 習 問 題　　　　　　　　147

(2)　2隻の動力船が真向かい又はほとんど真向かいに行き会う場合において衝突する
　おそれがあっても，この航法規定が適用されない場合を2つあげよ。　　　　（三級）
〔ヒント〕(1)（§1-2-42　図1・12（5）（6））
　　　　　(2)　①　一般動力船と操縦性能制限船である動力船が行き会う場合
　　　　　　　　②　一般動力船と漁ろうに従事している船舶である動力船が行き会う
　　　　　　　場合

問　夜間，航行中のA動力船が，その右げん前方に，他の船舶のマスト灯と左げん灯を
認め，これと衝突するおそれがあるとき，海上衝突予防法上，A船がとらなければな
らない措置として，正しいものは次のうちどれか。
(1)　そのときの針路と速力を保って航行する。
(2)　できる限り，早めに，明確な動作をとり，他の船舶の進路を避ける。
(3)　直ちに急速に短音5回以上の汽笛信号を行う。
(4)　他の船舶の汽笛信号を確認するまで，長音1回の信号を行う。　　　　（六級）
〔ヒント〕(2)（§1-2-43）

問　航行中の漁ろうに従事している動力船が，他船と衝突するおそれがあるとき，他船
の進路を避けなければならない場合を4つあげよ。（他船の（安全な）通航を妨げては
ならないとされている場合については，述べなくてもよい。）　　　　（四級）
〔ヒント〕(1)　他船を追い越す場合
　　　　　(2)　他船が運転不自由船である場合
　　　　　(3)　他船が操縦性能制限船である場合
　　　　　(4)　他船が動力船であって漁ろうに従事している船舶で，同船を右舷側に
　　　　　　見る場合で，衝突するおそれがあるとき

問　狭い水道等以外の広い水域を航行中の漁ろうに従事している船舶が，他の各種の船
舶に対してとらなければならない航法について：　　　　　　　　　　　（四級）
(1)　自船が保持船となるのは，どんな船舶に対してか。
(2)　自船が，できる限り，進路を避けなければならないのは，どんな船舶か。
(3)　黒色の円筒形形象物1個を垂直線上に掲げている動力船に対しては，どのように
しなければならないか。
〔ヒント〕(1)　動力船，帆船
　　　　　(2)　運転不自由船，操縦性能制限船
　　　　　(3)　やむを得ない場合を除き，同船（喫水制限船）の安全な通航を妨げて
　　　　　　はならない。

148　　　　　　　　　第1編　海上衝突予防法

問　夜間，甲船の左げん30度付近に乙船の掲げるマスト灯，及び緑色のげん灯を認め，
その方位が変わらないで互いに接近する場合，航行中の甲動力船は，どのような処置
をとらなければならないか。　　　　　　　　　　　　　　　　　　　　　　　　（四級）
　〔ヒント〕針路及び速力を保たなければならない。

問　夜間，甲船の正船首方向付近に丙船の掲げる紅，緑色のげん灯を認め，その方位が
変わらないで互いに接近する場合，航行中の甲動力船は，どのような処置をとらなけ
ればならないか。　　　　　　　　　　　　　　　　　　　　　　　　　　　　（四級）
　〔ヒント〕丙船はマスト灯を掲げず，舷灯のみを掲げているため帆船である。従って，
　　　　　第18条第1項により避航（転針，機関の使用など）しなければならない。転
　　　　　針などのときは操船信号を行う。

問　第17条（保持船）の航法規定により，保持船が，針路及び速力を保たなければなら
ない義務から離れて，避航船との衝突を避けるための動作をとることができるのは，
どのような場合か。また，この場合の保持船の動作に対する制限事項を述べよ。（三級）
　〔ヒント〕(1)　避航船が予防法の規定に基づく適切な動作をとっていないことが明ら
　　　　　　　　かになった場合。
　　　　　　(2)　横切り船の航法（第15条第1項）の適用があるときは，やむを得ない
　　　　　　　　場合を除き，針路を左に転じてはならない。

問　互いに他の船舶の視野の内にある2隻の一般動力船が，互いに進路を横切る場合に
おいて衝突するおそれがあるとき：
(1)　避航船が避航動作をとる場合に，やむを得ない場合を除き，してはならないのは
　どのような動作か。
(2)　保持船が，避航船と間近に接近して，衝突を避けるための最善の協力動作をとら
　なければならなくなる以前の段階において，針路及び速力の保持義務から離れて自
　船のほうから避航船との衝突を避けるための動作をとることができるのは，どのよ
　うな場合か。
(3)　(2)の場合に，保持船が，やむを得ない場合を除き，してはならないのはどのよう
　な動作か。　　　　　　　　　　　　　　　　　　　　　　　　　　　　　　（三級）
　〔ヒント〕(1)　やむを得ない場合を除き，他の動力船の船首方向を横切る動作。（第15
　　　　　　　　条第1項後段）
　　　　　　(2)　避航船が，海上衝突予防法の規定に基づく適切な動作をとっていない
　　　　　　　　ことが明らかになった場合。（第17条第2項前段）
　　　　　　(3)　針路を左に転じる動作（第17条第2項後段）

練 習 問 題　　　　　　　　　149

問　一般動力船と喫水制限船とが互いに接近して衝突するおそれがあるときは，両船は
それぞれどのような航法をとらなければならないか。　　　　　　　　　（三級）
〔ヒント〕①　一般動力船……第18条第4項（§1-2-59（1）），
　　　　　②　喫水制限船……第18条第5項（§1-2-59（2））

＜視界制限状態における船舶の航法＞

問　霧中航行中，自船の正横より前方に他船の霧中信号（視界制限状態における音響信
号）を聞き，これと衝突するおそれがあるとき，直ちにとらなければならない動作は，
次のうちどれか。
(1)　短音2回を鳴らし針路を左に転じる。
(2)　短音5回以上の警告信号を行う。
(3)　機関を直ちに操作することができるように機関室に指令する。
(4)　針路を保つことができる最小限度の速力とする。　　　　　　　　（六級）
〔ヒント〕(4)（§1-2-67）

問　視界制限状態にある水域において：
(1)　動力船は，機関をどのような状態にしておかなければならないか。
(2)　音響信号（霧中信号）は聞こえないが，レーダーによって他船の存在を探知した
船は，まず，どんな判断をしなければならないか。
(3)　船がその速力を，針路を保つことができる最小限度の速力に減じなければならず，
また必要に応じて停止しなければならないのは，どのような場合か。　　（五級）
〔ヒント〕(1)　機関を直ちに操作できるようにしておかなければならない。
　　　　　(2)　他船に著しく接近することとなるかどうか，又は他船と衝突するおそ
れがあるかどうかを判断しなければならない。
　　　　　(3)　他船と衝突するおそれがないと判断した場合を除き，①他船の霧中信
号を自船の正横より前方に聞いた場合又は②自船の正横より前方にある
他船と著しく接近することを避けることができない場合。

問　霧中航行中の船舶が，自船の正横より前方に他船の存在することをレーダーのみに
よって探知し，レーダープロッティングの結果，他船が同航船ではなく著しく接近す
るものと判断して自船が避航動作をとるときは，やむを得ない場合を除いてどのよう
な針路の変更を行ってはならないか。　　　　　　　　　　　　　　　　（四級）
〔ヒント〕針路を左に転じてはならない。

問　昼間，霧中航行中の船舶が行わなければならない事項を4つあげよ。ただし，他船
を探知してから以後の動作については述べなくてもよい。　　　　　　　　（四級）

150　　　　　　　　第 1 編　海上衝突予防法

　　〔ヒント〕(1)　動力船は，機関を直ちに操作することができるようにしておく。
　　　　　　　(2)　視界の状態を考慮した安全な速力（第 6 条）に減じて航行する。
　　　　　　　(3)　霧中信号（第35条）を行い，航海灯を表示（第20条）する。
　　　　　　　(4)　視覚，聴覚，レーダーなどの手段により，適切な見張りをする。

問　視界制限状態において，船舶が，針路を保つことができる最小限度の速力に減速し，
　必要に応じて速力を停止し，かつ，十分に注意して航行することを義務づけられるの
　は，どのような場合か。　　　　　　　　　　　　　　　　　　　　　　　　（三級）
　　〔ヒント〕第19条第 6 項

問　視界制限状態において，船舶が，レーダーだけで探知した他の船舶との衝突を避け
　るための動作をとる場合，針路を左に転じてはならないのはどんな場合か。　（三級）
　　〔ヒント〕①　他の船舶が，自船の正横より前方にある場合（自船により追い越される
　　　　　　　　　船舶である場合を除く。）
　　　　　　　②　自船の正横又は正横より後方にある他の船舶が左の方向にある場合

＜航 法＞

問　船舶が衝突を避けるための動作をとる場合，針路の右転又は左転について具体的に
　明示されているのは，どのような場合か。　　　　　　　　　　　　　　　　（三級）
　　〔ヒント〕①　行会い船の場合（右転）
　　　　　　　②　横切り関係において，保持船が第17条第 2 項前段の規定により衝突回
　　　　　　　　　避動作をとる場合（左転の制限）
　　　　　　　③　視界制限状態において，他船の存在をレーダーのみにより探知した船
　　　　　　　　　舶が針路の変更で動作をとる場合（第19条第 5 項第 1 号・第 2 号）

＜灯火及び形象物＞

問　各種船舶とその船舶が海上衝突予防法の規定により，昼間，表示しなければならな
　い形象物を示した次の組合せのうち，正しいものはどれか。　　　　　　　　（六級）
　　　　　　［船舶］　　　　　　　　　　　　［形象物］
　(1)　漁ろうに従事している船舶・・・・・・・・・・・・つづみ形の形象物 1 個
　(2)　操縦性能制限船・・・・・・・・・・・・・・・・・・・・・球形の形象物 1 個
　(3)　びょう泊中の船舶・・・・・・・・・・・・・・・・・・・円すい形の形象物 3 個
　(4)　運転不自由船・・・・・・・・・・・・・・・・・・・・・ひし形の形象物 2 個
　　〔ヒント〕(1)（§1-3-30）

問　船舶は，海上衝突予防法に定める灯火をいつからいつまで表示しなければならない
　か。　　　　　　　　　　　　　　　　　　　　　　　　　　　　　　　　　（五級）

練習問題　　　　　　　　　　　　　　151

〔ヒント〕① 日没から日出までの間表示しなければならない。
② 視界制限状態においては，日出から日没までの間にあっても表示しなければならない。

問　夜間他の物件を引いて航行している動力船は，マスト灯，げん灯，船尾灯及び引き船灯を表示しなければならないが，引いている物件の性質上，その進路から離れることが著しく制限されると判断する場合は，これらの灯火のほかどんな灯火を掲げることができるか。また，この灯火を掲げることは，その船がどんな船であることを示すか。
（五級）

〔ヒント〕① 紅色（上方）・白色（中央）・紅色（下方）の3個の全周灯を連掲（最も見えやすい場所）
② 操縦性能制限船

問　下図(1)〜(4)に示す灯火は，それぞれ，どんな船舶のどのような状態を表すか。ただし，図中の○は白灯，⦸は紅灯，⊗は緑灯を示すものとする。
（五級）

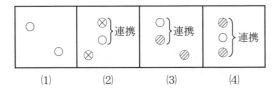

(1)　(2)　(3)　(4)

〔ヒント〕(1)　① 錨泊船が左舷側を見せている。
② 航行中の動力船が，まだ舷灯を視認できない距離において右舷側を見せている。
(2) 長さ50メートル未満のトロールにより漁ろうに従事している船舶（トロール従事船）が，対水速力を有する場合で，右舷側を見せている。
(3) 航行中の水先船（水先業務に従事中）が左舷側を見せている。
(4) 航行中の水路標識敷設等の作業に従事している操縦性能制限船が，対水速力を有しない。
航行中又は錨泊中の潜水夫による作業に従事している操縦性能制限船

問　次に示す漁ろうに従事している船舶の追加の灯火は，それぞれ，どんな船舶がどのような場合に表示することができるか。
（四級）
(1) 白色の全周灯1個及び紅色の全周灯1個（白灯を上，紅灯を下にして垂直線上に掲げる）。
(2) 黄色の全周灯2個（垂直線上に掲げる。）であって，1秒ごとに交互にせん光を発し，かつ，各々の明間と暗間とが等しいもの。

152 第1編 海上衝突予防法

〔ヒント〕⑴ トロールにより漁ろうに従事している船舶（トロール従事船）が揚網を
行っている場合
⑵ きんちゃく網を用いて漁ろうに従事している船舶

問 夜間航行中の動力船であって，マスト灯，げん灯及び船尾灯のほか，最も見えやす
い場所に紅色の全周灯3個を垂直線上に連掲しているものは，同船がどんな船舶であ
ることを示すか。 （三級）
〔ヒント〕⑴ 喫水制限船

問 航行中最も見えやすい場所に円筒形の形象物1個を垂直線上に表示しているのは，
どんな船舶か。 （三級）
〔ヒント〕喫水制限船

＜音響信号及び発光信号＞
問 霧中航行中の動力船が対水速力を有しない場合に行う長音2回の汽笛信号の長音と
長音との間隔は，約何秒としなければならないか。 （五級）
〔ヒント〕約2秒

問 霧中びょう泊している船舶（漁ろうに従事している船舶及び操縦性能制限船を除
く。）は，どんな音響信号を行わなければならないか。（五級）
〔ヒント〕 長さ100メートル未満……1分を超えない間隔で急速に号鐘を約5秒間鳴
らす。
長さ100メートル以上……前部で，上記の号鐘を鳴らし，かつ，後部で，
その直後に急速にどらを約5秒間鳴らす。

問 甲船が反対方向から来る他船を見ることができない狭い水道のわん曲部に接近中，
船影は見えないが，他船の汽笛長音1回の信号を聞いた場合，航行中の甲動力船は，
どのような処置をとらなければならないか。 （四級）
〔ヒント〕長音1回の汽笛信号を行うことにより応答しなければならない。

問 狭い水道等において，他船を追い越そうとする船舶が追い越される船舶に対して汽
笛信号を行わなければならない場合は，どんな信号を行うか。 （五級）
〔ヒント〕§1-2-18（1）

問 狭い水道等において，互いに視野の内にある場合，追い越される船が追越し船の追
越しの意図に同意したときは，どのような汽笛信号を行い，また，どのような動作を
とらなければならないか。 （五級）

練 習 問 題　　　　　　　　　　153

　〔ヒント〕①　順次に長音1回，短音1回，長音1回及び短音1回の汽笛信号
　　　　　　②　追越し船を安全に通過させるための動作

問　霧中航行中の動力船甲が，船首方向至近距離に他船乙の汽笛信号・－・（短音，長音
及び短音）を聞いた。次の(1)～(3)に答えよ。　　　　　　　　　　　　　　（五級）
(1)　乙は，どのような状態にある船舶か。
(2)　汽笛信号・－・にはどのような意味があるか。
(3)　甲は，どのような処置をとらなければならないか。
　〔ヒント〕(1)　錨泊中の船舶
　　　　　　(2)　接近してくる他の船舶に対し自船の位置及び自船との衝突の可能性を
　　　　　　　　警告している。
　　　　　　(3)　第19条第6項の動作（特に停止・注意航行）

問　航行中の動力船が次の汽笛信号を行わなければならないのは，それぞれ，どのよう
な場合か。　　　　　　　　　　　　　　　　　　　　　　　　　　　　　（四級）
(1)　長音1回
(2)　長音2回に引き続く短音1回
　〔ヒント〕(1)　①　わん曲部信号・応答信号（§1-4-9）
　　　　　　　　　②　対水速力を有する場合の霧中信号（§1-4-13）
　　　　　　(2)　狭い水道又は航路筋において，自船が他船の右舷側を追い越そうとする
　　　　　　　　場合で，追い越される船舶（他船）が自船を安全に通過させるための動作
　　　　　　　　をとらなければこれを追い越すことができない場合に，その意図を表示す
　　　　　　　　るとき。

問　次の文中，(1)及び(2)の下線部分の場合には，甲丸はそれぞれどのような霧中信号を
行えばよいか。
　　動力船甲丸（長さ30メートル）は，漁ろうに従事しながら航行していたが，(1)霧のた
め視界が制限される状態となったのでレーダーの使用を開始し，漁ろうはそのまま続
けていた。その後霧はますます濃くなり船位について不安が感じられ，水深・底質を調
べた結果適当であることが分かったので，(2)投びょう仮泊して漁ろうを更に続けた。
　　　　　　　　　　　　　　　　　　　　　　　　　　　　　　　　　　（四級）
　〔ヒント〕(1)　2分を超えない間隔で，長音1回に引き続く短音2回の汽笛信号
　　　　　　(2)　(1)と同じ信号

問　夜間航行中の甲動力船が，その船首方向にマスト灯及び両げん灯を見せて接近して
来る乙動力船を認めたので，乙船の左げん側を通過することができるように，針路を
右に転じるとともに白色のせん光1回の発光信号のみを行った。この場合の甲船の処

154 　　　　　 第 1 編　海 上 衝 突 予 防 法

置は正しいかどうか。　　　　　　　　　　　　　　　　　　　　　　（四級）
　〔ヒント〕①　行会いの状況であるから，行会い船の航法により右転したのは正しい。
　　　　　　②　操船信号は，汽笛によるものは強行規定で，発光によるものは任意規
　　　　　　　　定であるから，発光信号を行うのはよいが，汽笛信号を行っていないの
　　　　　　　　は正しくない。

問　視界制限状態において，長音 1 回に引き続く短音 2 回の汽笛信号を行わなければな
　らないのは，どんな船舶か，4 つあげよ。　　　　　　　　　　　　　　（四級）
　〔ヒント〕帆船，漁ろうに従事している船舶，運転不自由船，操縦性能制限船，喫水
　　　　　　制限船，引き船（動力船），押し船（動力船）（いずれか 4 つ）

問　動力船が汽笛による操船信号を行わなければならないのは，どのような条件がそ
　ろったときか。　　　　　　　　　　　　　　　　　　　　　　　　　（三級）
　〔ヒント〕・航行中であること。
　　　　　　・互いに他の船舶の視野の内にある場合。
　　　　　　・この法律の規定により針路を転じ，又は機関を後進にかけているとき。

問　海上衝突予防法施行規則に定められている遭難信号のうち，国際信号旗による場合
　は，どのような旗をどのように掲揚するか。　　　　　　　　　　　　（三級）
　〔ヒント〕縦に上から，N 旗と C 旗を連掲する。

問　船舶が，他の船舶の注意を促す必要があると認める場合に，行うことができる信号
　を何というか。また，この信号はどのようにして行うか，信号の方法を述べよ。（三級）
　〔ヒント〕⑴　注意喚起信号
　　　　　　⑵　§ 1-4-15（2）

問　航行中の船舶が，急速に短音を 5 回以上鳴らす汽笛信号を行わなければならないの
　は，どのような場合か。　　　　　　　　　　　　　　　　　　　　　（三級）
　〔ヒント〕互いに他の船舶の視野の内にある船舶が互いに接近する場合において，①
　　　　　　他の船舶の意図若しくは動作を理解することができないとき，又は②他の船
　　　　　　舶が衝突を避けるために十分な動作をとっていることについて疑いがあると
　　　　　　き。

第2編　海上交通安全法

$$\left(\begin{array}{l}\text{昭和47年7月3日　法律第115号}\\\text{最近改正　令和4年6月17日　法律第 68号}\end{array}\right)$$

第1章　総　　　則

第1条　目的及び適用海域

第1条　この法律は，船舶交通がふくそうする海域における船舶交通について，特別の交通方法を定めるとともに，その危険を防止するための規制を行なうことにより，船舶交通の安全を図ることを目的とする。

2　この法律は，東京湾，伊勢湾（伊勢湾の湾口に接する海域及び三河湾のうち伊勢湾に接する海域を含む。）及び瀬戸内海のうち次の各号に掲げる海域以外の海域に適用するものとし，これらの海域と他の海域（次の各号に掲げる海域を除く。）との境界は，政令で定める。

(1)　港則法（昭和23年法律第174号）に基づく港の区域

(2)　港則法に基づく港以外の港である港湾に係る港湾法（昭和25年法律第218号）第2条第3項に規定する港湾区域

(3)　漁港漁場整備法（昭和25年法律第137号）第6条第1項から第4項までの規定により市町村長，都道府県知事又は農林水産大臣が指定した漁港の区域内の海域

(4)　陸岸に沿う海域のうち，漁船以外の船舶が通常航行していない海域として政令で定める海域

---

§2-1-1　目　的（第1条）

本条は，海上交通安全法（以下「海交法」と略する。）の目的及び適用海域を定めたものである。

第1項は，海交法は船舶交通がふくそうする海域における船舶交通について，次のことを行うことにより船舶交通の安全を図ることを目的とすることを定めたものである。

(1)　特別の交通方法を定めること。

(2)　船舶交通の危険を防止するための規制をすること。

これは，海交法を解釈し，又は運用する場合の基準を示すものである。

§2-1-2　適用海域（第2項）

　海交法が適用される海域は，船舶交通がふくそうする次の3海域である。これらの海域の境界線は，「政令」すなわち海上交通安全法施行令（以下，本編において「施行令」又は「令」と略する。）で定められている。（令第1条）

　⑴　東京湾（図2・1）
　⑵　伊勢湾（伊勢湾の湾口に接する海域及び三河湾のうち伊勢湾に接する海域を含む。）（図2・2）
　⑶　瀬戸内海（図2・3(a)，図2・3(b)）

　ただし，これらの海域のうち，次の海域は除外される。

　　①　港則法の港の区域
　　②　港則法の適用のない港の港湾区域（港湾法）
　　③　漁港の区域（漁港漁場整備法）
　　④　陸岸に沿う海域のうち，漁船以外の船舶が通常航行していない海域として政令で定める海域（令第2条）

　これらの3海域は，主要港を多数擁するため船舶交通がふくそうし，予防法の規定のみでは衝突予防を期し難いところである。

〔注〕　この適用海域は，海図第6974号（平成24年10月改版）を見れば一覧できる。同図は，第28条（帆船の灯火等）に規定する灯火の常時表示海域を示すが，同条の表示海域は海交法の適用海域全域と定められているからである。

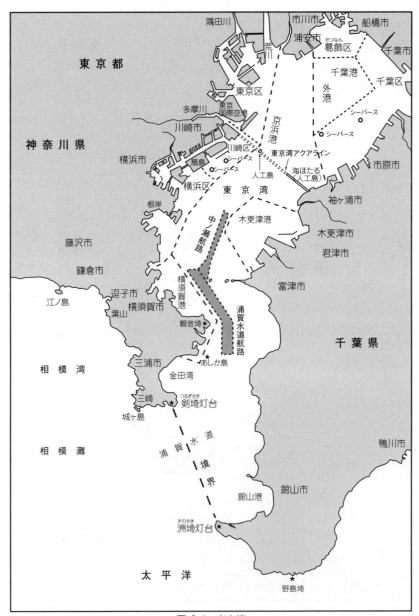

図 2·1 東京湾

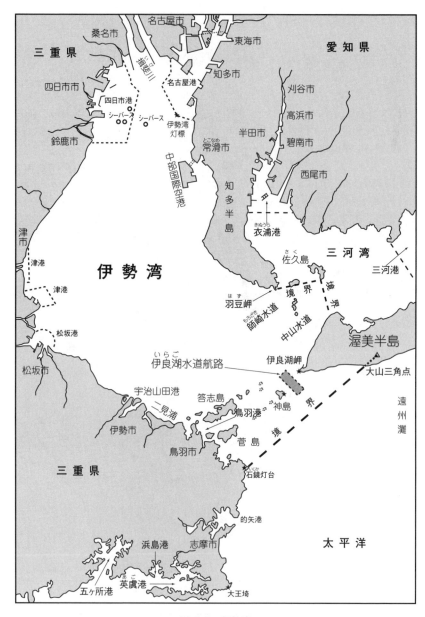

図 2・2　伊勢湾

第1章 総　則（§2-1-2）

図 2·3(a)　瀬戸内海（東部）

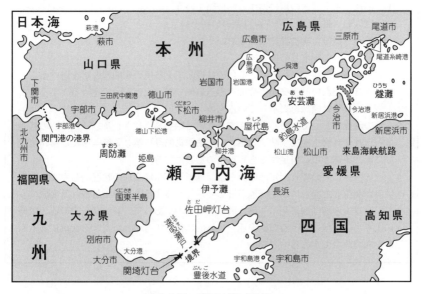

図 2·3(b)　瀬戸内海（西部）

§2-1-3　海交法と予防法との優先関係

予防法第41条第1項に「船舶の衝突予防に関し遵守すべき航法，灯火又は形象物の表示，信号その他運航に関する事項であって，港則法又は海上交通安全法の定めるものについては，これらの法律の定めるところによる。」と定められているとおり，海交法は予防法の特例であって，海交法の適用海域においては同法が優先して適用される。

また，予防法第40条は，予防法の一定の規定が海交法の航法等の事項についても適用又は準用されることを明示し，解釈に疑義を生じないようにしている。（§1-5-6参照）

第2条　定　　義

> **第2条**　この法律において「航路」とは，別表に掲げる海域における船舶の通路として政令で定める海域をいい，その名称は同表に掲げるとおりとする。
>
> 2　この法律において，次の各号に掲げる用語の意義は，それぞれ当該各号に定めるところによる。
> (1)　船舶　水上輸送の用に供する船舟類をいう。
> (2)　巨大船　長さ200メートル以上の船舶をいう。
> (3)　漁ろう船等　次に掲げる船舶をいう。
> 　イ　漁ろうに従事している船舶
> 　ロ　工事又は作業を行っているため接近してくる他の船舶の進路を避けることが容易でない国土交通省令で定める船舶で国土交通省令で定めるところにより灯火又は標識を表示しているもの
>
> 3　この法律において「漁ろうに従事している船舶」，「長さ」及び「汽笛」の意義は，それぞれ海上衝突予防法（昭和52年法律第62号）第3条第4項及び第10項並びに第32条第1項に規定する当該用語の意義による。
>
> 4　この法律において「指定海域」とは，地形及び船舶交通の状況からみて，非常災害が発生した場合に船舶交通が著しくふくそうすることが予想される海域のうち，2以上の港則法に基づく港に隣接するものであって，レーダーその他の設備により当該海域における船舶交通を一体的に把握することができる状況にあるものとして政令で定めるものをいう。

第1章　総　　則（§2-1-4）　　　　161

§2-1-4　「航路」の定義（第1項）

本条は，「航路」，「巨大船」，「漁ろう船等」などの定義を定めたものである。

「航路」とは，船舶の通路として定められた海交法の別表（*p.*264）に掲げる航路で，次のとおり11の航路が設けられており，その区域は，政令（令第3条）で定められている。（図2・1，図2・2，図2・3(a)，図2・3(b)）

航路は，海図に記載され，また航路標識を設置して示されている。（第34条，第35条）

東　京　湾	浦賀水道航路　中ノ瀬航路			
伊　勢　湾	伊良湖水道航路			
瀬　戸　内　海	明石海峡航路　　備讃瀬戸東航路　　宇高東航路　　宇高西航路 備讃瀬戸北航路　備讃瀬戸南航路　　水島航路　　来島海峡航路			

§2-1-5　「巨大船」，「漁ろう船等」などの定義（第2項・第3項）

（1）　「船舶」（第2項第1号）

予防法の「船舶」には水上航空機を含むが，海交法ではこれを含まない。

（2）　「巨大船」（第2項第2号）

長さ（全長）200メートル以上の船舶をいう。

〔注〕　巨大船の灯火・形象物は，第27条に規定されている。（§2-2-45参照）

（3）　「漁ろう船等」（第2項第3号）

次に掲げる船舶をいう。

1．漁ろうに従事している船舶（予防法第3条第4項（§1-1-6）の用語の定義と同じ。第3項参照）

2．許可を受けた工事・作業船

これは，工事又は作業を行っているため，接近してくる他の船舶の進路を避けることが容易でない船舶で，「国土交通省令」すなわち海上交通安全法施行規則（以下，本編において「施行規則」又は「則」と略する。）は，次のとおり定めている。（則第2条）

許可（第40条第1項。一定の場合には港則法第31条第1項）を受けて工事又は作業を行っており，工事又は作業の性質上接近してくる他の船舶の進路を避けることが容易でない船舶で，次の灯火又は形象物を表示しているものである。（図2・4）

① 灯火（夜間）
　　緑色の全周灯（2海里以上）　2個　連掲　最も見えやすい場所
② 形象物（昼間）
　　上からひし形（白色）・球形（紅色）・球形（紅色）の3個の形象物
　連掲　最も見えやすい場所

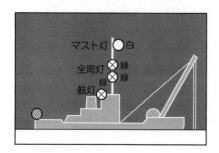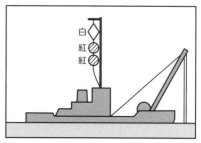

図 2・4　許可を受けた工事・作業船の灯火・形象物

(4)　「漁ろうに従事して船舶」など（第3項）

「漁ろうに従事している船舶」，「長さ」及び「汽笛」の意義は，それぞれ予防法の定義と同じである。（§1-1-6，§1-1-12，§1-4-1参照）

§2-1-6　「指定海域」の定義（第4項）

「指定海域」とは，次の(1)及び(2)のいずれにも該当する海域であって，地形及び船舶交通の状況からみて，大津波の発生，大型タンカーからの大量の危険物流出，大規模火災等の非常災害が発生した場合に，船舶交通が著しくふくそうすることが予想される海域で，政令で定めるものをいう。

(1)　2以上の港則法に基づく港に隣接する海域
(2)　レーダーその他の設備により当該海域における船舶交通を一体的に把握することができる状況にある海域

指定海域として，現在のところ東京湾における海交法適用海域が定められている。（令第4条）

第2章 交通方法

第1節 航路における一般的航法

第3条 避 航 等

> **第3条** 航路外から航路に入り，航路から航路外に出，若しくは航路を横断しようとし，又は航路をこれに沿わないで航行している船舶（漁ろう船等を除く。）は，航路をこれに沿って航行している他の船舶と衝突するおそれがあるときは，当該他の船舶の進路を避けなければならない。この場合において，海上衝突予防法第9条第2項，第12条第1項，第13条第1項，第14条第1項，第15条第1項前段及び第18条第1項（第4号に係る部分に限る。）の規定は，当該他の船舶について適用しない。
>
> 2　航路外から航路に入り，航路から航路外に出，若しくは航路を横断しようとし，若しくは航路をこれに沿わないで航行している漁ろう船等又は航路で停留している船舶は，航路をこれに沿って航行している巨大船と衝突するおそれがあるときは，当該巨大船の進路を避けなければならない。この場合において，海上衝突予防法第9条第2項及び第3項，第13条第1項，第14条第1項，第15条第1項前段並びに第18条第1項（第3号及び第4号に係る部分に限る。）の規定は，当該巨大船について適用しない。
>
> 3　前二項の規定の適用については，次に掲げる船舶は，航路をこれに沿って航行している船舶でないものとみなす。
>
> (1)　第11条，第13条，第15条，第16条，第18条（第4項を除く。）又は第20条第1項の規定による交通方法に従わないで航路をこれに沿って航行している船舶
>
> (2)　第20条第3項又は第26条第2項若しくは第3項の規定により前号に規定する規定による交通方法と異なる交通方法が指示され，又は定められた場合において，当該交通方法に従わないで航路をこれに沿って航行している船舶

§2-2-1　航路出入等の船舶（漁ろう船等を除く。）は航路航行船を避航（第3条第1項）

本条は，航路航行船と航路出入等の船舶との避航に関する航法を定めたものである。

(1)　航法（第1項前段）

① 航路外から航路に入ろうとしている
② 航路から航路外に出ようとしている
③ 航路を横断しようとしている
④ 航路をこれに沿わないで航行している

}船舶（漁ろう船等を除く。）は，

航路をこれに沿って航行している他の船舶と衝突するおそれがあるときは，当該他の船舶の進路を避けなければならない。(図2・5)

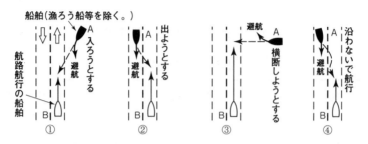

図 2・5 航路出入等の船舶 (漁ろう船等を除く。) は航路航行船を避航

(1) 図2・5のとおり，航路出入等の船舶であるＡ船（漁ろう船等を除く。）は避航船となり，一方，航路をこれに沿って航行している船舶（航路航行船）であるＢ船は，予防法第40条で明示しているとおり，保持船（予防法第17条）となる。

(2) この航法規定は，(1)と同様に予防法第40条により，船舶が互いに他の船舶の視野の内にある場合にのみ成立するものである。
　　このように，予防法の規定が海交法の規定に適用・準用されるのは，以下の「避航に関する航法」の規定について，すべて同様である。
　　航路は，第2条により11設けられているが，これらの航路は，幅が狭いとか，屈曲している，潮流が激しい，浅所が存在するなど自然的条件が悪く，しかも船舶交通がふくそうする海域に，船舶の通路として設けられたものであり，第2章（交通方法）に規定するいわゆる「航路航法」により，航路航行船を整然とした船舶交通の流れとすることによって船舶交通の安全を図ろうとするものである。

〔注〕　1．第1項の避航船には「漁ろう船等」が除かれているので，特にこのことについて，航法履行上注意を要する。
　　　　2．「航路をこれに沿って航行している」とは，航路内を船舶の進路が航路とほぼ同じ方向に向いて航行していることである。
　　　　3．「航路をこれに沿わないで航行している」とは，航路内を航行しているが，斜航のような状態で航行していることである。

（2）　優先関係（第1項後段）
　　（1）の規定は，次に掲げる予防法の航法規定に当然優先する。すなわち，

航路をこれに沿って航行している船舶がある場合には，次の予防法の規定は適用されず，(1)の規定による。(第1項後段)
(1) 予防法第9条第2項（狭い水道等における帆船と動力船との航法）
　　（具体例）
　　　航路に入ろうとしている帆船と航路航行の動力船とが衝突のおそれがあるときは，帆船といえども，(1)の規定により動力船を避航しなければならず，動力船は航路に沿って航行する保持船となる。
(2) 予防法第12条第1項（帆船の航法）
　　（具体例）
　　　航路に入ろうとしている右舷開きの帆船と航路航行の左舷開きの帆船とが，衝突するおそれがあるときは，右舷開きの帆船といえども，左舷開きの帆船を避航しなければならない。左舷開きの帆船は，航路に沿って航行する保持船となる。
(3) 予防法第13条第1項（追越し船の航法）
　　（具体例）
　　　図2・6のように，航路に入ろうとしているA船と航路航行のB船とは，航路がない場合には，B船が追越し船で避航義務があるが，この場合は，(1)の規定によりA船が避航船となり，B船は航路に沿って航行する保持船となる。

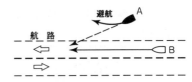

図 2・6　追越し船の航法に優先

(4) 予防法第14条第1項（行会い船の航法）
　　（具体例）
　　　図2・7のように，航路に入ろうとしているA船（動力船）と航路航行のB船（動力船）とは，航路がない場合には予防法第14条第1項のほとんど真向かいに行き会う行会い船であるが，この場合は同条の適用はなく，(1)の規定によりA船が避航船となり，B船は航路に沿って航行する保持船となる。

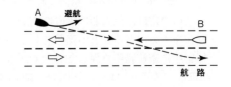

図 2・7　行会い船の航法に優先

(5)　予防法第15条第1項前段（横切り船の航法）
　　（具体例）
　　　さきの図2・5①のように，横切りの態勢となり，たとえA船（動力船）はB船（動力船）を左舷側に見ても，(1)の規定により避航船となり，B船は航路に沿って航行する保持船となる。
(6)　予防法第18条第1項（第4号に係る部分に限る。）（各種船舶間の航法——動力船と帆船との航法）
　　　予防法第9条第2項本文規定と同じで，具体例は上記(1)を参照のこと。

§2-2-2　航路出入等の漁ろう船等・航路停留船は航路航行の巨大船を避航（第3条第2項）

（1）　航法（第2項前段）
　　①　航路を入・出・横断しようとしている
　　　　航路をこれに沿わないで航行している　｝漁ろう船等｝
　　②　航路で停留している船舶
は，航路航行の巨大船と衝突するおそれがあるときは，巨大船を避航しなければならない。（図2・8）

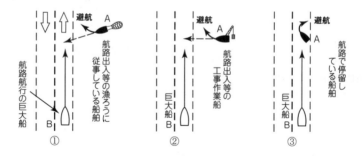

　　図 2・8　航路出入等の漁ろう船等・航路停留船は航路航行の巨大船を避航

　この規定は，巨大船は操縦性能が良好でないため航路の狭い海域では避航動作を十分にとることが困難であるので，航路出入等の漁ろう船等又は航路停留船に避航義務を課したものである。
　〔注〕　「停留」とは，予防法でいう航行中の1つの状態で，この航行中のうち，一時的に留まるため速力を持たないでいることである。この用語は，予防法にはなく，海交法及び港則法において用いられているものである。

第2章　交通方法（§2-2-3）　　167

（2）　優先関係（第2項後段）

　　（1）の規定は，次に掲げる予防法の規定に当然優先する。すなわち，航路
をこれに沿って航行している巨大船がある場合には，次の予防法の規定は適
用されず，（1）の規定による。（第2項後段）

⑴　予防法第9条第2項（狭い水道等における帆船と動力船との航法）

⑵　予防法第9条第3項（狭い水道等における漁ろう船と他の船舶との航法）

　　（具体例）

　　　航路を横断しようとしている漁ろうに従事している船舶と航路航行の巨
　　大船とが衝突するおそれのあるときは，漁ろうに従事している船舶が，
　　（1）の規定により巨大船を避航しなければならない。

　　　巨大船は，航路に沿って航行する保持船となる。

⑶　予防法第13条第1項（追越し船の航法）

⑷　予防法第14条第1項（行会い船の航法）

⑸　予防法第15条第1項前段（横切り船の航法）

⑹　予防法第18条第1項（第3号及び第4号に係る部分に限る。）（各種船舶
　　間の航法—動力船と漁ろう船（第3号）及び動力船と帆船（第4号）の航
　　法）

　　①　第3号に関するものは，予防法第9条第3項本文規定と同じで，具体
　　　例は，前記⑵を参照のこと。

　　②　第4号に関するものは，予防法第9条第2項本文規定と同じである。

§2-2-3　航路をこれに沿って航行している船舶でないものとみなす場合（第3条第3項）

　　第3条第1項及び第2項に「航路をこれに沿って航行している船舶」とあるが，次に掲げる船舶は，これに該当しないものとみなされ，第3条第1項及び
第2項の規定は適用されない。

（1）　下記の規定による交通方法に従わないで航路をこれに沿って航行してい
　　る船舶

　1．第11条（浦賀水道航路は中央から右の部分を航行。中ノ瀬航路は北の方
　　　向に航行。）

　　　（具体例）

　　　浦賀水道航路を，第11条の規定による交通方法に違反して，航路の中央
　　から左の部分を航行している船舶は，たとえ航路の方向に向いて航行して

いても，航路をこれに沿って航行している船舶とはみなされない。

2．第13条（伊良湖水道航路はできる限り中央から右の部分を航行。）

3．第15条（明石海峡航路は中央から右の部分を航行。）

4．第16条（備讃瀬戸東航路は中央から右の部分を航行。宇高東航路は北の方向に航行。宇高西航路は南の方向に航行。）

5．第18条（第4項を除く。）（備讃瀬戸北航路は西の方向に航行。備讃瀬戸南航路は東の方向に航行。水島航路はできる限り中央から右の部分を航行。）

6．第20条第1項（来島海峡航路は順潮時中水道・逆潮時西水道航行等。）

（2）　第20条第3項（来島海峡航路の転流前後における特別な航法の指示）又は第26条第2項若しくは第3項（危険防止のための交通制限等）の規定により，（1）の規定と異なる交通方法が定められた場合において，当該交通方法に従わないで航路をこれに沿って航行している船舶

（具体例）

⑴　来島海峡航路の転流前後において，海上保安庁長官が第20条第1項と異なる航法を指示した（第20条第3項）ときに，同航法に従わなければ，航路をこれに沿って航行している船舶とみなされない。

⑵　工事や作業の実施又は沈船など船舶交通の障害のために，例えば，浦賀水道航路の中央線から東側の部分が一部使用できなくなったとした場合に，期間を定めて第11条と異なる交通方法を定めたときは，その交通方法に従わなければ，たとえ航路の方向に向いて航行していても，航路をこれに沿って航行している船舶とみなされない。

〔注〕　「交通方法に従わない」とは，交通方法に違反して従わない場合だけでなく，第24条（航法の特例）の規定により認められて従わない場合も含んでいる。後者の場合は，例えば，消防船などの緊急船舶は，この第11条の交通方法に従わないで航行できるが，これは第11条の違反ではなく認められている場合であって，この場合にも，航路をこれに沿って航行している船舶とみなされない。

§2-2-4　航路出入等の漁ろう船等・航路停留船と「航路航行の巨大船以外の船舶」との航法

これらの船舶間の航法については，海交法に規定されていないから，次のとおり予防法の規定が適用される。

（1）　航路出入等の漁ろう船等と航路航行の巨大船以外の船舶との航法

「漁ろう船等」を「漁ろうに従事している船舶」と「工事作業船」とに区

分して航法関係をみてみると，次のとおりである。

(1) 航路出入等の漁ろうに従事している船舶と航路航行の巨大船以外の船舶との関係

① 予防法第９条第３項本文（又は第18条第１項（第３号に係る部分に限る。）若しくは同条第２項（第３号に係る部分に限る。））の規定によることができる状況の場合には，航路航行の巨大船以外の船舶が漁ろうに従事している船舶を避航しなければならない。

② しかし，予防法第９条第３項ただし書規定に「漁ろうに従事している船舶が狭い水道等（狭い水道又は航路筋）の内側を航行している他の船舶の通航を妨げることができることとするものではない。」と定めているとおり，このただし書規定に該当する場合には，漁ろうに従事している船舶は，航路航行の巨大船以外の船舶の通航を妨げてはならない。

(2) 航路出入等の工事作業船と航路航行の巨大船以外の船舶との航法

工事作業船は他の船舶の進路を避けることが容易でない船舶（予防法第３条第７項（操縦性能制限船）とほぼ同様の性格）であることから，予防法第38条・第39条の注意義務により，巨大船以外の船舶が工事作業船を避航しなければならない。

一方，工事作業船は，他船に迷惑をかけないように十分に注意して航行しなければならない。

（２） 航路停留船と航路航行の巨大船以外の船舶との航法

航路停留船が予防法上の航行船であることから，予防法上の両船間に適用される航法規定により動作をとらなければならない。しかし，停留船は，通常速力を持たず針路も一定しないため見合い関係を判断しにくい場合があり，また早急に衝突回避動作をとりにくい場合もあるから，両船は，予防法第38条・第39条の注意義務により，互いに他船の動静に注意して十分に余裕のある時期に衝突回避動作をとる必要がある。

170　　　　　　　第2編　海上交通安全法

第4条　航路航行義務

> **第4条**　長さが国土交通省令で定める長さ以上である船舶は，航路の附近にある国土交通省令で定める2の地点の間を航行しようとするときは，国土交通省令で定めるところにより，当該航路又はその区間をこれに沿って航行しなければならない。ただし，海難を避けるため又は人命若しくは他の船舶を救助するためやむを得ない事由があるときは，この限りでない。

§2-2-5　航路航行義務（第4条）

　本条は，海交法が船舶の通路として航路を設け航路航法を定めて船舶交通の安全を図ろうとしているのに，船舶が航路を航行しないことにはその目的を達することができないので，航路の一定区間の航行義務を定めたものである。

1．国土交通省令で定める「長さ」とは，50メートル（則第3条）で，この長さ以上の船舶が本条の航路航行義務船である。

2．国土交通省令で定める「2の地点」及び「沿って航行しなければならない航路の区間」とは，施行規則第3条・別表第1に定めるもので，21の区間について航路航行義務を課している。

　（具体例）

　　施行規則・別表第1（則第3条関係）（図2·9）　　　　　　　　　　（航路航行義務）

番号	地　　　　　　点	これに沿って航行しなければならない航路の区間
1	イ　明鐘岬から304度に陸岸まで引いた線上の地点 ロ　小柴埼から90度に中ノ瀬航路の西側の側方の境界線まで引いた線上の地点	浦賀水道航路の全区間

3．50メートル未満の船舶を航路航行義務から除いたのは，これに航路航行を強制すると，航路内がかえって混雑し安全を期し難いなどの理由による。

　　この船舶は，航路航行義務はないが，航路を航行しようとするときは，当然規定の航法に従わなければならない。

4．航路航行義務によらないことができる場合（ただし書規定）

　①　海難を避けるためやむを得ない事由があるとき。

　②　人命又は他の船舶を救助するためやむを得ない事由があるとき。

〔注〕　施行規則第3条の規定により，海洋の調査その他の用務を行う一定の船舶も航路航行義務によらないことができる。

第2章 交通方法（§2-2-5） 171

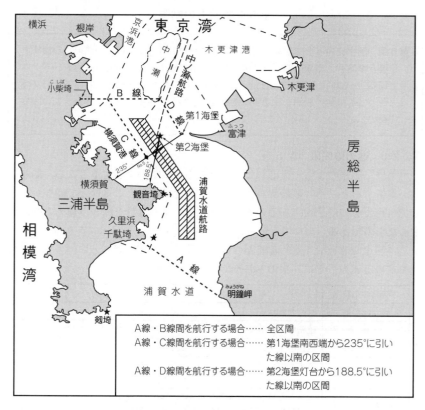

図 2·9 航路航行義務（浦賀水道航路）

〔**注**〕 航路の出入口付近は，航路に出入りする船舶や出入口の外側付近を航行する船舶の進路が交差するところである。さらに海交法の航路航法の適用と予防法の航法の適用との境界に当たるため，船舶間で認識の不一致が生じやすく衝突の危険性が増す。したがって，互いに他の船舶の動静に十分に注意し，余裕のある運航をすることが必要である。例えば，航路に入ろうとする船舶は，入口近くで大きく変針をすることがないよう，相当の距離を隔てたところから航路へ向かう態勢で航行すべきで，また，出入口の外側付近を航行する船舶は，航路を出入する船舶の航行を妨げないよう，航路から十分な距離をとって航行しなければならない。

第5条　速力の制限

> **第5条**　国土交通省令で定める航路の区間においては，船舶は，当該航路を横断する場合を除き，当該区間ごとに国土交通省令で定める速力（対水速力をいう。以下同じ。）を超える速力で航行してはならない。ただし，海難を避けるため又は人命若しくは他の船舶を救助するためやむを得ない事由があるときは，この限りでない。

§2-2-6　速力の制限（第5条）

　本条は，航路のうち，見通しの悪いところ，航路の交差するところ，船舶交通が集中するところ，航路幅が狭いところ，変針するところなどで船舶が高速力で航行するのは危険であるので，航路を横断する場合を除き，速力の制限を定めたものである。

1．「国土交通省令で定める航路の区間」及び「当該区間ごとに国土交通省令で定める速力」とは，次のとおりである。（則第4条）

航路の名称	航路の区間	速力（対水速力）
浦 賀 水 道 航 路	航路の全区間　　　　　　　（図2·9参照）	12ノット
中 ノ 瀬 航 路	航路の全区間　　　　　　　（図2·15参照）	12ノット
伊 良 湖 水 道 航 路	航路の全区間　　　　　　　（図2·18参照）	12ノット
備 讃 瀬 戸 東 航 路	男木島灯台沖付近から以西の区間（概略）（図2·29参照）	12ノット
備 讃 瀬 戸 北 航 路	本島ジョウケンボ鼻沖付近から以東の区間（概略）　　　　　　　　　　　　　（図2·42参照）	12ノット
備 讃 瀬 戸 南 航 路	牛島ザトーメ鼻沖付近から以東の区間（概略）　　　　　　　　　　　　（図2·42参照）	12ノット
水 島 航 路	航路の全区間　　　　　　　（図2·48参照）	12ノット

　　これらの区間は，海図に記載され，また航路標識が設置されている。（第44条，第45条）

2．速力の制限によらないことができる場合（ただし書規定）

　①　海難を避けるためやむを得ない事由があるとき。

　②　人命又は他の船舶を救助するためやむを得ない事由があるとき。

第2章　交通方法（§2-2-7） 173

第6条　追越しの場合の信号

> **第6条**　追越し船（海上衝突予防法第13条第2項又は第3項の規定による追越し船をいう。）で汽笛を備えているものは，航路において他の船舶を追い越そうとするときは，国土交通省令で定めるところにより信号を行わなければならない。ただし，同法第9条第4項前段の規定による汽笛信号を行うときは，この限りでない。

§2-2-7　追越しの場合の信号（第6条）

本条は，狭い航路で追い越そうとするときに先行船に追越しの意図を示して安全に追い越すようにするためのものである。

1．「国土交通省令で定める追越し信号」は，次のとおりである。（則第5条）

　　他船の右舷側を航行しようとするとき
　　　　長音1回に引き続く短音1回（ ― ● ）（汽笛）
　　他船の左舷側を航行しようとするとき
　　　　長音1回に引き続く短音2回（ ― ● ● ）（汽笛）

2．追い越す場合の航法は，当然予防法の追越し船（予防法第13条）の航法によらなければならない。したがって，安全にかわりゆく余地のない場合は追い越してはならない。

　　追い越される船舶は，保持船（予防法第17条）となる。

3．追越し信号を行わないことができる場合（ただし書規定）

　　予防法第9条第4項前段の規定により，追い越される船舶に追越し同意の動作を求めて追い越す場合の汽笛信号（右舷追越し ― ― ● ，左舷追越し ― ― ● ● ）（§1-2-18参照）を行うときは，本文規定の追越し信号を行わないことができる。

第6条の2　追越しの禁止

> **第6条の2**　国土交通省令で定める航路の区間をこれに沿って航行している船舶は，当該区間をこれに沿って航行している他の船舶（漁ろう船等その他著しく遅い速力で航行している船舶として国土交通省令で定める船舶を除く。）を追い越してはならない。ただし，海難を避けるため又は人命若しくは他の船舶を救助するためやむを得ない事由があるときは，この限りでない。

§2-2-7の2　**追越しの禁止**（第6条の2）
（1）　追越しの禁止（第6条の2本文）
　本条は，航路のうち，一定の区間においては，船舶交通のふくそうや視界の制限，強い潮流，航路の屈曲などにより，他の船舶を追い越すことは，衝突や乗揚げの危険を生ずるおそれがあるので，追越しの禁止を定めたものである。

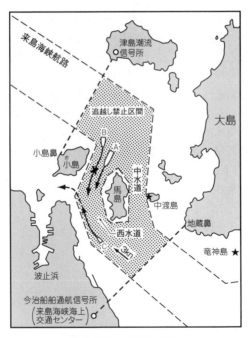

図 2·9の2　追越しの禁止

(1) 「国土交通省令で定める航路の区間」とは，次のとおりである。(則第5条の2第1項)

来島海峡航路のうち，今治船舶通航信号所から46度に引いた線と津島潮流信号所から208度に引いた線との間の区間である。(図2・9の2)

〔注〕 追越しの区間が設けられているのは，現在のところ来島海峡航路のみである。

(2) その他著しく遅い速力で航行している船舶として「国土交通省令で定める船舶」とは，次のとおりである。(則第5条の2第2項)

① 緊急用務を行うための船舶(令第5条)であって，その緊急用務を行うために航路を著しく遅い速力で航行している船舶

② 順潮の場合にその速力に潮流の速度を加えた速度が4ノット未満で航行している船舶

③ 逆潮の場合にその速力から潮流の速度を減じた速力が4ノット未満で航行している船舶

なお，「漁ろう船等」とは，漁ろうに従事している船舶及び工事作業船である。(第2条第2項第3号)

漁ろう船等及び上記の国土交通省令で定める船舶は，「他の船舶」から除外され，航路をこれに沿って航行している船舶に追い越されることがある。

(2) 追越しの禁止によらないことができる場合(第6条の2ただし書)

追越し禁止の規定は，本条ただし書規定により，次の場合は，この限りでない。つまり，追越し禁止の規定によらないことができる。

(1) 海難を避けるためやむを得ない事由があるとき。

(2) 人命若しくは他の船舶を救助するためやむを得ない事由があるとき。

第7条　進路を知らせるための措置

> **第7条**　船舶（汽笛を備えていない船舶その他国土交通省令で定める船舶を除く。）は，航路外から航路に入り，航路から航路外に出，又は航路を横断しようとするときは，進路を他の船舶に知らせるため，国土交通省令で定めるところにより，信号による表示その他国土交通省令で定める措置を講じなければならない。

§2-2-8　進路を知らせるための措置（第7条）

　本条は，付近にいる他の船舶に自船の行動を事前に知らせ，見合い関係に入ろうとしているものかどうかなどを前もって判断できるように，進路を知らせるため，信号（国際信号旗又は汽笛信号）の表示及び船舶自動識別装置（AIS）による情報の送信について定めたものである。

（1）　進路を知らせる国際信号旗又は汽笛信号の表示（第7条）

　　進路を知らせる国際信号旗又は汽笛信号（以下「進路信号」と略す。）の表示は，海交法の制定以来用いられてきたものである。

　1．「国土交通省令で定める船舶」とは，総トン数100トン未満の船舶である。（則第6条第1項）

　　　したがって，総トン数100トン以上で，汽笛（下記の別表第2）を備えている船舶は，進路を表示しなければならない。

　2．「国土交通省令で定めるところにより，信号による表示」の信号は，施行規則第6条第3項・別表第2に定められている。（図2・10）

（具体例）　　**施行規則・別表第2**（則第6条第3項関係）　　　　　　（進路信号）

船　　舶	信　号　の　方　法	
	昼　　間	夜　　間
1　**浦賀水道航路**をこれに沿って北の方向に航行し，同航路から**中ノ瀬航路**に入り，同航路をこれに沿って航行し，同航路の東側の側方の境界線を横切って**木更津港**の区域に入ろうとする船舶	浦賀水道航路内において観音埼燈台に並航した時（同航路内において同燈台に並航することのない船舶にあっては，同航路に入った時）から中ノ瀬航路外に出た時までの間**第1代表旗**の下に縦に上から**N旗**及び**S旗**を表示すること。	浦賀水道航路内において観音埼燈台に並航した時，中ノ瀬航路に入るため針路を転じることを予定している地点から半海里以内に達した時，同航路に入るため針路を転じようとする時，同航路の南側の出入口の境界線を横切る時並びに同航路内において，木更津港の区域に入るため針路を転じることを予定している地点から半海里以内に達した時及び同港の区域に入るため針路を転じようとする時に**汽笛**を用いて順次に**長音2回**，**短音1回**及び**長音1回**を鳴らすこと。

〔注〕(1) 上記の別表第2の第1号及び図2・10において，S旗はStarboard（右転）の，P旗はPort（左転）の，C旗はCrossing（横断）の頭文字である。（以下，進路信号において同じ。）
(2) N旗は，中ノ瀬航路の英文頭文字である。これは，同航路を航行する船舶であることを他船に明確に示すためである。
(3) 特殊な信号を除いて，1代を冠する進路信号は，航路の途中の出・入・横断を，また2代を冠する進路信号は航路の出口を出てからの転針を意味する。

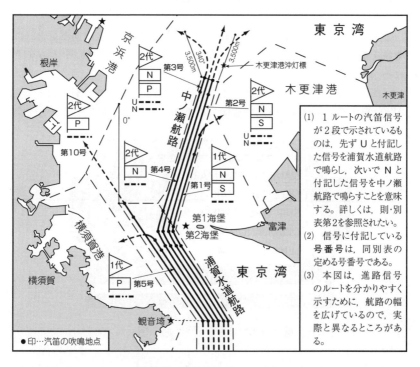

図 2・10 進路信号（6ルート）

〔注〕 残り4ルート（第6号～第9号）は，すべて横須賀港を出て浦賀水道航路を横断して中ノ瀬航路を航行し，第1号～第4号と同様のルートを取るものである。則・別表第2（第6号～第9号）をゆっくり，じっくり読み取り，略図を作成されたい。そうすることが理解への一番の近道である。

（2） AISによる進路を知らせるための措置（第7条）

AISは，他船の進路等の情報を的確に入手できる極めて簡便な電子機器である。その情報は，国際信号旗や汽笛信号のように，視界や風などの状態に影響されないものであるから，船舶交通の安全確保のため積極的に利用しなければならい。

図2・10の2に示すAISによる送受信情報は，DESTINATION（目的地・仕向港）について，">JP YOK"は，「日本国京浜横浜区に向かう」ことを示している。

このように，AISに進路等の情報を入力しておけば，海上交通センターは，それを基に適切な情報を各船舶に提供できるので，船舶交通の安全が確保される。

「AISによる進路を知らせるための措置」の規定の適用が除外されるのは，AISを備えていないなど一定の船舶である。　　　　　（則第6条第1項後段）

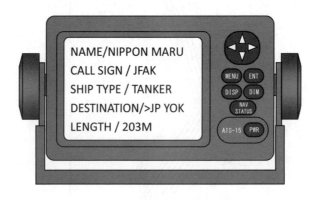

図 2・10の2　AISによる送受信（例）

AISによる情報の送信は，次の告示で定める記号により行わなければならない。　　　　　　　　　　　　　　　　　　　　　　　（則第6条第4項）

「海上交通安全法施行規則第6条第4項の規定による仕向港に関する情報及び進路を知らせるために必要な情報を示す記号を定める告示」（平成22年海上保安庁告示第95号，最近改正同年同告示第212号）

〔注〕　同告示については，「海事六法」を参照されたい。

第8条　航路の横断の方法

> **第8条**　航路を横断する船舶は，当該航路に対しできる限り直角に近い角度で，すみやかに横断しなければならない。
> **2**　前項の規定は，航路をこれに沿って航行している船舶が当該航路と交差する航路を横断することとなる場合については，適用しない。

§2-2-9　航路の横断の方法（第8条）

　本条は，航路横断船が航路航行船に航路を横断する船舶であることをはっきり示して見合いを明確にするとともに，航路内にいる時間をできる限り短くして航路航行船と出会う機会を少なくするためのものである。

　しかし，例外として，第2項は，航路と路とが交差する場合には，適用除外としている。その理由は，①航路の区域は政令で定められることになっており，2つの航路はできる限り直角に交差するとは限らないこと，②船舶が航路の「速力の制限区間」を航行しているときはもちろんのこと，同区間でないときでも，船舶交通の流れが複雑に交差する海域で，交差する他の航路を横断するために速やかに航行するのは危険であるからである。

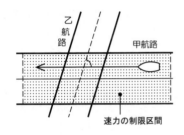

図 2·11　航路交差部における航路の横断

〔注〕　航路と航路が交差しているところは，備讃瀬戸東航路と宇高東航路又は同西航路の交差（図2·23），及び備讃瀬戸北航路と水島航路の交差（図2·33）の計3カ所があるが，いずれも直角に近い角度で交差しているので，1つの航路をこれに沿って航行すれば，おのずからこれと交差する他の航路を直角に近い角度で横断することになる。また，これらの航路は交差部付近で速力の制限区間の存在する場合が多いが，その場合は，制限速力（12ノット）以下で横断しなければならないことになる。

第9条　航路への出入又は航路の横断の制限

> **第9条**　国土交通省令で定める航路の区間においては，船舶は，航路外から航路に入り，航路から航路外に出，又は航路を横断する航行のうち当該区間ごとに国土交通省令で定めるものをしてはならない。ただし，海難を避けるため又は人命若しくは他の船舶を救助するためやむを得ない事由があるときは，この限りでない。

§2-2-10　航路への出入又は航路の横断の制限（第9条）

　航路のうち，特に船舶交通が集中するところ，見通しの悪いところ，潮流の激しいところ，航路と航路が交差している付近などにおいて，船舶が思い思いに航路に出入したり，航路を横断したりすると，航路に沿う船舶交通の流れを乱すだけでなく，航路航行船や航路出入等の船舶が互いに十分な衝突回避動作をとることができず危険な状況となりやすい。よって，本条は船舶交通の安全のため，一定の区間において，航路への出入又は航路の横断を制限したものである。

1．「国土交通省令で定める航路の区間」及び当該区間ごとにしてはならない「国土交通省令で定めるもの」とは，次の表（抄）のとおりである。

　　表に示した航路の一定の区間において，出・入・横断の航行のうち一定のものを禁止している。（則第7条）

航路の名称	航　路　の　区　間	してはならない航行
備讃瀬戸東航路	宇高東航路及び宇高西航路との交差部東側・西側の一定の区間（概位）　　　　（図2・12）	横断する航行
来島海峡航路	馬島周辺の一定の区間（概位）（図2・50）	①　入る航行（同図のA線・B線を横切る場合に限る。） ②　出る航行（同上） ③　横断する航行（同上）

　　これらの区間は，海図に記載され，またそれを示す航路標識が設置されている。（第44条，第45条）

2．航路の出入・横断の制限によらないことができる場合（ただし書規定）

　　①　海難を避けるためやむを得ない事由があるとき。

　　②　人命又は他の船舶を救助するためやむを得ない事由があるとき。

第2章　交通方法（§2-2-11）　　　　　　　　181

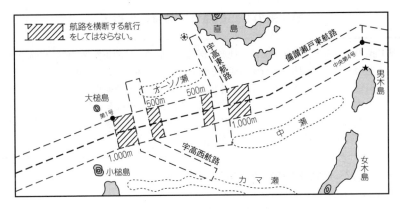

図 2・12　横断の禁止（備讃瀬戸東航路）

〔注〕　瀬戸内海の水源は，関門海峡を含めて阪神港とされているが，宇高東航路及び宇高西航路については，宇野港を水源として左舷標識・右舷標識が設置されている。
　　なお，港，湾，河川及びこれらの接続水域は，それぞれ港奥，湾奥又は河川の上流が水源である。

第10条　びょう泊の禁止

> 第10条　船舶は，航路においては，びょう泊（びょう泊をしている船舶にする係留を含む。以下同じ。）をしてはならない。ただし，海難を避けるため又は人命若しくは他の船舶を救助するためやむを得ない事由があるときは，この限りでない。

§2-2-11　錨泊の禁止（第10条）

　本条は，航路が船舶の通路として設けられたところであるから，当然のことながら，船舶交通の障害となる錨泊を原則として禁止することを定めたものである。
　錨泊の禁止によらないことができる場合（ただし書規定）
　　① 　海難を避けるためやむを得ない事由があるとき。
　　② 　人命又は他の船舶を救助するためやむを得ない事由があるとき。

第10条の2　航路外での待機の指示

> **第10条の2**　海上保安庁長官は，地形，潮流その他の自然的条件及び船舶交通の状況を勘案して，航路を航行する船舶の航行に危険を生ずるおそれのあるものとして航路ごとに国土交通省令で定める場合において，航路を航行し，又は航行しようとする船舶の危険を防止するため必要があると認めるときは，当該船舶に対し，国土交通省令で定めるところにより，当該危険を防止するため必要な間航路外で待機すべき旨を指示することができる。

§2-2-11の2　航路外での待機の指示（第10条の2）

本条は，海上保安庁長官が，地形（航路の幅や形状など），潮流（強さや流況など），その他の自然的条件（視界の状況など）及び船舶交通の状況（ふくそうの程度や危険物積載船等の航行など）を勘案して，船舶の航行に危険を生ずるおそれのある場合に，その危険を防止するため必要なときは，当該船舶に対し，必要な間航路外で待機すべき旨を指示することができることを定めたものである。

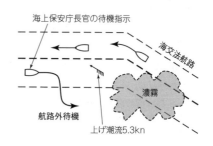

図 2・12の2　航路外での待機の指示

航路外での待機が指示される「航路ごとに国土交通省令で定める場合」は，上述の自然的条件や船舶交通の状況により，次の場合に大別することができる。
　　　　　　　　　　　　　　　　　　　　（則第8条第1項～第2項）
(1)　自然的条件により危険を生ずるおそれのある場合（則第8条第1項）
　⑴　視界制限状態において，一定の船舶が航路を航行する場合。
　　以下の2つの状態に分け，対象船舶が定められている。
　　　①　視程が1,000メートルを超え2,000メートル以下の状態
　　　②　視程が1,000メートル以下の状態
　　適用航路：海交法に規定するすべての航路（11航路）
　　航路外待機が指示される場合：具体例は以下のとおり。

第2章　交通方法（§2-2-11の2）　　　　　183

航路の名称	危険を生ずるおそれのある場合
備讃瀬戸東航路 宇高東航路 宇高西航路 備讃瀬戸北航路 備讃瀬戸南航路	次の各号のいずれかに該当する場合 (1)　視程が1,000メートルを超え2,000メートル以下の状態で，巨大船，特別危険物積載船[注]又は長大物件えい航船等[注]が航路を航行する場合 (2)　視程が1,000メートル以下の状態で，長さ160メートル以上の船舶，危険物積載船又は長大物件えい航船等が航路を航行する場合

〔注〕(1)　「特別危険物積載船」とは，総トン数50,000トン（積載している危険物が液化ガスである場合には，総トン数25,000トン）以上の危険物積載船をいう。

(2)　「長大物件えい航船等」とは，船舶，いかだその他の物件を引き，若しくは押して航行する船舶であって，全体の距離（条文参照）が，200メートル以上の船舶をいう。

(3)　上記以外の6つの航路については，則第8条第1項を参照されたい。

(2)　強潮流のため，一定の速力を保つことができずに航路を航行するおそれのある場合。

適用航路：来島海峡航路

航路外待機が指示される場合：潮流をさかのぼって航路を航行する船舶が，潮流の速度に4ノットを加えた速力以上の速力を保つことができずに航行するおそれがある場合。

（2）　地形上，航路幅を十分にとることができない航路において，航路内で巨大船と行き会うことが予想される場合（則第8条第2項）

適用航路：伊良湖水道航路，水島航路（2航路のみ）

航路外待機が指示される場合：§2-2-17及び§2-2-28参照

1．航路外待機の指示は，海上保安庁長官が告示で定めるところにより，VHF無線電話，海上保安庁の船舶からの呼びかけその他の適切な方法によるとともに，信号板による文字の点滅（上記（2）の場合）により行われる。（則第8条第1項，第2項）

2．航路外での待機の指示は，航路を航行している船舶に対してだけではなく，航路を航行しようとする船舶に対しても行われる。

したがって，後者の船舶は，航路に入る前において，航路筋を避けて，航路外で待機することになる。

184　　　第2編　海上交通安全法

第2節　航路ごとの航法

第11条〜第12条　浦賀水道航路及び中ノ瀬航路

第11条　船舶は，浦賀水道航路をこれに沿って航行するときは，同航路の中央から右の部分を航行しなければならない。

2　船舶は，中ノ瀬航路をこれに沿って航行するときは，北の方向に航行しなければならない。

---

§2-2-12　浦賀水道航路の右側航行，中ノ瀬航路の北航（第11条）

本条は，浦賀水道航路及び中ノ瀬航路の通航方法を定めたものである。

（1）　浦賀水道航路の右側航行（第1項）

　第1項の規定は，分離通航方式の考え方の最も一般的なもので，分離線（中央線）によって2つの通航路（レーン）に分け，船舶交通を流れ対流れにする航法である。

　分離通航方式は，見合い関係のうちでも，特に危険な行会い関係などの反航状態をなくすためのものである。（図2・13）

　航路の幅は，海交法においては1レーンにつき700メートルをとることを原則としている。

　この規定により，浦賀水道航路をこれに沿って航行している船舶には，行会い関係を生じないほか，第3条（避航等）の航法により，航路を出入・横断する船舶に原則として避航してもらうことになる。

（2）　中ノ瀬航路の北航（第2項）

　第2項の規定は，一方通航（北航）を定めたものである。（図2・13）

　この規定により，東京湾内の港に入港しようとする船舶は中ノ瀬航路を北行し，東京湾内の港から出港した船舶は中ノ瀬航路を航行せず，中ノ瀬（航路西側の浅瀬）の西側海域を南下して浦賀水道航路に入ることになる。したがって，東京湾内を反時計回りに航行する流れに整えられている。

第2章 交通方法（§2-2-12） 185

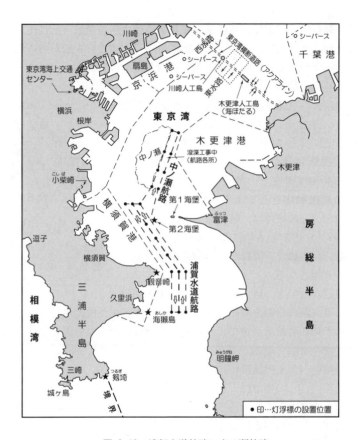

図 2・13 浦賀水道航路・中ノ瀬航路

第12条 航行し，又は停留している船舶（巨大船を除く。）は，浦賀水道航路をこれに沿って航行し，同航路から中ノ瀬航路に入ろうとしている巨大船と衝突するおそれがあるときは，当該巨大船の進路を避けなければならない。この場合において，第3条第1項並びに海上衝突予防法第9条第2項及び第3項，第13条第1項，第14条第1項，第15条第1項前段並びに第18条第1項（第3号及び第4号に係る部分に限る。）の規定は，当該巨大船について適用しない。
2　第3条第3項の規定は，前項の規定を適用する場合における浦賀水道航路をこれに沿って航行する巨大船について準用する。

§2-2-13　航行船・停留船は接続部を変針する巨大船を避航（第12条）

本条は，浦賀水道航路から中ノ瀬航路に入ろうとする巨大船がある場合の安全を確保するため，他の船舶に避航義務を課したものである。

(1)　航法（第1項前段）

図2・14は，巨大船のB船が浦賀水道航路を出ようとし，かつ中ノ瀬航路に入ろうとする場合である。このような可航水域の狭いところにおいて操縦性能の良くない巨大船が，中ノ瀬航路に入るための変針などの動作をとっているときに，更に避航動作をとるよう求めることは安全でないので，この規定は，航行船又は停留船（巨大船を除く。）であるA船に避航義務を課したものである。巨大船は，変針などの動作をとるが，保持船の立場となる。

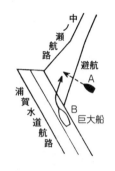

図 2・14　接続部を変針する巨大船を避航

この規定がないと，巨大船は，第3条第1項の規定により航路航行船を避航しなければならず，また航路航行以外の船舶との間には予防法の航法規定により避航しなければならない場合が生じて，衝突予防上安全でなくなる。

(2)　優先関係（第1項後段）

第1項前段(1)の規定は，次に掲げる規定に優先する。すなわち，浦賀水道航路から中ノ瀬航路に入ろうとしている巨大船があるときは，次の規定は適用されず，(1)の規定による。（第1項後段）

⑴　海交法第3条第1項（避航等—航路出入等の船舶（漁ろう船等を除く。）は航路航行船を避航）

⑵　予防法第9条第2項（狭い水道等における帆船と動力船との航法）

⑶　予防法第9条第3項（狭い水道等における漁ろう船と他の船舶との航法）

⑷　予防法第13条第1項（追越し船の航法）

⑸　予防法第14条第1項（行会い船の航法）

⑹　予防法第15条第1項前段（横切り船の航法）

⑺　予防法第18条第1項（第3号及び第4号に係る部分に限る。）（各種船舶間の航法—動力船と漁ろう船（第3号）及び動力船と帆船（第4号）の航法）

(3)　第3条第3項の準用（第2項）

巨大船が，第11条の規定による交通方法に従わない場合（例えば，浦賀水

道航路の左の部分を航路に沿って航行。）は，同航路をこれに沿って航行しているとみなされず（第3条第3項準用），第1項の規定の適用はない。

§2-2-14　航路航行義務，速力の制限及び進路信号等
（1）　航路航行義務（第4条）

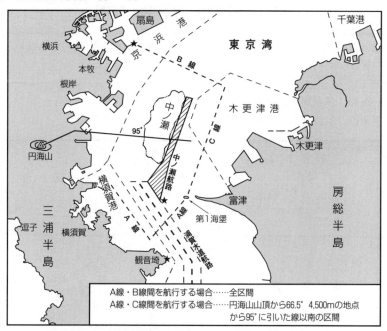

図 2·15　航路航行義務（中ノ瀬航路）

浦賀水道航路の航路航行義務は，図2·9（前掲）のとおりである。また，中ノ瀬航路については，図2·15のとおりである。

（2）　速力の制限（第5条）

浦賀水道航路及び中ノ瀬航路は，ともに全区間において，同航路を横断する場合を除き，12ノットを超える速力（対水速力をいう。以下同じ）で航行してはならない。

（3）　進路信号等（第7条）

浦賀水道航路及び中ノ瀬航路における進路信号は，図2·10（前掲）及び同図の下方の〔注〕のとおりである。

AISによる送信は，§2-2-8(2)を参照のこと。
〔注〕喫水が20メートル以上の船舶については，中ノ瀬航路航行義務が当分の間，免除されている。(則 附則)

第13条～第14条　伊良湖水道航路

> 第13条　船舶は，伊良湖水道航路をこれに沿って航行するときは，できる限り，同航路の中央から右の部分を航行しなければならない。

§2-2-15　伊良湖水道航路はできる限り右側航行（第13条）

本条は，伊良湖水道航路の通航方法を定めたものである。

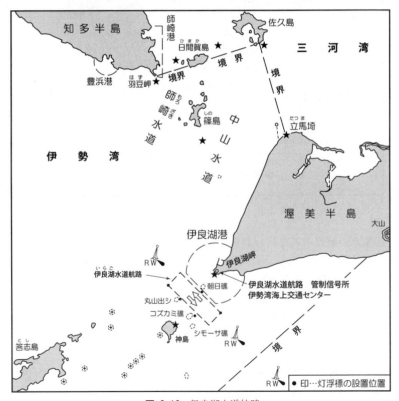

図 2・16　伊良湖水道航路

第2章 交通方法（§2-2-16）　　　189

　この規定に「できる限り」とあるのは，図2・16に示すとおり，朝日礁，丸山出シ，コズカミ礁などの浅所が存在して，航路幅を十分にとれないため，巨大船や大型の船舶が中央より左側にはみ出して航行することもやむを得ない場合があり，浦賀水道航路のように中央線による完全な通航の分離をすることができないからである。
　しかし，巨大船や大型の船舶であっても，できる限り右側航行するように努めなければならず，一方小型の船舶は中央より右の部分を航行できるから，いたずらに中央より左の部分にはみ出すことは許されない。
　伊良湖水道航路は，できる限り右側航行する航法であるから，その中央線は，海図に記載されず，また航路標識も設置されていない。

第14条　伊良湖水道航路をこれに沿って航行している船舶（巨大船を除く。）は，同航路をこれに沿って航行している巨大船と行き会う場合において衝突するおそれがあるときは，当該巨大船の進路を避けなければならない。この場合において，海上衝突予防法第9条第2項及び第3項，第14条第1項並びに第18条第1項（第3号及び第4号に係る部分に限る。）の規定は，当該巨大船について適用しない。
2　第3条第3項の規定は，前項の規定を適用する場合における伊良湖水道航路をこれに沿って航行する巨大船について準用する。

---

§2-2-16　伊良湖水道航路航行船（巨大船を除く。）は航路航行の巨大船を避航（第1項・第2項）

　本条は，航路幅が十分でない伊良湖水道航路を巨大船が航行する場合に，他の船舶と行き会って衝突するおそれがあるときは他の船舶に避航義務を課すことについて定めたものである。
（1）　航法（第1項前段）
　　第1項前段の規定は，伊良湖水道航路の航路幅が前述のとおり十分でないため，巨大船は第13条によりできる限り右側航行することになるが，反航船がある場合に，この巨大船に避航動作を求めることは危険であり，困難なことであるので，「巨大船以外の航路航行船」に避航義務を課したものである。巨大船は，保持船となる。（図2・17）
（2）　優先関係（第1項後段）
　　第1項前段(1)の規定は，次に掲げる予防法の規定に優先する。すなわち，

伊良湖水道航路を航行する巨大船がある場合は，次の規定は適用されない。
(1) 予防法第9条第2項（狭い水道等における帆船と動力船との航法）
(2) 予防法第9条第3項（狭い水道等における漁ろう船と他の船舶との航法）
(3) 予防法第14条第1項（行会い船の航法）
(4) 予防法第18条第1項（第3号及び第4号に係る部分に限る。）（各種船舶間の航法―動力船と漁ろう船（第3号）及び動力船と帆船（第4号）の航法）

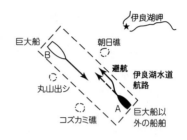

図 2・17 巨大船と衝突するおそれがあるときの避航義務

(3) 第3条第3項の準用（第2項）
　巨大船は，第13条の規定による交通方法に従わない場合（例えば，漫然と左の部分を航路に沿って航行。）は，伊良湖水道航路をこれに沿って航行している船舶とみなされず（第3条第3項準用），第1項の規定の適用はない。

§2-2-17　伊良湖水道航路において巨大船と行き会う場合の航路外待機の指示
　　　　　　（第10条の2）
　第10条の2（航路外待機の指示）の規定による伊良湖水道航路における航路外待機の指示については，次のとおり定めている。
(1) 航路外待機の指示（第10条の2・則第8条第2項）
　　第14条の規定は，巨大船と巨大船以外の船舶とが行き会って衝突するおそれがある場合に，巨大船以外の船舶に避航義務を課すことを定めている。
　　これに対して，第10条の2の規定及び国土交通省令（則第8条第2項）の規定は，伊良湖水道航路において巨大船と長さ130メートル以上の船舶（巨大船を除く。）との行会いの危険を防止するため，当該船舶が行き会うことが予想される場合に，海上保安庁長官は，長さ130メートル以上の船舶（巨大船を除く。）に航路外待機を指示できることを定めている。
(2) 待機指示の信号の方法
　　待機指示の信号の方法について，国土交通省令は，次の表に掲げるところにより行うことを定めている。（則第8条第2項）
１．海上保安庁長官が告示で定めるところにより VHF 無線電話その他の適切な方法により行うとともに，

2．次の表に掲げる信号の方法により行う。

信号の方法 名称・位置	信号の方法 昼間	信号の方法 夜間	信号の意味
伊良湖水道航路管制信号所 （図2・16）	153度及び293度方向に面する信号板による。		
	Nの文字の点滅		伊良湖水道航路を南東の方向に航行しようとする長さ130メートル以上の船舶（巨大船を除く。）は，航路外で待機しなければならない。
	Sの文字の点滅		伊良湖水道航路を北西の方向に航行しようとする長さ130メートル以上の船舶（巨大船を除く。）は，航路外で待機しなければならない。。
	Nの文字及びSの文字の交互点滅		伊良湖水道航路を航行しようとする長さ130メートル以上の船舶（巨大船を除く。）は，航路外で待機しなければならない。

〔注〕 信号装置の故障等で，上記信号を用いることができないときは，海上保安庁の船舶が，則第8条第3項の規定による信号を行う。

§2-2-18 航路航行義務，速力の制限及び進路信号等
（1） 航路航行義務（第4条）

伊良湖水道航路の航路航行義務は，図2・18のとおりである。

図 2・18 航路航行義務

（2） 速力の制限（第5条）

伊良湖水道航路の全区間において，同航路を横断する場合を除き，12ノットを超える速力で航行してはならない。

（3） 進路信号等（第7条）

伊良湖水道航路における進路信号は，図2・19のとおりである。

AISによる送信は，§2-2-8（2）を参照のこと。

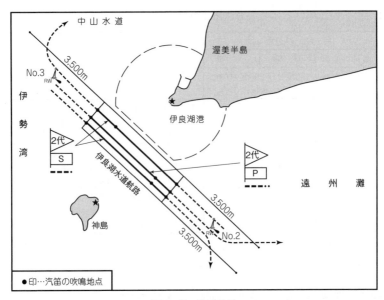

図 2・19 進路信号

第15条 明石海峡航路

第15条 船舶は，明石海峡航路をこれに沿って航行するときは，同航路の中央から右の部分を航行しなければならない。

§2-2-19 明石海峡航路の右側航行（第15条）

本条は，明石海峡航路の通航方法を定めたものである。

この規定は，浦賀水道航路と同様に，分離線（中央線）により通航を分離したものである。（図2・20）

第2章　交通方法（§2-2-20）　　　　　　　　　　193

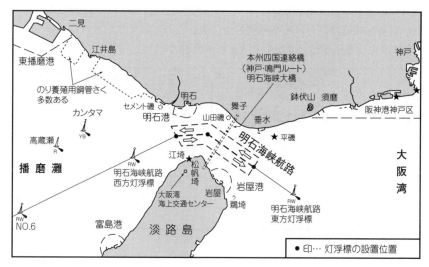

図 2・20　明石海峡航路

§2-2-20　航路航行義務及び進路信号等
(1)　航路航行義務（第4条）

　明石海峡航路の航路航行義務は，図2・21のとおりである。

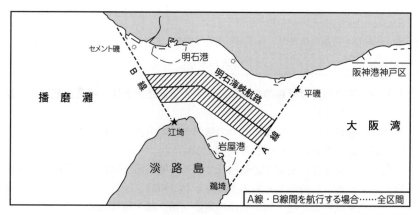

図 2・21　航路航行義務

（2） 進路信号等（第7条）
　　明石海峡航路における進路信号は，図2・22のとおりである。
　　AISによる送信は，§2-2-8（2）を参照のこと。

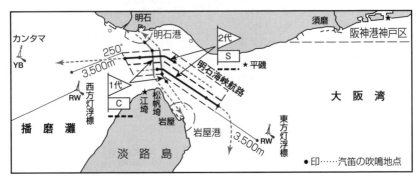

図 2・22　進路信号

第16条～第17条　備讃瀬戸東航路，宇高東航路及び宇高西航路

> 第16条　船舶は，備讃瀬戸東航路をこれに沿って航行するときは，同航路の中央か
> ら右の部分を航行しなければならない。
> 2　船舶は，宇高東航路をこれに沿って航行するときは，北の方向に航行しなけれ
> ばならない。
> 3　船舶は，宇高西航路をこれに沿って航行するときは，南の方向に航行しなけれ
> ばならない。

§2-2-21　備讃瀬戸東航路の右側航行，宇高東航路の北航，宇高西航路の南航
　　　　（第16条）
　本条は，備讃瀬戸東航路など3つの航路の通航方法を定めたものである。
（1）　備讃瀬戸東航路の右側航行（第1項）
　　第1項の規定は，浦賀水道航路及び明石海峡航路と同様に，分離線（中央
線）により通航を分離したものである。（図2・23）
（2）　宇高東航路の北航・同西航路の南航（第2項・第3項）
　　宇野・高松間は，カーフェリーなど南北方向の往来が激しく，かつ東西方
向の航行船（備讃瀬戸東航路航行船など）と進路が交差し，漁船の操業も盛
んな海域であることと自然的条件（地形，浅瀬の存在，霧の多発など。）か

らみて，いわゆる上り便・下り便を完全に分離するのが，安全であるので，宇高東航路を北航専用，また同西航路を南航専用の一方通航として航路内の反航船をなくし，通航を完全に分離したものである。(図2・23)

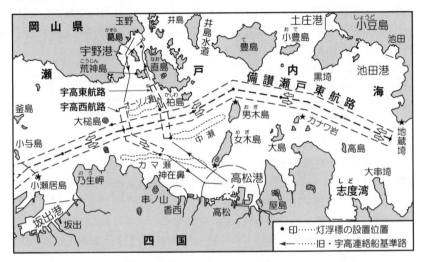

図 2・23 備讃瀬戸東航路・宇高東航路・同西航路

> **第17条** 宇高東航路又は宇高西航路をこれに沿って航行している船舶は，備讃瀬戸東航路をこれに沿って航行している巨大船と衝突するおそれがあるときは，当該巨大船の進路を避けなければならない。この場合において，海上衝突予防法第9条第2項及び第3項，第15条第1項前段並びに第18条第1項（第3号及び第4号に係る部分に限る。）の規定は，当該巨大船について適用しない。
>
> 2　航行し，又は停留している船舶（巨大船を除く。）は，備讃瀬戸東航路をこれに沿って航行し，同航路から北の方向に宇高東航路に入ろうとしており，又は宇高西航路をこれに沿って南の方向に航行し，同航路から備讃瀬戸東航路に入ろうとしている巨大船と衝突するおそれがあるときは，当該巨大船の進路を避けなければならない。この場合において，第3条第1項並びに海上衝突予防法第9条第2項及び第3項，第13条第1項，第14条第1項，第15条第1項前段並びに第18条第1項（第3号及び第4号に係る部分に限る。）の規定は，当該巨大船について適用しない。
>
> 3　第3条第3項の規定は，前二項の規定を適用する場合における備讃瀬戸東航路をこれに沿って航行する巨大船について準用する。

§2-2-22 宇高東航路・同西航路航行船は備讃瀬戸東航路航行の巨大船を避航
（第１項・第３項）

本条は，宇高東航路又は宇高西航路の航行船と備讃瀬戸東航路の航行船（巨大船）との避航に関する航法（第１項・第３項）及びこれらの交差部を変針する巨大船がある場合の避航に関する航法（第２項・第３項）を定めたものである。

（１）航法（第１項前段）

海交法は，宇高東航路又は同西航路航行船と備讃瀬戸東航路航行船との航法関係は，原則として予防法の規定によることにしている。

第17条の規定は，巨大船が航行している場合の例外規定を定めたものである。

この規定は，図2・24に示すように

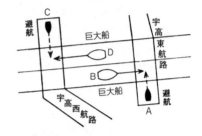

図 2・24 宇高東航路・同西航路航行船が備讃瀬戸東航路航行の巨大船を避航

両船間に衝突のおそれがある場合に，宇高東航路又は同西航路の航行船が備讃瀬戸東航路航行船のうち巨大船に対して避航することを定めている。巨大船は，保持船となる。

（２）優先関係（第１項後段）

第１項前段（１）の規定は，次に掲げる予防法の規定に優先する。すなわち，備讃瀬戸東航路を航行する巨大船がある場合は，次の規定は適用されない。

(1) 予防法第９条第２項（狭い水道等における帆船と動力船との航法）
(2) 予防法第９条第３項（狭い水道等における漁ろう船と他の船舶との航法）
(3) 予防法第15条第１項前段（横切り船の航法）
(4) 予防法第18条第１項（第３号及び第４号に係る部分に限る。）（各種船舶間の航法─動力船と漁ろう船（第３号）及び動力船と帆船（第４号）の航法）

（３）第３条第３項の準用（第３項）

この巨大船が，第16条の規定による交通方法に従わない場合（例えば，備讃瀬戸東航路の中央より左の部分を航路に沿って航行している。）は，同航路をこれに沿って航行している船舶とみなされず（第３条第３項準用），第１項の規定の適用はない。

§2-2-23 宇高東航路・同西航路航行船と備讃瀬戸東航路航行の巨大船以外の船舶との航法

第1項の規定は,「備讃瀬戸東航路航行の巨大船以外の船舶」と「宇高東航路又は同西航路の航行船」との航法について定めていないから,両者の関係は,予防法の規定によることになる。

例えば,図2・25のような場合で動力船対動力船のときには,横切り関係が成立し,他船を右舷側に見る動力船(A船,C船)が避航することになる。

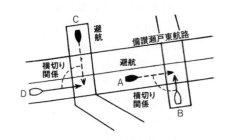

図 2・25 横切り船の航法適用

〔注〕 宇高東航路又は同西航路を航行する巨大船と備讃瀬戸東航路航行船との航法が規定されていないが,これは,現在のところ備讃瀬戸東航路を横断する形の宇高東航路又は同西航路を航行する巨大船が考えられないからである。

§2-2-24 航行船・停留船は交差部を変針する巨大船を避航(第2項・第3項)

(1) 航法(第2項前段)

第2項前段の規定は,第12条第1項前段(浦賀水道航路と中ノ瀬航路との接続部を変針する巨大船に関する航法)の規定と同様の航法を定めたものである。(§2-2-13参照)

図2・26に示すとおり,これらの航路の交差部を変針する巨大船は,宇野方面(玉野の造船所など)の海域に出入するもので,4つのケースがある。

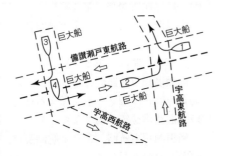

図 2・26 巨大船の交部差の航行経路

〔注〕 1. 高松方面への巨大船の出入について規定していないのは,現在のところ該当する巨大船の出入が考えられないからである。

2. 交差部における巨大船対巨大船の航法については定められていない。これは巨大船に対しては,海上保安庁長官が航路航行予定時刻の変更等を指示すること(第23条)により,巨大船同士が出会わないようにして,この関係は生じないからである。

198 第2編 海上交通安全法

（2） 優先関係（第2項後段）

　第2項前段(1)の規定は，第12条の場合と同様に，次に掲げる規定に優先する。すなわち，交差部を変針する巨大船がある場合は，次の規定は適用されない。（§2-2-13(2)参照）

⑴　海交法第3条第1項

⑵　予防法第9条第2項

⑶　予防法第9条第3項

⑷　予防法第13条第1項

⑸　予防法第14条第1項

⑹　予防法第15条第1項前段

⑺　予防法第18条第1項（第3号及び第4号に係る部分に限る。）

（3） 第3条第3項の準用（第3項）

　巨大船が，例えば，備讃瀬戸東航路の中央より右の部分を航路に沿って航行していない場合は，前述（§2-2-13(3)参照）と同様に，第2項の規定の適用はない。

§2-2-25　航路航行義務，速力の制限，進路信号等及び横断の禁止

（1） 航路航行義務（第4条）

　備讃瀬戸東航路，宇高東航路及び同西航路の航路航行義務は，図2・27のとおりである。

（2） 速力の制限（第5条）

　備讃瀬戸東航路のうち，図2・29に示す区間においては，同航路を横断する場合を除き，12ノットを超える速力で航行してはならない。

（3） 進路信号等（第7条）

　備讃瀬戸東航路，宇高東航路及び同西航路における進路信号は，図2・30及び図2・31のとおりである。

　AISによる送信は，§2-2-8(2)を参照のこと。

（4） 横断の禁止（第9条）

　備讃瀬戸東航路のうち，図2・12（前掲）に示す区間においては，航路を横断する航行をしてはならない。

第2章　交通方法（§2-2-25）　　　199

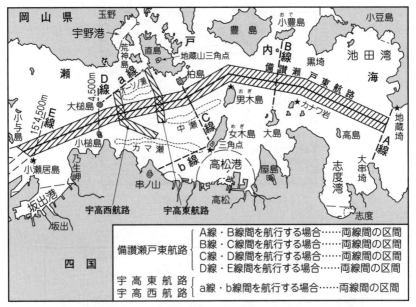

図 2·27　航路航行義務（備讃瀬戸東航路，宇高東航路・同西航路）

図 2·28　削除

図 2·29　速力の制限（備讃瀬戸東航路）

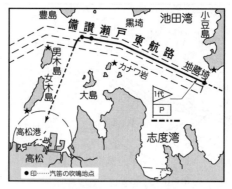

図 2·30 進路信号（男木島以東）

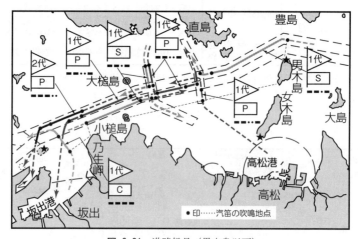

図 2·31 進路信号（男木島以西）

第18条～第19条　備讃瀬戸北航路，備讃瀬戸南航路及び水島航路

第18条　船舶は，備讃瀬戸北航路をこれに沿って航行するときは，西の方向に航行しなければならない。
2　船舶は，備讃瀬戸南航路をこれに沿って航行するときは，東の方向に航行しなければならない。
3　船舶は，水島航路をこれに沿って航行するときは，できる限り，同航路の中央から右の部分を航行しなければならない。
4　第14条の規定は，水島航路について準用する。

§2-2-26　備讃瀬戸北航路の西航，同南航路の東航及び水島航路のできる限り右側航行（第１項～第３項）

本条は，備讃瀬戸北航路など３つの航路の通航方法を定め，また，航路幅が狭い水島航路において，伊良湖水道航路の巨大船に対する避航の規定（第14条）と同様のものを定めたものである。

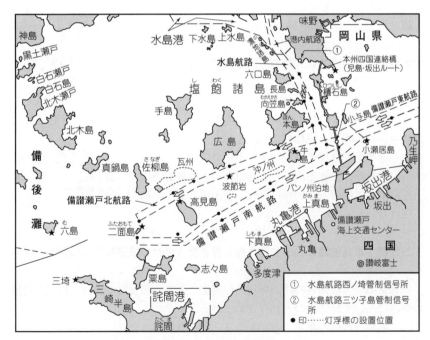

図 2・33　備讃瀬戸北航路・同南航路・水島航路

(1) 備讃瀬戸北航路の西航・同南航路の東航（第1項・第2項）
　　第1項及び第2項の規定は，宇高東航路及び同西航路が一対の航路であるのと同様に，牛島～高見島の北側の海域と南側の海域にそれぞれ備讃瀬戸北航路，同南航路を設け，同北航路を西航専用，同南航路を東航専用として航路内の反航船をなくし，通航を完全に分離したものである。（図2・33）
(2) 水島航路のできる限り右側航行（第3項）
　　第3項の規定は，水島航路が浅所や島の点在のため，伊良湖水道航路と同様に，航路幅を十分とれないので，できる限り右側航行することを定めたものである。（図2・33）

§2-2-27　水島航路航行船（巨大船を除く。）は航路航行の巨大船を避航（第4項）

第18条第4項の規定は，第14条（第1項～第2項）の規定を準用することを定めたものである。（図2・34）
(1) 航法（第14条第1項前段準用）
　　水島航路をこれに沿って航行している船舶（巨大船を除く。）は，同航路をこれに沿って航行している巨大船と行き会う場合において衝突するおそれがあるときは，当該巨大船の進路を避けなければならない。
(2) 優先関係（第14条第1項後段準用）
　　この場合の予防法の規定との優先関係は，伊良湖水道航路の場合と同様である。
(3) 第3条第3項の準用（第14条第2項準用）
　　巨大船が，できる限り，水島航路の右の部分を航路に沿って航行していなければ，第1項の規定の適用はない。

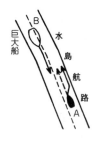

図 2・34
巨大船と衝突する
おそれがあるとき
の避航義務

§2-2-28　水島航路において巨大船と行き会う場合の航路外待機の指示（第10条の2）

第10条の2（航路外待機の指示）の規定による水島航路における航路外待機の指示については，次のとおり定めている。
(1) 航路外待機の指示（第10条の2・則第8条第2項）
　　第18条第4項の規定による第14条の規定の準用は，巨大船と巨大船以外の

船舶とが行き会って衝突するおそれがある場合に，巨大船以外の船舶に避航義務を課すことを定めていた。

これに対して，第10条の2の規定及び国土交通省令（則第8条第2項）の規定は，水島航路において巨大船と長さ70メートル以上の船舶（巨大船を除く。）との行会いの危険を防止するため，当該船舶が行き会うことが予想される場合に，海上保安庁長官は，長さ70メートル以上の船舶（巨大船を除く。）に航路外待機を指示できることを定めている。

(2) 待機指示の信号の方法

待機指示の信号の方法について，国土交通省令は，次の表に掲げるところにより行うことを定めている。（則第8条第2項）

1. 海上保安庁長官が告示で定めるところにより VHF 無線電話その他の適切な方法により行うとともに，

2. 次の表に掲げる信号の方法により行う。

信　号　の　方　法			信　号　の　意　味
名称・位置	昼　間	夜　間	
水島航路西ノ埼管制信号所	**N**の文字の点滅		水島航路を南の方向に航行しようとする長さ70メートル以上の船舶（巨大船を除く。）は，航路外で待機しなければならない。
水島航路三ツ子島管制信号所	**S**の文字の点滅		水島航路を北の方向に航行しようとする長さ70メートル以上の船舶（巨大船を除く。）は，航路外で待機しなければならない。。
（図2・33）	信号板の方向		西ノ埼………120度，180度，290度 三ツ子島……55度，115度，225度，300度

〔注〕 信号装置の故障等で，上記信号を用いることができないときは，海上保安庁の船舶が，則第8条第3項の規定による信号を行う。

第19条 水島航路をこれに沿って航行している船舶（巨大船及び漁ろう船等を除く。）は，備讃瀬戸北航路をこれに沿って西の方向に航行している他の船舶と衝突するおそれがあるときは，当該他の船舶の進路を避けなければならない。この場合において，海上衝突予防法第9条第2項，第12条第1項，第15条第1項前段及び第18条第1項（第4号に係る部分に限る。）の規定は，当該他の船舶について適用しない。

2 水島航路をこれに沿って航行している漁ろう船等は，備讃瀬戸北航路をこれに

沿って西の方向に航行している巨大船と衝突するおそれがあるときは，当該巨大船の進路を避けなければならない。この場合において，海上衝突予防法第9条第2項及び第3項，第15条第1項前段並びに第18条第1項（第3号及び第4号に係る部分に限る。）の規定は，当該巨大船について適用しない。

3　備讃瀬戸北航路をこれに沿って航行している船舶（巨大船を除く。）は，水島航路をこれに沿って航行している巨大船と衝突するおそれがあるときは，当該巨大船の進路を避けなければならない。この場合において，海上衝突予防法第9条第2項及び第3項，第15条第1項前段並びに第18条第1項（第3号及び第4号に係る部分に限る。）の規定は，当該巨大船について適用しない。

4　航行し，又は停留している船舶（巨大船を除く。）は，備讃瀬戸北航路をこれに沿って西の方向に若しくは備讃瀬戸南航路をこれに沿って東の方向に航行し，これらの航路から水島航路に入ろうとしており，又は水島航路をこれに沿って航行し，同航路から西の方向に備讃瀬戸北航路若しくは東の方向に備讃瀬戸南航路に入ろうとしている巨大船と衝突するおそれがあるときは，当該巨大船の進路を避けなければならない。この場合において，第3条第1項並びに海上衝突予防法第9条第2項及び第3項，第13条第1項，第14条第1項，第15条第1項前段並びに第18条第1項（第3号及び第4号に係る部分に限る。）の規定は，当該巨大船について適用しない。

5　第3条第3項の規定は，前二項の規定を適用する場合における水島航路をこれに沿って航行する巨大船について準用する。

§2-2-29　水島航路航行船（巨大船・漁ろう船等を除く。）は備讃瀬戸北航路航行船を避航（第1項）

本条は，備讃瀬戸北航路航行船と水島航路航行船との避航に関する航法（第1項～第3項・第5項）及び航路の交差部又は接続部を変針する巨大船がある場合の避航に関する航法（第4項・第5項）を定めたものである。

（1）　航法（第1項前段）

海交法は，備讃瀬戸北航路航行船と水島航路航行船との避航関係については，原則として，備讃瀬戸北航路を主航路とする考え方で定めている。この規定は，その原則によるものである。

したがって，図2・35に示すように，A船（又はA′船）がB船を避航する。B船は保持船となる。

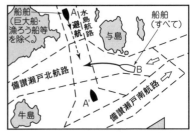

図2・35　水島航路航行船（巨大船・漁ろう船等を除く。）は北航路航行船を避航

第2章　交通方法（§2-2-30）

(2) 優先関係（第1項後段）
　　第1項前段の規定は，次の予防法の規定に優先する。
　⑴　予防法第9条第2項（狭い水道等における帆船と動力船との航法）
　⑵　予防法第12条第1項（帆船の航法）
　⑶　予防法第15条第1項前段（横切り船の航法）
　⑷　予防法第18条第1項（第4号に係る部分に限る。）（各種船舶間の航法—動力船と帆船との航法）

§2-2-30　水島航路航行の漁ろう船等は備讃瀬戸北航路航行の巨大船を避航（第2項）

(1) 航法（第2項前段）
　　第2項前段の規定は，「水島航路航行の漁ろう船等」は備讃瀬戸北航路航行船のうち巨大船に対してのみ避航することを定めている。（図2・36）

(2) 優先関係（第2項後段）
　　第2項前段の規定は，次の予防法の規定に優先する。

図2・36　水島航路航行の漁ろう船等は北航路航行の巨大船を避航

　⑴　予防法第9条第2項（狭い水道等における帆船と動力船との航法）
　⑵　予防法第9条第3項（狭い水道等における漁ろう船と他の船舶との航法）
　⑶　予防法第15条第1項前段（横切り船の航法）
　⑷　予防法第18条第1項（第3号及び第4号に係る部分に限る。）（各種船舶間の航法—動力船と漁ろう船（第3号）及び動力船と帆船（第4号）の航法）

§2-2-31　備讃瀬戸北航路航行船（巨大船を除く。）は水島航路航行の巨大船を避航（第3項・第5項）

(1) 航法（第3項前段）
　　第3項前段の規定は，備讃瀬戸北航路を優先航路とする原則の例外として定められたものである。（図2・37）

(2) 優先関係（第3項後段）
　　第3項前段の規定は，次の予防法の規定に優先する。
　⑴　予防法第9条第2項（狭い水道等における帆船と動力船との航法）

(2) 予防法第9条第3項（狭い水道等における漁ろう船と他の船舶との航法）
(3) 予防法第15条第1項前段（横切り船の航法）
(4) 予防法第18条第1項（第3号及び第4号に係る部分に限る。）（各種船舶間の航法—動力船と漁ろう船（第3号）及び動力船と帆船（第4号）の航法）

図2・37 北航路航行船（巨大船を除く。）は水島航路航行の巨大船を避航

(3) 第3条第3項の準用（第5項）
　水島航路航行の巨大船が、第18条第3項の規定による交通方法に従わない場合（例えば、漫然と中央より左の部分を航路に沿って航行している。）は、同航路をこれに沿って航行している船舶とみなされず（第3条第3項準用）、第3項の規定の適用はない。

§2-2-32　水島航路航行の漁ろう船等と備讃瀬戸北航路航行の巨大船以外の船舶との航法

　水島航路を航行している漁ろう船等と備讃瀬戸北航路を西の方向に航行している巨大船以外の船舶との航法関係については、海交法は規定していないので、予防法の規定による。（図2・38）
　この場合の予防法の規定の適用については、§2-2-4(1)の場合と同様である。

§2-2-33　航行船・停留船は交差部又は接続部を変針する巨大船を避航（第4項・第5項）

(1) 航法（第4項前段）
　第4項前段の規定は、第12条第1項前段及び第17条第2項前段の規定と同様の航法を定めたものである。（§2-2-13、§2-2-24参照）
　水島航路と備讃瀬戸北航路との交差部又は水島航路と備讃瀬戸南航路との接続部を変針する巨大船の航行経路は、図2・39に示すとおり、4つのケースがある。
(2) 優先関係（第4項後段）
　第4項前段(1)の規定は、第12条又は第17条第2項の場合と同様に、第4項後段に規定する航法規定に優先する。（§2-2-13(2)、§2-2-24(2)参照）

第2章 交通方法（§2-2-34） 207

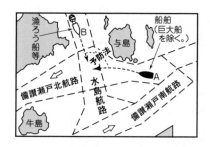

図 2・38 水島航路航行の漁ろう船等と北航路航行船（巨大船を除く。）との航法

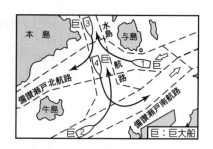

図 2・39 巨大船の交差部・接続部の航行経路

（3） 第3条第3項の準用（第5項）

巨大船が，第18条第3項の規定による交通方法に従わない場合（例えば，水島航路をできる限り右側航行することに努めていない。）は，同航路をこれに沿って航行している船舶とみなされず（第3条第3項準用），第4項の規定の適用はない。

〔注〕1．水島航路航行船と備讃瀬戸南航路航行船との航法など接続部における航法については，本条が第4項で接続部を変針する巨大船に対する避航について定めているだけで，これ以外の場合について触れていない。これは，第3条又は予防法の規定（横切り船の航法など）によって動作をとることができるからである。

2．交差部や接続部における巨大船対巨大船の航法については定められていない。これは，備讃瀬戸東航路と宇高東航路・同西航路との交差部の場合と同様に，巨大船に対しては，海上保安庁長官が航路航行予定時刻の変更等を指示すること（第23条）により，巨大船同士が出会わないようにして，この関係は生じないからである。

§2-2-34 航路航行義務，速力の制限及び進路信号等
（1） 航路航行義務（第4条）

水島航路の航路航行義務は，図2・40のとおりである。
備讃瀬戸北航路及び同南航路の航路航行義務は，図2・41のとおりである。

（2） 速力の制限（第5条）

備讃瀬戸北航路及び同南航路のうち図2・42に示す区間並びに水島航路の全区間においては，航路を横断する場合を除き，12ノットを超える速力で航行してはならない。

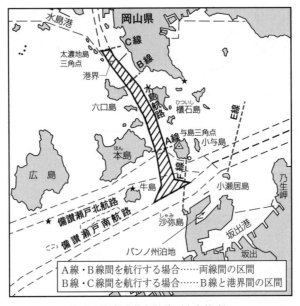

図 2·40　航路航行義務（水島航路）

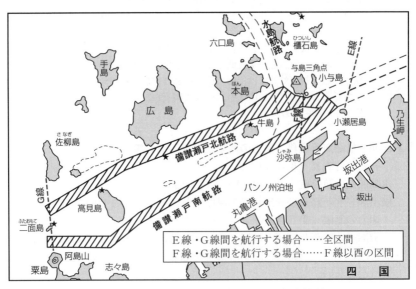

図 2·41　航路航行義務（備讃瀬戸北航路・同南航路）

第2章　交通方法（§2-2-34）　　　209

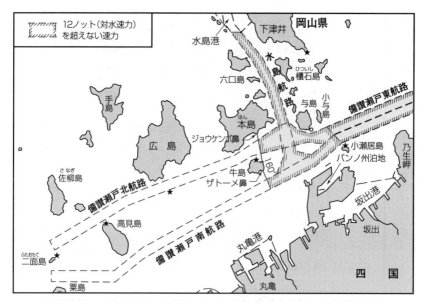

図 2・42　速力の制限（備讃瀬戸北航路・備讃瀬戸南航路・水島航路）

（3）　進路信号等（第7条）

　　備讃瀬戸北航路，同南航路及び水島航路における進路信号は，図2・43及び図2・44のとおりである。

　　AISによる送信は，§2-2-8（2）を参照のこと。

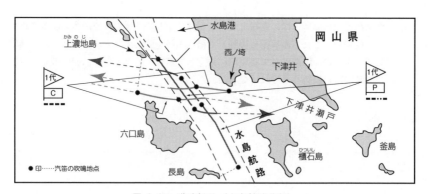

図 2・43　進路信号（水島航路北部）

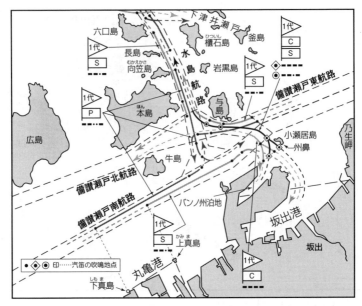

図 2·44 進路信号（水島航路北部を除く。）

〔注〕 海交法の適用海域には，航路を示す灯浮標をはじめ各種の浮標が多数設置されている。船舶は，これらの浮標に接触して損傷事故を起こすことのないように，適切な見張りを行い，風潮流による圧流に注意して航行するとともに，船位の確認（特に視界制限時）に努めなければならない。

第2章　交通方法（§2-2-35）　　　211

第20条～第21条　来島海峡航路

第20条　船舶は，来島海峡航路をこれに沿って航行するときは，次に掲げる航法に
よらなければならない。この場合において，これらの航法によって航行している
船舶については，海上衝突予防法第9条第1項の規定は，適用しない。

　⑴　順潮の場合は来島海峡中水道（以下「中水道」という。）を，逆潮の場合は
　　来島海峡西水道（以下「西水道」という。）を航行すること。ただし，これら
　　の水道を航行している間に転流があった場合は，引き続き当該水道を航行する
　　ことができることとし，また，西水道を航行して小島と波止浜との間の水道へ
　　出ようとする船舶又は同水道から来島海峡航路に入って西水道を航行しようと
　　する船舶は，順潮の場合であっても，西水道を航行することができることとす
　　る。

　⑵　順潮の場合は，できる限り大島及び大下島側に近寄って航行すること。

　⑶　逆潮の場合は，できる限り四国側に近寄って航行すること。

　⑷　前二号の規定にかかわらず，西水道を航行して小島と波止浜との間の水道へ
　　出ようとする場合又は同水道から来島海峡航路に入って西水道を航行しようと
　　する場合は，その他の船舶の四国側を航行すること。

　⑸　逆潮の場合は，国土交通省令で定める速力以上の速力で航行すること。

　2　前項第1号から第3号まで及び第5号の潮流の流向は，国土交通省令で定める
　　ところにより海上保安庁長官が信号により示す流向による。

　3　海上保安庁長官は，来島海峡航路において転流すると予想され，又は転流が
　　あった場合において，同航路を第1項の規定による航法により航行することが，
　　船舶交通の状況により，船舶交通の危険を生ずるおそれがあると認めるときは，
　　同航路をこれに沿って航行し，又は航行しようとする船舶に対し，同項の規定に
　　よる航法と異なる航法を指示することができる。この場合において，当該指示さ
　　れた航法によって航行している船舶については，海上衝突予防法第9条第1項の
　　規定は，適用しない。

　4　来島海峡航路をこれに沿って航行しようとする船舶の船長（船長以外の者が船
　　長に代わってその職務を行うべきときは，その者。以下同じ。）は，国土交通省
　　令で定めるところにより，当該船舶の名称その他の国土交通省令で定める事項を
　　海上保安庁長官に通報しなければならない。

§2-2-35　来島海峡航路の順潮時中水道・逆潮時西水道航行（順中・逆西）を柱とする航法など5つの航法（第20条第1項）

　来島海峡は，単に狭い水道であるというだけでなく，①潮流が極めて激しい，
②島によって4つの水道（東水道，中水道，西水道，小島・波止浜間の水道）

に分かれている，③屈曲して見通しが悪い，④船舶交通が集中する，⑤険礁や浅所が点在する，⑥霧の発生が多いなど航行上の悪条件が重なった航海の難所である。

本条は，これらの悪条件に対処して，同海峡の船舶交通の安全を確保するため，来島海峡航路を設け，やや複雑であるが，次に掲げる多くの規定を定めたものである。

(1) 第1項　順中・逆西を柱とする航法など5つの航法
(2) 第2項　潮流の流向
(3) 第3項　転流前後における危険防止のための特別な航法の指示
(4) 第4項　航路入航前における船名等の通報

第20条第1項は，先ず船舶が来島海峡航路をこれに沿って航行するときは，次に掲げる航法（5つの航法）によらなければならないと定めている。

この場合において，これらの航法によっている船舶は，予防法第9条第1項（狭い水道等の右側端航行）の規定は適用しないと定めている。

この適用除外を定めたのは，予防法の規定では航海の難所である来島海峡航路における船舶交通の安全を確保することができないからである。

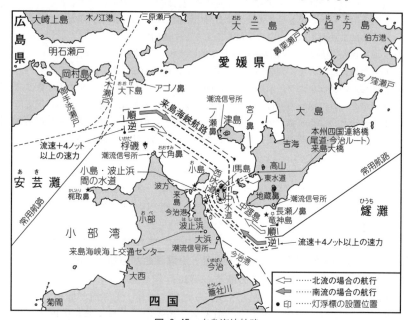

図 2・45　来島海峡航路

第2章　交通方法（§2-2-35）　　　　213

(1)　順中・逆西を柱とする航法（第1項第1号）
　⑴　順中・逆西の航法（第1号本文）
　　　　順潮の場合は中水道航行・逆潮の場合は西水道航行の航法は，図2・45に
　　　示すとおり，馬島を分離帯とする形で，次のとおり航行しなければならない。
　　　　①　南流（上げ潮流）の場合 {東航船（順潮）……中水道
　　　　　　　　　　　　　　　　　 {西航船（逆潮）……西水道
　　　　②　北流（下げ潮流）の場合 {東航船（逆潮）……西水道
　　　　　　　　　　　　　　　　　 {西航船（順潮）……中水道
　⑵　順中・逆西の例外規定（第1号ただし書）
　　1．転流時の航法（ただし書前段）
　　　　中水道又は西水道を航行中に転流があった場合は，引き続きその水道
　　　を航行することができる。
　　　①　この前段規定により，引き続きその水道を航行している船舶は，転
　　　　流直後に同水道に入って来る反航船と出会うこともあり得るので，そ
　　　　のことに十分注意しなければならない。
　　　②　特に，大型船は，転流予想時に，通航することとならないように慎
　　　　重な運航をしなければならない。
　　　　なお，この場合には，第3項の規定により，一定の大きさの船舶に
　　　対し，海上保安庁長官は危険防止のための特別な航法を指示できるこ
　　　とが定められている。（後述）
　　2．西水道の順潮時航行（ただし書後段）
　　　　西水道から小島・波止浜間の水道へ出る船舶又は同水道から来島海峡
　　　航路に入って西水道を航行する船舶は，順潮の場合であっても，西水道
　　　を航行することができる。
　　　　この規定は，地形的な事由により，例外を認めたものである。
(2)　順潮の場合の航行経路（第1項第2号）
　　　順潮の場合は，できる限り大島及び大下島側に近寄って航行しなければな
　　らない。
(3)　逆潮の場合の航行経路（第1項第3号）
　　　逆潮の場合は，できる限り四国側に近寄って航行しなければならない。
　　　①　第2号及び第3号の規定を設けたのは，東航船と西航船とは，来島
　　　　海峡航路においては第1号の規定により，流向によって左舷対左舷又
　　　　は右舷対右舷で航過することになるので，航路航行中はこの関係を互

いに明確に示し，かつ，安全な距離を保って反航し合えるようにするためである。

② 中水道又は西水道を航行中に転流があった場合は，引き続き当該水道を航行することができるが，通過後は，四囲の状況を確かめたうえ，できる限り速やかに新しい航行経路に就かなければならない。

(4) 西水道と小島・波止浜間の水道を出入りする船舶の航行経路（第1項第4号）

前二号（第2号及び第3号）の規定にかかわらず，①西水道を航行して小島・波止浜間の水道へ出ようとする場合又は②同水道から来島海峡航路に入って西水道を航行しようとする場合は，その他の船舶の四国側を航行しなければならない。

小島・波止浜間の水道を出入りする船舶同士が，「その他の船舶の四国側」の海域において反航し合うときは，航法の原則に基づいて，互いに左舷対左舷で航過しなければならない。

(5) 逆潮の場合の最低の速力の保持（第1項第5号）

逆潮の場合は，国土交通省令で定める速力（潮流の速度に4ノットを加えた速力。則第9条第1項）以上の速力で航行しなければならない。

この規定は，逆潮の場合において，船舶が低速力で航行すると，狭い水道を閉塞して船舶交通を阻害したり，押し流されて浅瀬や険礁に乗り揚げるなどの危険を生ずるので，当然のことながら，逆潮の場合の最低速力の保持を義務付けたものである。

〔注〕 (1) 来島海峡航路には，第6条の2（追越しの禁止）の規定により，追越し禁止の区間が設けられ，原則として追い越してはならない旨が定められている。

(2) 逆潮の場合に，上記の最低速力を保持できないときは，第10条の2の規定により，航路外待機を指示されることがある。

§2-2-35の2 潮流の流向（第20条第2項）

第20条第2項は，第1項第1号，第2号，第3号及び第5号の潮流の流向（順潮，逆潮又は転流）については，国土交通省令（則第9条第2項）で定めるところにより，次に掲げる信号所の示す潮流信号によることを定めている。

(1) 来島長瀬ノ鼻潮流信号所……電光表示方式
(2) 大浜潮流信号所………………電光表示方式
(3) 津島潮流信号所………………電光表示方式
(4) 来島大角鼻潮流信号所………電光表示方式

§2-2-35の3　転流前後における特別な航法の指示（第20条第3項）

第20条第3項は，①海上保安庁長官は，来島海峡航路において，転流すると予想され，又は転流があった場合において，第1項の規定による航法（順中・逆西を柱とする航法など5つの航法）により航行することが，船舶交通の危険を生ずるおそれがあると認めるときは，第1項の規定による航法と異なる航法を指示することができること，及び②当該指示された航法によって航行している船舶については，予防法第9条第1項（狭い水道等の右側端航行）の規定は，適用しないことを定めている。

1. 第3項における特別な航法の指示の具体例を示すと，図2・45の2のとおりである。同図のA及びBの両船とも，転流前後の微妙な時期において，中水道を航行しようとしており，同水道で出会う危険な状況にあるため，同長官は，A船に対して西水道の航行を指示して，危険を回避しようとするものである。

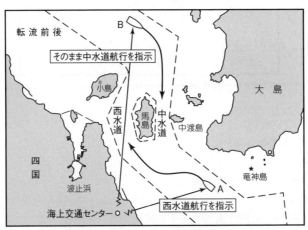

図 2・45の2　転流前後における特別な航法の指示

2. 転流前後の微妙な時期に，来島海峡航路を航行しようとすることは，1の例のように衝突などの船舶交通の危険を伴う。その危険は，本項の定めるところにより指示される特別な航法を厳格に守ることで回避できるが，何よりも重要なことは，そのような時期や強潮流時の通狭を避けるよう周到な航海計画を立てて，慎重に運航することである。

§2-2-35の4　航路入航前における通報義務（第20条第4項）

第20条第4項は，来島海峡航路をこれに沿って航行しようとする船舶の船長に対し，国土交通省令で定めるところにより，船舶の名称その他の国土交通省令で定める事項を海上保安庁長官に通報することを義務付けたものである。

1．通報は，「国土交通省令で定めるところ」により，次の要領で行う。
　①　通報時刻………転流する時刻の1時間前から転流する時刻までの間に。
　②　通報ライン……図2・45の3に示す通報ライン（則第9条第3項）を横切った後直ちに。

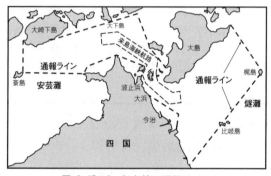

図2・45の3　船名等の通報ライン

2．「船舶の名称その他の国土交通省令で定める事項」とは，次のとおりである。（則第9条第4項）
　①　船舶の名称
　②　海上保安庁との連絡手段
　③　航行する速力
　④　航路外から航路に入ろうとする時刻
3．条文のかっこ書にあるとおり，船長以外の者が船長に代わってその職務を行うべきときは，その者が船長に代わって通報しなければならない。

§2-2-36　来島海峡航路の航法が予防法第9条第1項と相反する場合

第20条第1項及び第3項の規定は，その後段において，本文規定の航法によって航行している船舶については「予防法第9条第1項の規定は適用しない」旨を定めている。これは，次に掲げる場合は，他の船舶と右舷対右舷で反航し合うことになり，予防法に定める「狭い水道等の右側端航行の航法」と相反する場合が生じるからである。

（1） 潮流が南流の場合の右舷対右舷の航行（第1項）
　潮流が南流の場合には，図2・46に示すとおり，東航船（A）は，中水道を経由する船舶で，同航路をできる限り大下島と大島側に近寄って航行し，他方西航船（B）は，西水道を経由する船舶で，できる限り四国側に近寄って航行するから，両船は，同航路を右舷対右舷（A′対B′）で航行することになる。
　なお，この場合には，同図の経路が示すように，航路の出入口付近においては，常用航路を右側航行するから，航路を出入する船舶の進路が交差するため，衝突の危険が発生しやすい。したがって，そのことに十分に注意して航行しなければならない。

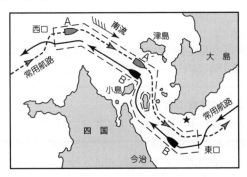

図 2・46　右舷対右舷で航過（来島海峡航路）

（2） 潮流が北流の場合の右舷対右舷の航行（第1項）
　潮流が北流の場合には，図2・47に示すとおり，東航船（A）は西水道を航行し，他方小島・波止浜間の水道へ出ようとする西航船（B）は，その他の船舶の四国側を航行するから，両船は，西水道の南側の海域において右舷対右舷（A′対B′）で航行することになる。

（3） 転流時において海上保安庁長官の指示する航法による場合の右舷対右舷の航行（第3項）
　第3項の規定により，来島海峡航路の転流前後において，同長官は，船舶交通の危険を防止するため，第

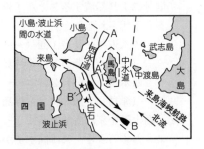

図 2・47　右舷対右舷で航過（西水道）

1項の航法と異なる航法を指示できることが定められている。

　この規定により，例えば，図2・45の2に示すように，第1項の航法と異なる航法の指示がなされた場合には，両船は右舷対右舷で航行することになる。

第21条　汽笛を備えている船舶が，次に掲げる場合は，国土交通省令で定めるところにより信号を行わなければならない。ただし，前条第3項の規定により海上保安庁長官が指示した航法によって航行している場合は，この限りでない。

　⑴　中水道又は西水道を来島海峡航路に沿って航行する場合において，前条第2項の規定による信号により転流することが予告され，中水道又は西水道の通過中に転流すると予想されるとき。

　⑵　西水道を来島海峡航路に沿って航行して小島と波止浜との間の水道へ出ようとするとき，又は同水道から同航路に入って西水道を同航路に沿って航行しようとするとき。

　2　海上衝突予防法第34条第6項の規定は，来島海峡航路及びその周辺の国土交通省令で定める海域において航行する船舶について適用しない。

---

§2-2-37　来島海峡航路の信号（第21条）

　本条は，第20条の順中・逆西等による航法に対応して，転流時に船舶が行う信号，小島・波止浜間の航行船が行う信号等を定めたものである。

　ただし，前条（第20条）第3項の規定により，特別な航法（指示）で航行している場合は，この限りでなく，これらの信号を行わなくてよい。

（1）　長音1回，長音2回及び長音3回（第1項）

　　汽笛を備えている船舶は，次に掲げる場合は，国土交通省令（則第10条第2項）で定めるところにより，次の信号を行わなければならない。

　⑴　中水道又は西水道を来島海峡航路に沿って航行する場合において，潮流信号により転流することが予告され，中水道又は西水道の通過中に転流すると予想されるとき。

　　　　中水道……長音1回（━）（汽笛）

　　　　（津島一ノ瀬鼻又は竜神島並航時から中水道を通過し終わるまで。）

　　　　西水道……長音2回（━　━）（汽笛）

　　　　（津島一ノ瀬鼻又は竜神島並航時から西水道を通過し終わるまで。）

　⑵　西水道を来島海峡航路に沿って航行して小島と波止浜との間の水道へ出ようとするとき，又は同水道から同航路に入って西水道を同航路に沿って航行しようとするとき。（随時）

長音3回（— — —）（汽笛）

（来島又は竜神島並航時から西水道を通過し終わるまで。）

〔注〕　来島海峡航路を横断する場合等（例えば，今治と東水道との間を往来する船舶）は，第7条（進路を知らせるための措置）の規定により，図2・49に示す信号を行う。

（2）　わん曲部信号・応答信号の適用除外（第2項）

(1)　来島海峡航路においては，同航路を安全に通航するために，自船の航行水道（経路）及び航行の状態（転流時）を示す特定の信号が規定（第1項）されており，また進路信号（今治と中水道又は東水道との間（第7条））も定められている。したがって，他船に対し注意を喚起するわん曲部信号・応答信号（予防法第34条第6項）は必要でなく，これらの信号を行うことは，かえって信号が交錯して危険を生じるおそれがあるから，第2項の規定はそれらの信号を適用除外としている。

(2)　「周辺の国土交通省令で定める海域」は，図2・48に示すとおり，蒼社川口右岸突端から大島タケノ鼻まで引いた線，大下島アゴノ鼻から梶取鼻及び大島宮ノ鼻まで引いた線，並びに陸岸により囲まれた海域のうち航路以外の海域である。（則第9条第6項）

したがって，わん曲部信号・応答信号を行う必要のない海域は，第2項の規定により，「航路」と上記の「海域」を合わせたところである。

§2-2-38　航路航行義務，進路信号等及び出入・横断の禁止

（1）　航路航行義務（第4条）

来島海峡航路の航路航行義務は，図2・48のとおりである。

（2）　進路信号等（第7条）

来島海峡航路における進路信号は，図2・49のとおりである。

AIS による送信は，§2-2-8（2）を参照のこと。

（3）　出入・横断の禁止（第9条）

来島海峡航路のうち図2・50に示す区間においては，航路を出入又は横断する航行をしてはならない。

〔注〕　来島海峡航路には，一定の区間において，追越しの禁止（第6条の2）が定められている（§2-2-7の2参照）。

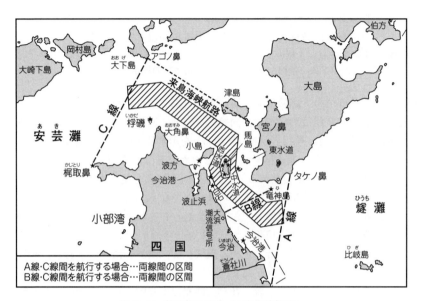

図 2・48　航路航行義務（来島海峡航路）

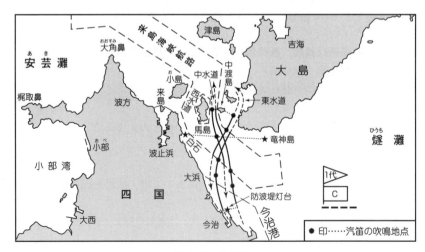

図 2・49　進路信号

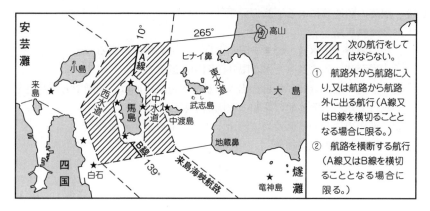

図 2·50 出入・横断の禁止

§2-2-39 各航路の通航方法に関する航法

第2節に定める各航路の通航方法に関する航法をまとめて掲げると，次のとおりである。

（1） 中央の右側を航行
　⑴ 浦賀水道航路
　⑵ 明石海峡航路
　⑶ 備讃瀬戸東航路
（2） できる限り中央の右側を航行
　⑴ 伊良湖水道航路
　⑵ 水島航路
　〔注〕 「できる限り」とあるのは，両航路とも，航路幅を十分にとることができないからである。これらの航路において，巨大船と一定の長さ以上の船舶（巨大船を除く。）が行き会い衝突の危険を生ずるおそれのある場合には，海上保安庁長官は，航路外待機を指示することができる（§2-2-17又は§2-2-28参照）。
（3） 一方通航
　⑴ 中ノ瀬航路……北航
　⑵ ｛宇高東航路……北航
　　　宇高西航路……南航
　⑶ ｛備讃瀬戸北航路……西航
　　　備讃瀬戸南航路……東航

（4） 潮流の順逆等による通航の分離

来島海峡航路

① $\begin{cases} \text{順潮時　中水道（できる限り大島・大下島側に近寄る。）} \\ \text{逆潮時　西水道（できる限り四国側に近寄る。）} \end{cases}$

② 小島・波止浜間の水道を出入する西水道航行船は，順潮でも西水道を航行できる（その他の船舶の四国側を航行する。）

③ 逆潮の場合の最低速力（流速＋4ノット以上）の保持

④ 転流時等の汽笛信号

〔注〕 (1) *p.*219の（2）の(2)に「蒼社川口右岸」とあるが，河川の左岸・右岸とは，水源から河口・川口に向かってその左・右をいう。

ちなみに，河川・海峡などにおける左舷・右舷とは，河口・海口から水源に向かってその左・右をいう。

(2) 近時，海峡，瀬戸，港湾などに連絡橋が次から次へと建設されているが，その橋梁下の水路を示す橋梁標識は，国際的に統一されており，概要は下記のとおりである。

夜間（水源に向かって）	左側端灯（緑）	中央灯（白）	右側端灯（赤）
昼間（　　〃　　）	左側端標	中央標	右側端標

橋梁下を通航しようとする船舶は，遠距離からこれらの標識や橋脚などを確かめることが大事である。

第2章　交通方法（§2-2-40）　　223

第3節　特殊な船舶の航路における交通方法の特則

第22条　巨大船等の航行に関する通報

第22条　次に掲げる船舶が航路を航行しようとするときは，船長は，あらかじめ，当該船舶の名称，総トン数及び長さ，当該航路の航行予定時刻，当該船舶との連絡手段その他の国土交通省令で定める事項を海上保安庁長官に通報しなければならない。通報した事項を変更するときも，同様とする。

(1)　巨大船

(2)　巨大船以外の船舶であって，その長さが航路ごとに国土交通省令で定める長さ以上のもの

(3)　危険物積載船（原油，液化石油ガスその他の国土交通省令で定める危険物を積載している船舶で総トン数が国土交通省令で定める総トン数以上のものをいう。以下同じ。）

(4)　船舶，いかだその他の物件を引き，又は押して航行する船舶（当該引き船の船首から当該物件の後端まで又は当該押し船の船尾から当該物件の先端までの距離が航路ごとに国土交通省令で定める距離以上となる場合に限る。）

---

§2-2-40　巨大船等の航行に関する通報（第22条）

　本条は，①巨大船，②巨大船以外の一定の長さ以上の船舶，③危険物積載船及び④物件曳航船等の大型化や隻数の増加，航路における操縦の困難性又は積載物の危険性にかんがみ，海上保安庁長官が危険防止のための必要な指示をしたり，付近の船舶に情報を周知したりするために，これらの船舶の船長に対し航路航行予定時刻等の通報義務を課すことを定めたものである。

（1）　通報義務船

　　航路の航行に関する通報をしなければならない船舶は，次のものである。

(1)　巨大船

(2)　巨大船以外の船舶であって，その長さが航路ごとに国土交通省令（則第10条）で定める長さ（160メートル。ただし伊良湖水道航路においては，130メートル。水島航路においては，70メートル）以上のもの

(3)　危険物積載船（国土交通省令（則第11条）で定めるもの（下記）をいう。）

　①　80トン以上の火薬類（爆薬以外の火薬類では一定の換算をする。）を積載した総トン数300トン以上の船舶

　②　高圧ガスで引火性のものをばら積みした総トン数1,000トン以上の船舶

③　引火性液体類をばら積みした総トン数1,000トン以上の船舶

④　200トン以上の有機過酸化物を積載した総トン数300トン以上の船舶

　　ただし，これらの危険物には，船舶の使用に供するものを含まない。

(4)　物件えい航船等（船舶，いかだその他の物件を引き，又は押して航行する船舶で全体の距離が航路ごとに国土交通省令（則第12条）で定める距離（200メートル。ただし明石海峡航路においては，160メートル。来島海峡航路においては，100メートル）以上のもの。）

（2）　航路航行に関する通報事項及び通報の方法

(1)　通報事項（則第13条）

①　船舶の名称・総トン数及び長さ

②　航行しようとする航路の区間，航路入航予定時刻・航路出航予定時刻

③　呼出符号又は呼出名称

④　連絡手段

⑤　仕向港

⑥　巨大船にあっては，喫水

⑦　危険物積載船にあっては，危険物の種類及び数量

⑧　物件えい航船等にあっては，全体の距離・物件の概要

(2)　通報の方法（則第14条・告示）

　　通報は，いつ，どの海上交通センターの長あてに，どのように行うか，その方法については，施行規則第14条及び「巨大船等の航行に関する通報の方法に関する告示」（昭和48年海上保安庁告示第109号，最近改正平成31年同告示第23号）に定められている。

第23条　巨大船等に対する指示

第23条　海上保安庁長官は，前条各号に掲げる船舶（以下「巨大船等」という。）の航路における航行に伴い生ずるおそれのある船舶交通の危険を防止するため必要があると認めるときは，当該巨大船等の船長に対し，国土交通省令で定めるところにより，航行予定時刻の変更，進路を警戒する船舶の配備その他当該巨大船等の運航に関し必要な事項を指示することができる。

§2-2-41 巨大船等に対する指示（第23条）

本条は，航路における船舶交通の危険を防止するため，海上保安庁長官は巨大船等に対し航行予定時刻の変更等を指示できることを定めたものである。

(1) 指示事項（則第15条第1項）

国土交通省令で定めるところにより，海上保安庁長官が指示できる事項は，次のとおりである。
① 航路入航予定時刻の変更
② 航路を航行する速力
③ 海上保安庁との間の連絡の保持（船舶局のある船舶）
④ 余裕水深の保持（巨大船）
⑤ 進路を警戒する船舶の配備（250メートル以上の巨大船又は危険物積載船である巨大船）
⑥ 航行を補助する船舶（例：引き船）の配備（巨大船又は危険物積載船）
⑦ 消防設備を備えている船舶の配備（危険物積載船で総トン数50,000トン（液化ガスである場合は総トン数25,000トン）以上のもの。）
⑧ 側方を警戒（例：引き船列の途中横切りの警戒）する船舶の配備（長大物件えい航船等）
⑨ そのほか，巨大船等の運航に関し必要と認められる事項

(2) 進路警戒船等の配備の指示内容の基準（則第15条第2項）

海上保安庁長官は，進路警戒船，消防設備船又は側方警戒船の配備を指示する場合の指示の内容に関し基準を定め，これを告示（昭和51年海上保安庁告示第29号，最近改正昭和60年同告示第65号）している。

なお，同告示によると，進路警戒船又は側方警戒船に掲げることを指示さ

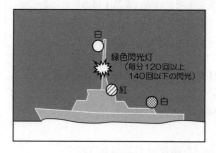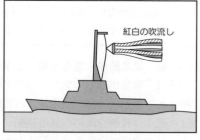

図 2・51 進路警戒船・側方警戒船の灯火・標識

れる標識・灯火は，次のとおりである。

① 昼間：紅白の吹流し（直径50センチメートル，長さ2メートル）1個
② 夜間：一定の間隔で毎分120回以上140回以下の閃光を発する緑色の全周
灯（2海里以上）1個

第24条 緊急用務を行う船舶等に関する航法の特例

> **第24条** 消防船その他の政令で定める緊急用務を行うための船舶は，当該緊急用務
> を行うためやむを得ない必要がある場合において，政令で定めるところにより
> 灯火又は標識を表示しているときは，第4条，第5条，第6条の2から第10条ま
> で，第11条，第13条，第15条，第16条，第18条（第4項を除く。），第20条第1項
> 又は第21条第1項の規定による交通方法に従わないで航行し，又はびょう泊をす
> ることができ，及び第20条第4項の規定による通報をしないで航行することがで
> きる。
>
> **2** 漁ろうに従事している船舶は，第4条，第6条から第9条まで，第11条，第13
> 条，第15条，第16条，第18条（第4項を除く。），第20条第1項又は第21条第1項
> の規定による交通方法に従わないで航行することができ，及び第20条第4項又は
> 第22条の規定による通報をしないで航行することができる。
>
> **3** 第40条第1項の規定による許可（同条第8項の規定によりその許可を受けるこ
> とを要しない場合には，港則法第31条第1項（同法第45条において準用する場合
> を含む。）の規定による許可）を受けて工事又は作業を行っている船舶は，当該
> 工事又は作業を行うためやむを得ない必要がある場合において，第2条第2項第
> 2号ロの国土交通省令で定めるところにより灯火又は標識を表示しているとき
> は，第4条，第6条の2，第8条から第10条まで，第11条，第13条，第15条，第
> 16条，第18条（第4項を除く。），第20条第1項又は第21条第1項の規定による交
> 通方法に従わないで航行し，又はびょう泊をすることができ，及び第20条第4項
> の規定による通報をしないで航行することができる。

§2-2-42 緊急船舶・漁ろう船・工事作業船に関する航法の特例（第24条）

本条は，緊急用務や作業などのため一定の規定による交通方法に従うことが
困難である船舶について適用除外の特例を定めたものである。

（1） 航法の特例を認められる船舶

(1) 緊急船舶で緊急用務を行うためやむを得ない必要がある場合

(2) 漁ろうに従事している船舶

第2章 交通方法（§2-2-42）　　　227

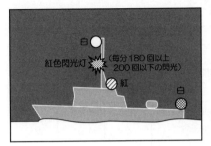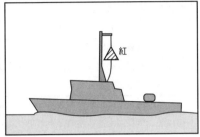

図 2・52　緊急船舶の灯火・標識

(3) 許可を受けた工事作業船で工事又は作業を行うためやむを得ない必要がある場合

　1．「政令で定める緊急用務を行うための船舶」とは，消防，海難救助，障害の除去，汚染の防除，犯罪の予防・鎮圧，犯罪の捜査，交通規制などの用務で緊急に処理することを要するものを行うための船舶で，これを使用する者の申請に基づき管区海上保安本部長が指定したものである。（令第5条）

　　緊急船舶が「政令で定めるところ」により，航行中又は錨泊中表示する灯火又は標識は，次のとおりである。（令第6条，則第21条）（図2・52）

　　① 夜間：一定の間隔で毎分180回以上200回以下の閃光を発する紅色の全周灯（2海里以上）　1個　最も見えやすい場所
　　② 昼間：頂点を上にした紅色の円すい形の形象物　1個　最も見えやすい場所

　2．許可を受けた工事作業船は，§2-1-5(3)の船舶のことである。

(2) 航法の特例

　緊急船舶（第1項），漁ろうに従事している船舶（第2項）及び工事作業船（第3項）は，それぞれ次の表において左欄に掲げる規定のうち，右欄に△印で示す規定の交通方法に従わないで航行し，錨泊し，又は通報しないで航行することができる。

規　　　　　定	緊急船舶	漁ろう船	工事作業船
第4条　航路航行義務	△	△	△
第5条　速力の制限		△	
第6条　追越しの場合の信号		△	

第6条の2　追越しの禁止	△	△	△
第7条　進路を知らせるための措置	△	△	
第8条　航路の横断の方法	△	△	△
第9条　航路への出入又は航路の横断の制限	△	△	△
第10条　錨泊の禁止	△		△
第11条　浦賀水道航路の右側航行，中ノ瀬航路の北航	△	△	△
第13条　伊良湖水道航路のできる限り右側航行	△	△	△
第15条　明石海峡航路の右側航行	△	△	△
第16条　備讃瀬戸東航路の右側航行，宇高東航路の北航，同西航路の南航	△	△	△
第18条（第4項を除く。）　備讃瀬戸北航路の西航，同南航路の東航，水島航路のできる限り右側航行	△	△	△
第20条第1項　来島海峡航路の順中・逆西等の航法	△	△	△
第20条第4項　来島海峡航路入航前の通報	△	△	△
第21条第1項　来島海峡航路の信号	△	△	△
第22条　巨大船等の航行に関する通報		△	

1．他の船舶は，これらの船舶が上記の規定の交通方法に従わない場合（例えば，横断禁止の区間を横断したり，右側航行の定めのある航路を左側航行するなど。）があるから，よく見張りを行い，これらの船舶の灯火又は標識（形象物）を前広に確かめる必要がある。

2．一方，これらの船舶は，規定の灯火又は標識（形象物）を見えやすいように適正に表示し，規定の交通方法から離れる場合は，他の船舶に疑念を起こさせないよう余裕のある動作をとることが肝要である。

3．航法規定のうち避航に関する航法については，当然のことながら，特例を認めていない。したがって，緊急船舶等と他の船舶とが，航路において衝突するおそれのある場合には，避航に関する航法規定（適用する規定のない場合は予防法の規定）によって，互いに動作をとる。

　この場合に，これらの船舶が本条の特例により規定の交通方法に従わないときは，例えば，第3条第1項の航法規定を適用する場合に，浦賀水道航路をこれに沿って航行しているが左側航行しているときは，第3条第3項の規定（§2-2-3参照）により，「航路をこれに沿って航行している船舶」とみなされないことに注意しなければならない。

第2章　交通方法（§2-2-43）　　　　　　229

第4節　航路以外の海域における航法

> **第25条**　海上保安庁長官は，狭い水道（航路を除く。）をこれに沿って航行する船
> 舶がその右側の水域を航行することが，地形，潮流その他の自然的条件又は船舶
> 交通の状況により，危険を生ずるおそれがあり，又は実行に適しないと認められ
> るときは，告示により，当該水道をこれに沿って航行する船舶の航行に適する経
> 路（当該水道への出入の経路を含む。）を指定することができる。
> 2　海上保安庁長官は，地形，潮流その他の自然的条件，工作物の設置状況又は船
> 舶交通の状況により，船舶の航行の安全を確保するために船舶交通の整理を行う
> 必要がある海域（航路を除く。）について，告示により，当該海域を航行する船
> 舶の航行に適する経路を指定することができる。
> 3　第1項の水道をこれに沿って航行する船舶又は前項に規定する海域を航行する
> 船舶は，できる限り，それぞれ，第1項又は前項の経路によって航行しなければ
> ならない。

§2-2-43　航路以外の海域における航法（第25条）

　本条は，①海上保安庁長官は，狭い水道（航路を除く。）において，自然的
条件等により，船舶の航行に危険を生ずるおそれがあるときは，告示により，
船舶の航行に適する経路（水道への出入の経路を含む。）を指定することがで
きること（第1項），及び②同長官は，自然的条件，工作物の設置状況等により，
船舶交通の整理を行う必要がある海域（航路を除く。）について，告示により，
航行に適する経路を指定することができること（第2項）を定め，③船舶はで
きる限り，第1項又は第2項の経路によって航行する義務があることを定めた
ものである。

（1）　狭い水道（航路を除く）の経路の指定（第1項）

　　第1項は，予防法第9条第1項（狭い水道等の右側端航行）の規定では船
舶交通の安全が確保できないような狭い水道（航路を除く。）に対して，経路
を指定することができることを定めたものである。

　　狭い水道（航路を除く。）の経路の指定の告示を掲げると，次のとおりである。

　　大畠瀬戸における経路の指定に関する告示（昭和50年海上保安庁告示第59号，最近改
正平成14年同告示第101号）（図2・53）

　　　大畠瀬戸に経路を指定したのは，大島大橋の橋脚が存在するとか，可航幅
が狭い，潮流が速い，交通量が多い，険礁が散在しているなどの悪条件が

重なっており，予防法第9条第1項の「狭い水道等の右側端航行の規定」のみでは十分でないからである。

　第1項の規定による経路の指定（告示）は，現在のところ，大畠瀬戸（山口県）だけである。

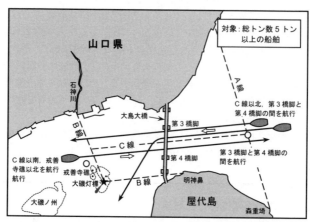

　　　図 2・53　狭い水道（航路を除く。）の経路の指定（大畠瀬戸）

（2）　船舶交通の整理を行う必要のある海域（航路を除く。）の経路の指定（第2項）

　第2項の規定は，狭い水道（航路を除く。）ではなく，船舶交通の整理を行う必要のある海域（航路を除く。）について，告示により，経路を指定することができることを定めたものである。

　海域（航路を除く。）の経路の指定の告示として，「海交法第25条第2項の規定に基づく経路の指定に関する告示」（平成22年海上保安庁告示第92号，最近改正平成31年同告示第7号）に定められており，現在12の海域（航路を除く。）における経路が定められている。これらの経路の名称は，次ページの〔注〕に掲げるとおりである。

（具体例）
　　明石海峡航路東側出入口付近海域における経路（図2・53の2）

第2章　交通方法（§2-2-43）　　　　　　　　　231

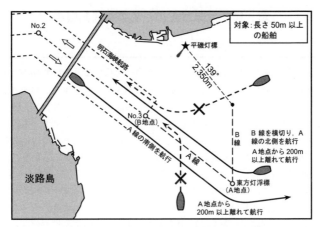

図2·53の2　海域（航路を除く。）の経路の指定
（明石海峡航路東側出入口付近海域）

〔注〕　告示の経路の名称（詳しくは，告示を参照されたい。）
① 東京沖灯浮標付近海域における経路
② 東京湾アクアライン東水路付近海域における経路
③ 木更津港沖灯標付近海域における経路
④ 中ノ瀬西方海域における経路
⑤ 東京湾口海域における経路
⑥ 伊良湖水道航路出入口付近海域における経路
⑦ 大阪湾北部海域における経路（第3編　図3·16（阪神港神戸区）参照）
⑧ 洲本沖灯浮標及び由良瀬戸付近海域における経路
⑨ 明石海峡航路東側出入口付近海域における経路（前掲，図2·53の2参照）
⑩ 明石海峡航路西側出入口付近海域における経路
⑪ 釣島水道付近海域における経路
⑫ 音戸瀬戸付近海域における経路
（備考）　これらの経路は，海図に記載され，また航路標識が設置されている（第44条，第45条）から，特に実務においては，事前に十分に調査して当直に立たれたい。

(3)　経路による航行の遵守（第3項）
　　第1項の狭い水道（航路を除く。）又は第2項の海域（航路を除く。）における経路の指定の規定によって航行する船舶は，これらの経路は極めて重要な航法を定めているものであるから，当然のことながら，できる限り，第1項又は第2項の経路によって航行しなければならない。

第5節　危険防止のための交通制限等

> **第26条**　海上保安庁長官は，工事若しくは作業の実施により又は船舶の沈没等の船舶交通の障害の発生により，船舶交通の危険が生じ，又は生ずるおそれがある海域について，告示により，期間を定めて，当該海域において航行し，停留し，又はびょう泊をすることができる船舶又は時間を制限することができる。ただし，当該海域において航行し，停留し，又はびょう泊をすることができる船舶又は時間を制限する緊急の必要がある場合において，告示により定めるいとまがないときは，他の適当な方法によることができる。
>
> 2　海上保安庁長官は，航路又はその周辺の海域について前項の処分をした場合において，当該航路における船舶交通の危険を防止するため特に必要があると認めるときは，告示（同項ただし書に規定する方法により同項の規定による処分をした場合においては，当該方法）により，期間及び航路の区間を定めて，第4条，第8条，第9条，第11条，第13条，第15条，第16条，第18条（第4項を除く。），第20条第1項又は第21条第1項の規定による交通方法と異なる交通方法を定めることができる。
>
> 3　前項の場合において，海上保安庁長官は，同項の航路が，宇高東航路又は宇高西航路であるときは宇高西航路又は宇高東航路についても，備讃瀬戸北航路又は備讃瀬戸南航路であるときは備讃瀬戸南航路又は備讃瀬戸北航路についても同項の処分をすることができる。

§2-2-44　危険防止のための交通制限等（第26条）

本条は，工事や船舶の沈没等による危険を防止するため，海上保安庁長官は①臨時に交通を制限することができること，及び②航路又はその周辺の海域での交通制限の場合には規定と異なる交通方法を臨時に定めることができることを定めたものである。

1．第1項又は第2項の規定による告示が出された場合は，水路通報その他適切な手段により，関係者に対し，その周知が図られる。（則第31条）

（具体例）　**海上保安庁告示**（令和〇〇年第〇〇号）

〇〇港沖海域における〇〇大橋の補剛桁等の架設

工事の実施に伴う船舶の航行の制限に関する告示

次の表の左欄に掲げる海域については，同表の中欄に掲げる期間において，同表の右欄に掲げる船舶の航行を禁止する。

海上保安庁長官

第 2 章　交通方法（§2-2-44）　　　　　233

海　　域	期　　間	船　　　舶
次に掲げる地点を順次結んだ…（略）	令和○○年4月1日から令和○○年8月31日まで	○○大橋の補剛桁及びケーブルの架設工事に従事する船舶以外の船舶

2．第3項の規定を設けたのは，宇高東航路と同西航路，備讃瀬戸北航路と同
　南航路とは，それぞれ一方通航の一対の航路であるからである。

第6節 灯火等

第27条 巨大船及び危険物積載船の灯火等

> 第27条 巨大船及び危険物積載船は、航行し、停留し、又はびょう泊をしているときは、国土交通省令で定めるところにより灯火又は標識を表示しなければならない。
> 2 巨大船及び危険物積載船以外の船舶は、前項の灯火若しくは標識又はこれと誤認される灯火若しくは標識を表示してはならない。

§2-2-45 巨大船・危険物積載船の灯火等（第27条）

本条は、巨大船及び危険物積載船の灯火及び標識について定めたものである。
(1) 灯火・標識（第1項）
　航行し、停留し、又は錨泊をしているときに表示しなければならない国土交通省令（則第22条）で定める灯火・標識は、次のとおりである。
　⑴　巨大船
　　　予防法上の灯火又は形象物に加えて、次のものを表示する。（図2・54）
　　①　夜間：一定の間隔で毎分180回以上200回以下の閃光を発する緑色の全周灯（2海里以上）　1個　最も見えやすい場所
　　②　昼間：黒色の円筒形の形象物　2個　連掲　最も見えやすい場所

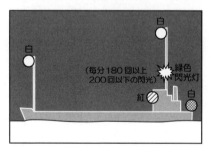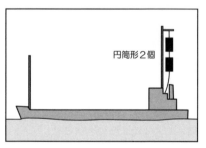

図 2・54　巨大船の灯火・形象物

　⑵　危険物積載船
　　　予防法上の灯火又は形象物に加えて、次のものを表示する。（図2・55）
　　①　夜間：一定の間隔で毎分120回以上140回以下の閃光を発する紅色の全周灯（2海里以上）　1個　最も見えやすい場所

② 昼間：上から第1代表旗及びB旗　最も見えやすい場所
〔注〕　船舶が巨大船，危険物積載船又は喫水制限船（予防法）のいずれかの2つ以上に該当する場合は，該当するそれぞれの灯火又は標識（形象物）を併せて表示することになる。

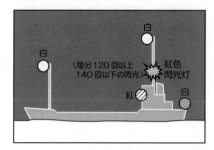 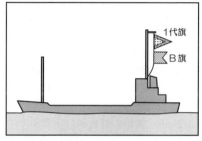

図 2·55　危険物積載船の灯火・標識

(2) 巨大船・危険物積載船以外の船舶が誤認される灯火等を表示することの禁止（第2項）

　第2項の規定は，予防法第20条第1項の規定によっても当然のことであるが，特に明示したものである。

第28条　帆船の灯火等

> **第28条**　航路又は政令で定める海域において航行し，又は停留している海上衝突予防法第25条第2項本文及び第5項本文に規定する船舶は，これらの規定又は同条第3項の規定による灯火を表示している場合を除き，同条第2項ただし書及び第5項ただし書の規定にかかわらず，これらの規定に規定する白色の携帯電灯又は点火した白灯を周囲から最も見えやすい場所に表示しなければならない。
>
> **2**　航路又は前項の政令で定める海域において航行し，停留し，又はびょう泊をしている長さ12メートル未満の船舶については，海上衝突予防法第27条第1項ただし書及び第7項の規定は適用しない。

§2-2-46　帆船の灯火等（第28条）

　予防法は，一定の小型の船舶に対して①臨時表示を認める灯火や②表示することを要しない灯火を定めているが，航路又は「政令で定める海域」（航路以外の海域（令第7条）），つまり海交法の適用海域全域においては船舶交通がふくそうするのでその安全を図るため，本条は，これらの灯火の常時表示について定めたものである。

（1）　予防法で臨時表示を認められている灯火の常時表示（第1項）

　⑴　航行し，又は停留している長さ7メートル未満の帆船の白色の携帯電灯又は点火した白灯

　　　　臨時表示（予防法第25条第2項ただし書）──→常時表示

　⑵　航行し，又は停留しているろかいを用いている船舶の白色の携帯電灯又は点火した白灯

　　　　臨時表示（予防法第25条第5項ただし書）──→常時表示

（2）　予防法で表示を要しない灯火の常時表示（第2項）

　⑴　航行し，又は停留している長さ12メートル未満の運転不自由船の灯火

　　　　表示を要しない（予防法第27条第1項ただし書）──→常時表示

　⑵　航行し，停留し，又は錨泊をしている長さ12メートル未満の操縦性能制限船（潜水夫による作業に従事しているものを除く。）の灯火

　　　　表示を要しない（予防法第27条第7項）──→常時表示

　これらの船舶の灯火の常時表示海域（海交法の適用海域全域）は，海図第6974号に記載されている。（第44条）

第2章　交通方法（§2-2-47）　　　237

第29条　物件えい航船の音響信号等

> **第29条**　海上衝突予防法第35条第4項の規定は，航路又は前条第1項の政令で定める海域において船舶以外の物件を引き又は押して，航行し，又は停留している船舶（当該引き船の船尾から当該物件の後端まで又は当該押し船の船首から当該物件の先端までの距離が国土交通省令で定める距離以上となる場合に限る。）で漁ろうに従事しているもの以外のものについても準用する。
>
> **2**　船舶以外の物件を押して，航行し，又は停留している船舶は，その押す物件に国土交通省令で定める灯火を表示しなければ，これを押して，航行し，又は停留してはならない。ただし，やむを得ない事由により当該物件に本文の灯火を表示することができない場合において，当該物件の照明その他その存在を示すために必要な措置を講じているときは，この限りでない。

§2-2-47　物件えい航船の音響信号等（第29条）

本条は，予防法で規定していない物件えい（押）航船の霧中信号や押されている物件の灯火について定めたものである。

（1）　物件えい（押）航船の霧中信号（第1項）

海交法の適用海域（航路と政令で定める海域）において，船舶でなく物件を引き又は押して，航行し，又は停留している船舶（①引き船の船尾から物件の後端まで，又は②押し船の船首から物件の先端までの距離が50メートル（則第23条）以上の場合に限る。）で漁ろうに従事しているもの以外のものも，次の霧中信号を行わなければならない。

長音・短音・短音（━　●●）の汽笛信号（予防法第35条第4項）

（2）　押されている物件の灯火（第2項）

押し船は，その押す物件に次の灯火（則第23条）を表示しなければ，これを押して，航行し，又は停留してはならない。

施行規則第23条に定める緑灯及び紅灯（又は緑紅の両色灯）

（射光範囲は，それぞれ右舷灯及び左舷灯と同じ。）

ただし，やむを得ない事由により，これらの灯火を表示することができない場合において，物件の照明その他その存在を示すために必要な措置を講じているときは，この限りでない。

第7節 船舶の安全な航行を援助するための措置

第30条 海上保安庁長官が提供する情報の聴取

> **第30条** 海上保安庁長官は，特定船舶（第4条本文に規定する船舶であって，航路及び当該航路の周辺の特に船舶交通の安全を確保する必要があるものとして国土交通省令で定める海域を航行するものをいう。以下この条及び次条において同じ。）に対し，国土交通省令で定めるところにより，船舶の沈没等の船舶交通の障害の発生に関する情報，他の船舶の進路を避けることが容易でない船舶の航行に関する情報その他の当該航路及び海域を安全に航行するために当該特定船舶において聴取することが必要と認められる情報として国土交通省令で定めるものを提供するものとする。
>
> 2　特定船舶は，航路及び前項に規定する海域を航行している間は，同項の規定により提供される情報を聴取しなければならない。ただし，聴取することが困難な場合として国土交通省令で定める場合は，この限りでない。

§2-2-48　海上保安庁長官が提供する情報の聴取（第30条）

　本条は，次条（第31条）とともに，連絡手段が整備されたことを契機として，船舶の安全な航行を援助するための措置について定めたものである。

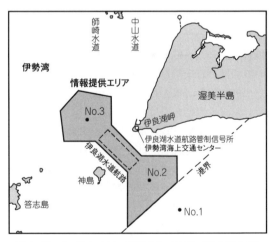

図 2・55の2　特定船舶の適用される海域（伊良湖水道）
　　　　　（情報の聴取が義務付けられる海域）

第2章　交通方法（§2-2-48）　　　　239

（1）　海上保安庁長官による船舶の安全航行を援助するための情報提供（第1項）
　　　第1項は，海上保安庁長官が「特定船舶」（下記1.）に対し，次に掲げる
　　情報（下記2.）を提供することを定めている。
　1．特定船舶（第1項前段）
　　　　特定船舶とは，長さ50メートル以上の船舶（第4条　航路航行義務）で
　　あって，航路及び当該航路の周辺の特に船舶交通の安全を確保する必要が
　　あるものとして国土交通省令（則第23条の2第1項・別表第3）で定める
　　海域を航行するものをいう。
　　（具体例）
　　　　「特定船舶」の適用される海域（情報の聴取が義務付けられる海域）（同
　　別表第3）の一例は，図2・55の2に示すとおりである。
　2．海上保安庁長官が提供する情報（第1項後段）
　　　　海上保安庁長官は，次に掲げる情報であって，国土交通省令（則第23条
　　の2第3項）で定めるものを提供する。
　　⑴　船舶の沈没等の船舶交通の障害の発生に関する情報
　　⑵　他の船舶の進路を避けることが容易でない船舶の航行に関する情報
　　⑶　その他，当該航路及び海域を安全に航行するために当該特定船舶にお
　　　いて聴取することが必要と認められる情報
　　　　これらの情報の提供は，海上保安庁長官が告示で定めるところにより，
　　VHF無線電話により行う。（則第23条の2第2項）
（2）　特定船舶の情報の聴取義務（第2項）
　　　第2項は，特定船舶が第1項の航路及び海域を航行している間は，同項の
　　情報を聴取しなければならないことを定めている。
　　　ただし，聴取することが困難な場合として国土交通省令（則第23条の3）
　　で定める場合は，この限りでない。

240　　　　　　　　第２編　海上交通安全法

第31条　航法の遵守及び危険の防止のための勧告

> **第31条**　海上保安庁長官は，特定船舶が航路及び前条第１項に規定する海域におい
> て適用される交通方法に従わないで航行するおそれがあると認める場合又は他の
> 船舶若しくは障害物に著しく接近するおそれその他の特定船舶の航行に危険が生
> ずるおそれがあると認める場合において，当該交通方法を遵守させ，又は当該危
> 険を防止するため必要があると認めるときは，必要な限度において，当該特定船
> 舶に対し，国土交通省令で定めるところにより，進路の変更その他の必要な措置
> を講ずべきことを勧告することができる。
> 2　海上保安庁長官は，必要があると認めるときは，前項の規定による勧告を受け
> た特定船舶に対し，その勧告に基づき講じた措置について報告を求めることがで
> きる。

§2-2-49　航法の遵守及び危険の防止のための勧告（第31条）

　本条は前条と同様に，船舶の安全な航行を援助するための措置について定め
たものである。

（1）　航法の遵守及び危険の防止のための勧告（第１項）

　　海上保安庁長官は，特定船舶が，①前条第１項に規定する航路及び海域に
おいて適用される交通方法に従わないで航行するおそれがあると認める場合
又は②他の船舶若しくは障害物に著しく接近するおそれその他の特定船舶の
航行に危険が生ずるおそれがあると認める場合において，次に掲げる勧告を
することができる。

⑴　当該交通方法を遵守させること。

⑵　当該危険を防止するため必要があると認めるときは，必要な限度におい
　て，当該特定船舶に対し，国土交通省令（則第23条の４）で定めるところ
　により，進路の変更その他の必要な措置を講ずべきこと。

　　この勧告は，海上保安庁長官が告示で定めるところにより，VHF無線電
話その他の適切な方法により行う。（則第23条の4）

（2）　勧告を受けた特定船舶の講じた措置の報告（第２項）

　　海上保安庁長官は，必要があると認めるときは，勧告を受けた特定船舶に
対し，その勧告に基づき講じた措置について報告を求めることができる。

第2章　交通方法（§2-2-49）　　　241

〔注〕　各海上交通センターが運用する船舶通航信号所及び同センターが行う情報の提供
　　　等の方法に関する告示

　　これらの告示は，下記の各海上交通センターが運用する船舶通航信号所及び同セン
ターが行う情報の提供等の方法に関し定めている。

	海上交通センター名称	船舶通航信号所名称	呼出名称
①	東京湾海上交通センター	横浜船舶通航信号所	とうきょうマーチス
②	伊勢湾海上交通センター	伊良湖岬船舶通航信号所	いせわんマーチス
③	大阪湾海上交通センター	江埼船舶通航信号所	おおさかマーチス
④	備讃瀬戸海上交通センター	青ノ山船舶通航信号所	びさんマーチス
⑤	来島海峡海上交通センター	今治船舶通航信号所	くるしまマーチス
⑥	関門海峡海上交通センター	門司船舶通航信号所	かんもんマーチス
⑦	名古屋港海上交通センター	名古屋船舶通航信号所	なごやハーバーレーダー

　　（①平成30年海上保安庁告示第5号，最近改正令和3年同告示第23号，②～⑤平成22
年同告示第166号～第169号，⑥平成22年同告示第170号，⑦平成23年同告示第132号，
②～⑦最近改正令和2年同告示第13号）

　　その趣旨は，各海上交通センターが運用する船舶通航信号所について周知するとと
もに，海交法施行規則及び港則法施行規則の規定による情報の提供，勧告及び指示の
実効性を向上させ，もって，船舶の安全な航行に役立てようとするものである。具体
的には次の方法ごとに，内容，通信の冒頭に冠する通信符号等が定められている。

　(1)　一般情報（船舶を特定せずに行われる情報）の提供の方法：MF無線電話，イ
　　　ンターネット・ホームページ又はAIS
　(2)　船舶を特定して行われる情報の提供の方法：VHF無線電話又はAIS
　(3)　特定船舶等に対する情報の提供の方法：VHF無線電話
　(4)　勧告の方法：VHF無線電話又は電話
　(5)　航路外待機の指示の方法：VHF無線電話又は電話

　　なお，この告示の定めるところによりセンターが行う情報の提供，勧告及び指示を
受けるに当たっては，VHFの常時聴取の推奨や提供情報等の制約の他，次に掲げる
事項等に留意しなければならないと規定されている。

　(1)　情報の提供は，船舶の安全な航行を援助するため，船舶に対し，センターにお
　　　いて観測された事実及び状況等を伝えるものであり，操船上の指示をするもので
　　　はないこと。
　(2)　勧告は，船舶の安全な航行を援助するため，船舶に対し，進路の変更その他の
　　　必要な措置を促すものであり，操船上の指示をするものではないこと。

242 　　　　第2編　海上交通安全法

第8節　異常気象等時における措置

第32条　異常気象等時における航行制限等

第32条　海上保安庁長官は，台風，津波その他の異常な気象又は海象（以下「異常気象等」という。）により，船舶の正常な運航が阻害され，船舶の衝突又は乗揚げその他の船舶交通の危険が生じ，又は生ずるおそれがある海域について，当該海域における危険を防止するため必要があると認めるときは，必要な限度において，次に掲げる措置をとることができる。

　⑴　当該海域に進行してくる船舶の航行を制限し，又は禁止すること。

　⑵　当該海域の境界付近にある船舶に対し，停泊する場所若しくは方法を指定し，移動を制限し，又は当該境界付近から退去することを命ずること。

　⑶　当該海域にある船舶に対し，停泊する場所若しくは方法を指定し，移動を制限し，当該海域内における移動を命じ，又は当該海域から退去することを命ずること。

　2　海上保安庁長官は，異常気象等により，船舶の正常な運航が阻害され，船舶の衝突又は乗揚げその他の船舶交通の危険が生ずるおそれがあると予想される海域について，必要があると認めるときは，当該海域又は当該海域の境界付近にある船舶に対し，危険の防止の円滑な実施のために必要な措置を講ずべきことを勧告することができる。

---

§2-2-49の2　異常気象等の発生時における船舶交通の危険防止（第32条）

　本条は，特に勢力の大きい台風や津波の来襲といった異常な気象又は海象（異常気象等）の発生時に，船舶の走錨等による海上空港や橋梁等の海上施設又は他の船舶への衝突などの船舶交通の危険を防止するため，走錨のおそれのある船舶を早期に湾外等の安全な海域に避難させたり，海上施設の周辺海域における船舶の航行又は錨泊の制限等を行ったりする措置について定めたものである。

　異常気象等の発生時において，海上保安庁長官は，次の措置をとることができる。

（1）　船舶の正常な運航が阻害され，船舶交通の危険が生じ，又はそのおそれがある海域についての措置（第1項）

　⑴　当該海域に進行してくる船舶の航行を制限し，又は禁止すること。

　⑵　当該海域の境界付近にある船舶に対し，停泊する場所若しくは方法を指

第2章　交通方法（§2-2-49の2）　　243

定し，移動を制限し，又は当該境界付近から退去することを命ずること。
(3)　当該海域にある船舶に対し，停泊する場所若しくは方法を指定し，移動を制限し，当該海域内における移動を命じ，又は当該海域から退去することを命ずること。
（2）　船舶の正常な運航が阻害され，船舶交通の危険が生じるおそれがあると予想される海域についての措置（第2項）

　当該海域又はその境界付近にある船舶に対し，危険の防止の円滑な実施に必要な措置を講ずべきことを勧告する。例えば，以下の措置を勧告する。
①　特に勢力の大きな台風の直撃が予測される場合などに，大型船等の一定の船舶に対して，湾内からの退去や入湾の回避。
②　湾内にある海上空港等の重要施設の周辺海域等，一定の海域における錨泊の自粛。
③　錨泊船舶に対して，機関や予備錨の準備等の走錨対策の強化。

第33条　異常気象等時特定船舶に対する情報の提供等

第33条　海上保安庁長官は，異常気象等により，船舶の正常な運航が阻害されることによる船舶の衝突又は乗揚げその他の船舶交通の危険を防止するため必要があると認めるときは，異常気象等時特定船舶（第4条本文に規定する船舶であって，異常気象等が発生した場合に特に船舶交通の安全を確保する必要があるものとして国土交通省令で定める海域において航行し，停留し，又はびょう泊をしているものをいう。以下この条及び次条において同じ。）に対し，国土交通省令で定めるところにより，当該異常気象等時特定船舶の進路前方にびょう泊をしている他の船舶に関する情報，当該異常気象等時特定船舶のびょう泊に異状が生ずるおそれに関する情報その他の当該海域において安全に航行し，停留し，又はびょう泊をするために当該異常気象等時特定船舶において聴取することが必要と認められる情報として国土交通省令で定めるものを提供するものとする。
2　前項の規定により情報を提供する期間は，海上保安庁長官がこれを公示する。
3　異常気象等時特定船舶は，第1項に規定する海域において航行し，停留し，又はびょう泊をしている間は，同項の規定により提供される情報を聴取しなければならない。ただし，聴取することが困難な場合として国土交通省令で定める場合は，この限りでない。

244　　　　　　　第2編　海上交通安全法

§2-2-49の3　異常気象等の発生時における情報の提供等（第33条）

　本条は，次条（第34条）とともに，異常気象等が発生した場合に，海上にある重要施設の周辺等の特に船舶交通の安全を確保する必要がある海域において，船舶の安全な航行等を援助するための措置について定めたものである。

（1）　海上保安庁長官による船舶の安全な航行等を援助するための情報の提供
　　（第1項）

　　　第1項は，海上保安庁長官が「異常気象等時特定船舶」（下記1.）に対し，次に掲げる情報（下記2.）を提供することを定めている。

　1．異常気象等時特定船舶（第1項前段）

　　　異常気象等時特定船舶とは，下記のいずれにも該当する船舶である。

　⑴　長さ50メートル以上の船舶（第4条，則第3条）

　⑵　異常気象等が発生した場合に特に船舶交通の安全を確保する必要があるものとして国土交通省令（則第23条の5第1項，別表第4）で定める海域において航行し，停留し，又は錨泊をしている船舶

　　　当該海域としては，現在のところ，「東京湾アクアライン周辺海域」のみが定められている。

　2．海上保安庁長官が提供する情報（第1項後段）

　　　海上保安庁長官は，次に掲げる情報であって，国土交通省令（則第23条の5第3項）で定めるものを提供する。

　⑴　当該異常気象等時特定船舶の進路前方に錨泊をしている他の船舶に関する情報

　⑵　当該異常気象等時特定船舶の錨泊に異状が生ずるおそれに関する情報

　⑶　その他，当該海域において安全に航行し，停留し，又は錨泊をするために当該異常気象等時特定船舶において聴取することが必要と認められる情報

　3．これらの情報の提供は，告示で定めるところにより，VHF無線電話によって行われる。（則第23条の5第2項）

（2）　情報提供の期間（第2項）

　　　情報を提供する期間は，海上保安庁長官が公示する。

（3）　異常気象等時特定船舶の情報の聴取義務（第3項）

　　　第3項は，異常気象等時特定船舶が，第1項の海域において航行し，停留し，又は錨泊をしている間は，同項の情報を聴取しなければならないことを定めている。ただし，聴取することが困難な場合として国土交通省令（則第

23条の6）で定める場合は，この限りでない。

第34条　異常気象等時特定船舶に対する危険の防止のための勧告

第34条　海上保安庁長官は，異常気象等により，異常気象等時特定船舶が他の船舶
又は工作物に著しく接近するおそれその他の異常気象等時特定船舶の航行，停留
又はびょう泊に危険が生ずるおそれがあると認める場合において，当該危険を防
止するため必要があると認めるときは，必要な限度において，当該異常気象等時
特定船舶に対し，国土交通省令で定めるところにより，進路の変更その他の必要
な措置を講ずべきことを勧告することができる。
2　海上保安庁長官は，必要があると認めるときは，前項の規定による勧告を受け
た異常気象等時特定船舶に対し，その勧告に基づき講じた措置について報告を求
めることができる。

§2-2-49の4　異常気象等時特定船舶に対する危険の防止のための勧告（第34条）

　本条は，前条と同様に，異常気象等が発生した場合に，海上にある重要施設
の周辺等の特に船舶交通の安全を確保する必要がある海域において，船舶の安
全な航行等を援助するための措置について定めたものである。
（1）　海上保安庁長官による異常気象等時特定船舶に対する勧告（第1項）
　　海上保安庁長官は，異常な気象又は海象の発生時において，①異常気象等
時特定船舶が，他の船舶又は工作物に著しく接近するおそれがあると認める
場合，②異常気象等時特定船舶の航行，停留又は錨泊に危険が生ずるおそれ
があると認める場合において，その危険を回避するために，当該異常気象等
時特定船舶に対し，国土交通省令で定めるところにより，進路の変更その他
の必要な措置を講ずべきことを勧告することができる。
　　この勧告は，告示で定めるところにより，VHF 無線電話その他の適切な
方法により行われる。（則第23条の7）
（2）　勧告を受けた異常気象等時特定船舶の講じた措置の報告（第2項）
　　海上保安庁長官は，必要があると認めるときは，勧告を受けた異常気象等
時特定船舶に対し，その勧告に基づき講じた措置について報告を求めること
ができる。

第35条　協議会

> **第35条**　海上保安庁長官は，湾その他の海域ごとに，異常気象等により，船舶の正
> 常な運航が阻害されることによる船舶の衝突又は乗揚げその他の船舶交通の危険
> を防止するための対策の実施に関し必要な協議を行うための協議会（以下この条
> において単に「協議会」という。）を組織することができる。
> 2　協議会は，次に掲げる者をもって構成する。
> ⑴　海上保安庁長官
> ⑵　関係地方行政機関の長
> ⑶　船舶の運航に関係する者その他の海上保安庁長官が必要と認める者
> 3　協議会において協議が調った事項については，協議会の構成員は，その協議の
> 結果を尊重しなければならない。
> 4　前3項に定めるもののほか，協議会の運営に関し必要な事項は，協議会が定め
> る。

§2-2-49の5　異常気象等による船舶交通の危険防止対策の実施に関する協議会（第35条）

　本条は，異常気象等の発生時において，命令又は勧告による船舶の湾外避難
や走錨防止対策等を円滑に実施するため，海事関係者によってあらかじめ，安
全な避難時期及び避難方法，勧告発令等に係る連絡・周知体制の構築等，必要
な協議を行う協議会を，海上保安庁長官が組織することができることを定めた
ものである。

　湾外避難等の実施に当たっては，関係者が連携・協力し実効性を持たせる必
要があるため，協議結果に対しては尊重する義務が課せられている。

第2章　交通方法（§2-2-50）　　　247

第9節　指定海域における措置

第36条　指定海域への入域に関する通報

> **第36条**　第4条本文に規定する船舶が指定海域に入域しようとするときは，船長
> は，国土交通省令で定めるところにより，当該船舶の名称その他の国土交通省令
> で定める事項を海上保安庁長官に通報しなければならない。

§2-2-50　指定海域への入域に関する通報（第36条）

　本条は，海上保安庁長官が指定海域を航行する船舶の情報を把握し，非常災
害の発生時に船舶交通の混乱を防止したり，平時において指定港（港則法第3
条第3項）との一元的な航行管制を行い混雑を緩和したりするため，同海域に
入域する船舶の船長に対し，通報義務を課すことを定めたものである。

（1）　通報義務船

　　指定海域への入域の通報をしなければならない船舶は，第4条本文に規定
　する船舶，すなわち長さ50メートル以上の船舶のことである。

（2）　指定海域への入域に関する通報事項及び通報の方法（則第23条の5・告示）

　⑴　通報事項

　　①　船舶の名称及び長さ

　　②　船舶の呼出符号

　　③　仕向港

　　④　船舶の喫水

　　⑤　通報の時点における船舶の位置

　⑵　通報の方法

　　　通報は，船舶が指定海域と他の海域との境界線を横切る時に，入域する
　　指定海域を担当する海上交通センターに，VHF無線電話又は電話によっ
　　て行う。ただし，AISを作動させているときは通報する必要はなく，また
　　簡易型AISを備える船舶にあっては，同装置により送信される事項以外の
　　事項を送信する。

〔注〕　通報の詳細については，**指定海域への入域に関する通報の方法に関する告示**（平
　　成30年海上保安庁告示第4号，最近改正令和3年同告示第23号）に定められている。

第37条　非常災害発生周知措置等

> **第37条**　海上保安庁長官は，非常災害が発生し，これにより指定海域において船舶
> 交通の危険が生ずるおそれがある場合において，当該危険を防止する必要がある
> と認めるときは，直ちに，非常災害が発生した旨及びこれにより当該指定海域に
> おいて当該危険が生ずるおそれがある旨を当該指定海域及びその周辺海域にある
> 船舶に対し周知させる措置（以下「非常災害発生周知措置」という。）をとらな
> ければならない。
> 2　海上保安庁長官は，非常災害発生周知措置をとった後，当該指定海域において，
> 当該非常災害の発生により船舶交通の危険が生ずるおそれがなくなったと認める
> とき，又は当該非常災害の発生により生じた船舶交通の危険がおおむねなくなっ
> たと認めるときは，速やかに，その旨を当該指定海域及びその周辺海域にある船
> 舶に対し周知させる措置（次条及び第39条において「非常災害解除周知措置」と
> いう。）をとらなければならない。

§2-2-51　非常災害時における海上保安庁長官の措置（第37条）

　本条は，非常災害の発生により船舶交通の危険が生ずるおそれがある場合に，
その危険を防止するため，海上保安庁長官がとる措置について定めたものであ
る。

　非常災害時において，海上保安庁長官は，指定海域及びその周辺海域にある
船舶に対し，次の措置をとる。

（１）　非常災害発生周知措置（第１項）

　⑴　非常災害が発生した旨を周知させる措置

　⑵　非常災害の発生により，指定海域において船舶交通の危険が生ずるおそ
　　れがある旨を周知させる措置

（２）　非常災害解除周知措置（第２項）

　⑴　指定海域において，非常災害の発生により船舶交通の危険が生ずるおそ
　　れがなくなった旨を周知させる措置

　⑵　指定海域において，非常災害の発生により生じた船舶交通の危険がおお
　　むねなくなった旨を周知させる措置

第2章　交通方法（§2-2-52）　　　249

第38条　非常災害発生周知措置がとられた際に
海上保安庁長官が提供する情報の聴取

> **第38条**　海上保安庁長官は，非常災害発生周知措置をとったときは，非常災害解除周
> 知措置をとるまでの間，当該非常災害発生周知措置に係る指定海域にある第4条
> 本文に規定する船舶（以下この条において「指定海域内船舶」という。）に対し，
> 国土交通省令で定めるところにより，非常災害の発生の状況に関する情報，船舶
> 交通の制限の実施に関する情報その他の当該指定海域内船舶が航行の安全を確保
> するために聴取することが必要と認められる情報として国土交通省令で定めるも
> のを提供するものとする。
> **2**　指定海域内船舶は，非常災害発生周知措置がとられたときは，非常災害解除周
> 知措置がとられるまでの間，前項の規定により提供される情報を聴取しなければ
> ならない。ただし，聴取することが困難な場合として国土交通省令で定める場合
> は，この限りでない。

§2-2-52　非常災害時における情報の聴取（第38条）

　本条は，非常災害の発生時に指定海域における船舶交通の混乱を防止し，航
行の安全を確保するため，必要な情報の提供及びその情報の聴取について定め
たものである。

（1）　海上保安庁長官による非常災害時における航行の安全確保のための情報
　　提供（第1項）

　　第1項は，海上保安庁長官が「指定海域内船舶」（下記1.）に対し，次に
　掲げる情報（下記2.）を提供することを定めている。

　1．指定海域内船舶（第1項前段）

　　　指定海域内船舶とは，非常災害発生周知措置に係る指定海域内にある第
　　4条本文に規定する船舶（すなわち，長さ50メートル以上の船舶）をいう。

　2．海上保安庁長官が提供する情報（第1項後段）

　　　海上保安庁長官は，非常災害発生周知措置をとったときは，次に掲げる
　　情報であって，国土交通省令（則第23条の9第2項）で定めるものを提供
　　する。

　　⑴　非常災害の発生の状況に関する情報

　　⑵　船舶交通の制限の実施に関する情報

　　⑶　その他，指定海域内船舶が航行の安全を確保するために聴取すること
　　　が必要と認められる情報

これらの情報の提供は，海上保安庁長官が告示で定めるところにより，VHF 無線電話により行う。(則第23条の9第1項)

(2) 指定海域内船舶の情報の聴取義務 (第2項)

指定海域内船舶は，非常災害発生周知措置がとられたときは，非常災害解除周知措置がとられるまでの間，第1項の情報を聴取しなければならない。

ただし，聴取することが困難な場合として国土交通省令 (則第23条の10) で定める場合は，この限りでない。

第39条　非常災害発生周知措置がとられた際の航行制限等

> **第39条**　海上保安庁長官は，非常災害発生周知措置をとったときは，非常災害解除周知措置をとるまでの間，船舶交通の危険を防止するため必要な限度において，次に掲げる措置をとることができる。
> (1)　当該非常災害発生周知措置に係る指定海域に進行してくる船舶の航行を制限し，又は禁止すること。
> (2)　当該指定海域の境界付近にある船舶に対し，停泊する場所若しくは方法を指定し，移動を制限し，又は当該境界付近から退去することを命ずること。
> (3)　当該指定海域にある船舶に対し，停泊する場所若しくは方法を指定し，移動を制限し，当該指定海域内における移動を命じ，又は当該指定海域から退去することを命ずること。

§2-2-53　非常災害発生時における航行制限等 (第39条)

本条は，非常災害が発生した場合にも，船舶交通の危険を防止して海上交通の機能を維持するため，海上保安庁長官が，海域の広さ，避難船舶の隻数などの海域の状況を一体的に把握しつつ，入域制限を行うことや，船舶を迅速かつ円滑に安全な海域に避難させるなどの措置をとることができることを定めたものである。同長官は，非常災害発生周知措置をとった場合は，同解除周知措置をとるまでの間，次の(1)〜(3)の措置をとることができる。

(1)　非常災害発生周知措置に係る指定海域に進行してくる船舶の航行を制限し，又は禁止すること。

(2)　指定海域の境界付近にある船舶に対し，停泊する場所若しくは方法を指定し，移動を制限し，又はその境界付近から退去することを命ずること。

第2章　交通方法（§2-2-53）　　　251

⑶　指定海域にある船舶に対し，停泊する場所若しくは方法を指定し，移動
　を制限し，当該指定海域内における移動を命じ，又は当該指定海域から退
　去することを命ずること。

〔**注**〕　非常災害の発生時における海上保安庁長官の措置は，指定海域内の交通管制を
　　港内も含め一元的に行えるよう港則法においても規定されている。（港則法第48
　　条第2項）

〔注〕 **海上保安庁の航行安全指導について**

海上保安庁は，海上交通安全法等の規定に基づき，東京湾，伊勢湾及び瀬戸内海における船舶交通の安全を図るため，また港内における船舶航行の一層の安全を確保するため，海域の実態に応じた様々な航行安全指導を行っている。それらは，「航行安全指導集録」（参考文献(1)）としてまとめられており，下記ホームページからも入手することができる。

海上保安庁ホームページ　http://www.kaiho.mlit.go.jp/

第3章　危険の防止

第40条　航路及びその周辺の海域における工事等

第40条　次の各号のいずれかに該当する者は，当該各号に掲げる行為について海上保安庁長官の許可を受けなければならない。ただし，通常の管理行為，軽易な行為その他の行為で国土交通省令で定めるものについては，この限りでない。

(1)　航路又はその周辺の政令で定める海域において工事又は作業をしようとする者

(2)　前号に掲げる海域（港湾区域と重複している海域を除く。）において工作物の設置（現に存する工作物の規模，形状又は位置の変更を含む。以下同じ。）をしようとする者

2　海上保安庁長官は，前項の許可の申請があった場合において，当該申請に係る行為が次の各号のいずれかに該当するときは，許可をしなければならない。

(1)　当該申請に係る行為が船舶交通の妨害となるおそれがないと認められること。

(2)　当該申請に係る行為が許可に付された条件に従って行われることにより船舶交通の妨害となるおそれがなくなると認められること。

(3)　当該申請に係る行為が災害の復旧その他公益上必要やむを得ず，かつ，一時的に行われるものであると認められること。

3　海上保安庁長官は，第1項の規定による許可をする場合において，必要があると認めるときは，当該許可の期間を定め（同項第2号に掲げる行為については，仮設又は臨時の工作物に係る場合に限る。），及び当該許可に係る行為が前項第1号に該当する場合を除き当該許可に船舶交通の妨害を予防するため必要な条件を付することができる。

4　海上保安庁長官は，船舶交通の妨害を予防し，又は排除するため特別の必要が生じたときは，前項の規定により付した条件を変更し，又は新たに条件を付することができる。

5　海上保安庁長官は，第1項の規定による許可を受けた者が前二項の規定による条件に違反したとき，又は船舶交通の妨害を予防し，若しくは排除するため特別の必要が生じたときは，その許可を取り消し，又はその許可の効力を停止することができる。

6　第1項の規定による許可を受けた者は，当該許可の期間が満了したとき，又は前項の規定により当該許可が取り消されたときは，速やかに当該工作物の除去その他原状に回復する措置をとらなければならない。

> 7　国の機関又は地方公共団体（港湾法の規定による港務局を含む。以下同じ。）が第1項各号に掲げる行為（同項ただし書の行為を除く。）をしようとする場合においては，当該国の機関又は地方公共団体と海上保安庁長官との協議が成立することをもって同項の規定による許可があったものとみなす。
> 8　港則法に基づく港の境界付近においてする第1項第1号に掲げる行為については，同法第31条第1項（同法第45条において準用する場合を含む。）の規定による許可を受けたときは第1項の規定による許可を受けることを要せず，同項の規定による許可を受けたときは同法第31条第1項（同法第45条において準用する場合を含む。）の規定による許可を受けることを要しない。

§2-3-1　航路及びその周辺の海域における工事等（第40条）

本条は，船舶交通がふくそうする航路及びその周辺の海域における工事若しくは作業又は工作物の設置が船舶交通の妨害となるおそれのある一定の行為について許可制とすることについて定めたものである。

1．海上保安庁長官は許可に必要な条件を付すことなどができる。
2．「政令で定める海域」とは，図2・56に示すように，航路の側方の境界線から航路の外側（来島海峡航路にあっては，馬島側を含む。）200メートル以内の海域及び施行令別表第3に掲げる海域である。（令第8条）

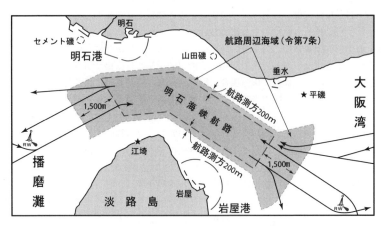

図 2・56　工事等の許可を要する航路周辺海域（明石海峡航路の場合）

第3章　危険の防止（§2-3-1）　　　255

第41条　航路及びその周辺の海域以外の海域における工事等

第41条　次の各号のいずれかに該当する者は，あらかじめ，当該各号に掲げる行為
をする旨を海上保安庁長官に届け出なければならない。ただし，通常の管理行為，
軽易な行為その他の行為で国土交通省令で定めるものについては，この限りでな
い。
　(1)　前条第1項第1号に掲げる海域以外の海域において工事又は作業をしようと
　　する者
　(2)　前号に掲げる海域（港湾区域と重複している海域を除く。）において工作物
　　の設置をしようとする者
2　海上保安庁長官は，前項の届出に係る行為が次の各号のいずれかに該当すると
　きは，当該届出のあった日から起算して30日以内に限り，当該届出をした者に対
　し，船舶交通の危険を防止するため必要な限度において，当該行為を禁止し，若
　しくは制限し，又は必要な措置をとるべきことを命ずることができる。
　(1)　当該届出に係る行為が船舶交通に危険を及ぼすおそれがあると認められるこ
　　と。
　(2)　当該届出に係る行為が係留施設を設置する行為である場合においては，当該
　　係留施設に係る船舶交通が他の船舶交通に危険を及ぼすおそれがあると認めら
　　れること。
3　海上保安庁長官は，第1項の届出があった場合において，実地に特別な調査を
　する必要があるとき，その他前項の期間内に同項の処分をすることができない合
　理的な理由があるときは，その理由が存続する間，同項の期間を延長することが
　できる。この場合においては，前項の期間内に，第1項の届出をした者に対し，
　その旨及び期間を延長する理由を通知しなければならない。
4　国の機関又は地方公共団体は，第1項各号に掲げる行為（同項ただし書の行為
　を除く。）をしようとするときは，同項の規定による届出の例により，海上保安
　庁長官にその旨を通知しなければならない。
5　海上保安庁長官は，前項の規定による通知があった場合において，当該通知に
　係る行為が第2項各号のいずれかに該当するときは，当該国の機関又は地方公共
　団体に対し，船舶交通の危険を防止するため必要な措置をとることを要請するこ
　とができる。この場合において，当該国の機関又は地方公共団体は，そのとるべ
　き措置について海上保安庁長官と協議しなければならない。
6　港則法に基づく港の境界付近においてする第1項第1号に掲げる行為につい
　ては，同法第31条第1項（同法第45条において準用する場合を含む。）の規定によ
　る許可を受けたときは，第1項の規定による届出をすることを要しない。

§2-3-2 航路及びその周辺の海域以外の海域における工事等（第41条）

本条は，航路及びその周辺の海域以外の海域は，第36条の海域に比べて交通量が少なく船舶交通の妨害のおそれも少ないので，許可制でなく，届出制とすることについて定めたものである。

この場合でも，海上保安庁長官は危険防止のため必要な措置をとるべきことを命ずることができる。

第42条　違反行為者に対する措置命令

> **第42条**　海上保安庁長官は，次の各号のいずれかに該当する者に対し，当該違反行為に係る工事又は作業の中止，当該違反行為に係る工作物の除去，移転又は改修その他当該違反行為に係る工事若しくは作業又は工作物の設置に関し船舶交通の妨害を予防し，又は排除するため必要な措置（第4号に掲げる者に対しては，船舶交通の危険を防止するため必要な措置）をとるべきことを命ずることができる。
> (1)　第40条第1項の規定に違反して同項各号に掲げる行為をした者
> (2)　第40条第3項の規定により海上保安庁長官が付し，又は同条第4項の規定により海上保安庁長官が変更し，若しくは付した条件に違反した者
> (3)　第40条第6項の規定に違反して当該工作物の除去その他原状に回復する措置をとらなかった者
> (4)　前条第1項の規定に違反して同項各号に掲げる行為をした者

§2-3-3　違反行為者に対する措置命令（第42条）

本条は，第40条又は第41条の規定に違反した者に対して，海上保安庁長官は，工事・作業の中止，工作物の除去，船舶交通の妨害の予防等の措置を命ずることができることを定めたものである。

第43条　海難が発生した場合の措置

> **第43条**　海難により船舶交通の危険が生じ，又は生ずるおそれがあるときは，当該海難に係る船舶の船長は，できる限り速やかに，国土交通省令で定めるところにより，標識の設置その他の船舶交通の危険を防止するため必要な応急の措置をと

第3章　危険の防止（§2-3-4）

り，かつ，当該海難の概要及びとった措置について海上保安庁長官に通報しなければならない。ただし，港則法第24条の規定の適用がある場合は，この限りでない。

2　前項に規定する船舶の船長は，同項に規定する場合において，海洋汚染等及び海上災害の防止に関する法律（昭和45年法律第136号）第38条第1項，第2項若しくは第5項，第42条の2第1項，第42条の3第1項又は第42条の4の2第1項の規定による通報をしたときは，当該通報をした事項については前項の規定による通報をすることを要しない。

3　海上保安庁長官は，船長が第1項の規定による措置をとらなかったとき又は同項の規定により船長がとった措置のみによっては船舶交通の危険を防止することが困難であると認めるときは，船舶交通の危険の原因となっている船舶（船舶以外の物件が船舶交通の危険の原因となっている場合は，当該物件を積載し，引き，又は押していた船舶）の所有者（当該船舶が共有されているときは船舶管理人，当該船舶が貸し渡されているときは船舶借入人）に対し，当該船舶の除去その他船舶交通の危険を防止するため必要な措置（海洋汚染等及び海上災害の防止に関する法律第42条の7に規定する場合は，同条の規定により命ずることができる措置を除く。）をとるべきことを命ずることができる。

§2-3-4　海難が発生した場合の措置（第43条）

本条は，海難が発生した場合の船長のとるべき措置，及び海上保安庁長官が船舶所有者に対し必要な措置を命ずることができることを定めたものである。

（1）　船長の措置（第1項・第2項）

海難により船舶交通の危険を生じ，又は生ずるおそれがあるときは，その船長は，できる限り速やかに，次の措置をとらなければならない。

⑴　標識の設置その他の必要な応急の措置

次に掲げる措置のうち船舶交通の危険を防止するため有効かつ適切なものでなければならない。（則第28条）

①　海難により航行困難となった船舶を船舶交通に危険を及ぼすおそれがない海域まで移動させ，かつ当該船舶が移動しないように必要な措置をとること。

②　海難により沈没した船舶の位置を示すための指標となるように，次の表の左欄に掲げるいずれかの場所に，それぞれ同表の中欄に掲げる要件に適合する灯浮漂を設置すること。なお，同表の右欄は，同灯浮標について，浮標式との関係を示したものである。

場 所	灯　　浮　　標　　（要　　件）				浮 標 式 との関係
	頭　　標	標　体	灯　　火	（閃　光）	
沈船の 北　側	黒色の円すい形 2個　縦掲 （両頂点上向き）	上半部 黒 下半部 黄	白色の連続急 閃光	急閃光の閃 光は，1.2 秒の周期。 長閃光は2 秒の光。	北方位標識 に準ずる
沈船の 東　側	黒色の円すい形 2個　縦掲 （底面対向）	上　部 黒 中央部 黄 下　部 黒	白色の群急閃 光（毎10秒に 3急閃光）		東方位標識 に準ずる
沈船の 南　側	黒色の円すい形 2個　縦掲 （両頂点下向き）	上半部 黄 下半部 黒	白色の群急閃 光（毎15秒に 6急閃光と1 長閃光）		南方位標識 に準ずる
沈船の 西　側	黒色の円すい形 2個　縦掲 （頂点対向）	上　部 黄 中央部 黒 下　部 黄	白色の群急閃 光（毎15秒に 9急閃光）		西方位標識 に準ずる

（参考）　灯火の3急閃光（東），6急閃光（南）又は9急閃光（西）は，時計盤
のそれぞれ3時，6時又は9時の位置と関連して覚えるとよい。

〔注〕　例えば，海難船舶が上の表の沈船の北側に設置すべき灯浮標を設置した場
合には，同灯浮標の北側に安全な水域が存在しており，他の船舶は同水域を
航行すべきことを示している。
③　海難船舶の積荷が海面に脱落し，及び散乱するのを防ぐため必要な措
置をとること。
(2)　海難の概要及びとった措置についての海上保安庁長官への通報
ただし，港則法第24条の適用がある場合は，この限りでない。
また，海洋汚染等及び海上災害の防止に関する法律第38条（油等の排出
の通報）第1項などの一定の規定による通報をしたときは，その通報をし
た事項については，上記の通報を要しない。
（2）　措置命令（第3項）
海上保安庁長官は，海難発生の船舶の船長が応急措置をとらなかったとき，
又は不十分であると認めるときは，船舶所有者に対し，海難船舶の除去その
他船舶交通の危険を防止するため必要な措置（海洋汚染等及び海上災害の防
止に関する法律第42条の7に規定する場合は，同条の規定により命ずること
ができる措置を除く。）をとるべきことを命ずることができる。

第4章 雑 則

第44条 航路等の海図への記載

> **第44条** 海上保安庁が刊行する海図のうち海上保安庁長官が指定するものには，第
> 1条第2項の政令で定める境界，航路，指定海域，第5条，第6条の2及び第9
> 条の航路の区間，浦賀水道航路，明石海峡航路及び備讃瀬戸東航路の中央，第25
> 条第1項及び第2項の規定により指定した経路並びに第28条第1項及び第30条第
> 1項の海域を記載するものとする。

§2-4-1 航路等の海図への記載（第44条）

本条は，航路等を海図に記載することを定めたものである。（§2-4-2参照）

〔注〕 本条の規定に基づき，「航路等を記載する海図の指定に関する告示」（昭和48年海
上保安庁告示第77号，最近改正平成31年同告示第8号）が定められている。

（具体例）

番号	図名	縮尺	記 載 事 項
W1064	伊良湖水道	1/20,000	法第1条第2項の政令で定める境界，航路，法第5条の航路の区間，法第25条第2項の経路，法第29条の2第1項の海域

船舶は，自船の航行する海域について，告示で定める縮尺及び記載事項を考慮し
て必要なものを備え，船舶交通の安全を図らなければならない。

第45条 航路等を示す航路標識の設置

> **第45条** 海上保安庁長官は，国土交通省令で定めるところにより，航路，第5条，
> 第6条の2及び第9条の航路の区間，浦賀水道航路，明石海峡航路及び備讃瀬戸
> 東航路の中央並びに第25条第1項及び第2項の規定により指定した経路を示すた
> めの指標となる航路標識を設置するものとする。

§2-4-2 航路等を示す航路標識の設置（第45条）

本条は，航路等を示す航路標識を設置することを定めたものである。
前条及び本条の事項をまとめて掲げると，次の表のとおりである。

事　　　　　　項	海図への記載	航路標識の設置
(1)　適用海域の外海との境界（第1条第2項）	○	——
(2)　航路（第2条第1項）	○	○
(3)　航路の速力の制限区間（第5条）	○	○
(4)　追越しの禁止の航路の区間（第6条の2）	○	○
(5)　航路の出入・横断の制限区間（第9条）	○	○
(6)　浦賀水道航路・明石海峡航路・備讃瀬戸東航路の中央（第11条第1項，第15条，第16条第1項）	○	○
(7)　航路以外の海域における指定経路（第25条第1項・第2項）	○	○
(8)　帆船の灯火等の常時表示海域（第28条第1項）	○	——
(9)　長官が情報を提供する海域（第30条第1項）	○	——

第46条　交通政策審議会への諮問

> **第46条**　国土交通大臣は，この法律の施行に関する重要事項については，交通政策審議会の意見を聴かなければならない。

§2-4-3　交通政策審議会への諮問（第46条）

　本条は，国土交通大臣に対し海交法の施行に関する重要事項については，交通政策審議会に諮問することを義務付けたものである。

第47条　権限の委任

> **第47条**　この法律の規定により海上保安庁長官の権限に属する事項は，国土交通省令で定めるところにより，管区海上保安本部長に行わせることができる。
> 　2　管区海上保安本部長は，国土交通省令で定めるところにより，前項の規定によりその権限に属させられた事項の一部を管区海上保安本部の事務所の長に行わせることができる。

§2-4-4　権限の委任（第47条）

　本条は，海交法に定める海上保安庁長官の権限を管区海上保安本部長に，また同本部長は権限の一部を管区海上保安本部の事務所の長に委任できることについて定めたものである。

第48条　行政手続法の適用除外

> **第48条**　第10条の2，第20条第3項，第32条第1項又は第39条の規定による処分については，行政手続法（平成5年法律第88号）第3章の規定は，適用しない。

§2-4-5　行政手続法の適用除外（第48条）

　行政手続法（平成5年法律第88号）は，処分[注1]，行政指導及び届出に関する手続に関し，共通する事項を定めることによって，行政運営における①公正の確保と②透明性（行政上の意思決定について，その内容及び過程が国民にとって明らかであることをいう。）の向上を図り，もって国民の権利利益の保護に資する（役立つ）ことを目的とする法律である。

　そして，本条が適用しないと定めている同法第3章の規定とは，不利益処分[注2]（第1節通則，第2節聴聞，第3節弁明の機会の付与）について定めている章である。

　海交法の規定に基づく処分，行政指導及び届出の多くは，行政手続法に定める手続によって行われるが，本条は，この行政手続法に関して，次に掲げる規定による処分については，同法第3条（適用除外）第1項第13号の規定により，保安を確保するため現場で臨機に適切な措置をとる必要があり，聴聞を行ったり弁明の機会の付与を行ったりする暇（いとま）がないことから，同法第3章（不利益処分）の規定を適用しないことを定めたものである。

　⑴　第10条の2………航路外での待機の指示
　⑵　第20条第3項……来島海峡航路における転流前後における特別な航法の指示
　⑶　第32条第1項……異常気象等時における航行制限
　⑷　第39条……………非常災害発生周知措置がとられた際の航行制限等

　〔注〕　1．「処分」とは，行政庁の処分その他公権力の行使に当たる行為をいう。
　　　　　2．「不利益処分」とは，行政庁が，法令に基づき，特定の者を名あて人として，直接に，これに義務を課し，又はその権利を制限する処分をいう。（ただし書規定　略）

第49条　国土交通省令への委任

> **第49条**　この法律に規定するもののほか，この法律の実施のため必要な手続その他の事項は，国土交通省令で定める。

§2-4-6　国土交通省令への委任（第49条）

　本条は，海交法の実施のため必要な手続等を国土交通省令（施行規則）に委任することを定めたものである。

第50条　経過措置

> **第50条**　この法律の規定に基づき政令又は国土交通省令を制定し，又は改廃する場合においては，それぞれ，政令又は国土交通省令で，その制定又は改廃に伴い合理的に必要と判断される範囲内において，所要の経過措置（罰則に関する経過措置を含む。）を定めることができる。

§2-4-7　経過措置（第50条）

　本条は，海交法に基づき政令又は省令を制定・改廃する場合に，新旧法令の移り変わりを円滑に施行できるようにするための経過措置を定めることができることを定めたものである。

第5章 罰 則

第51条 次の各号のいずれかに該当する者は，3月以下の拘禁刑又は30万円以下の罰金に処する。

(1) 第10条の規定の違反となるような行為をした者

(2) 第10条の2，第26条第1項，第32条第1項又は第39条の規定による海上保安庁長官の処分の違反となるような行為をした者

(3) 第23条の規定による海上保安庁長官の処分に違反した者

(4) 第43条第1項の規定に違反した者

2 次の各号のいずれかに該当する場合には，その違反行為をした者は，3月以下の拘禁刑又は30万円以下の罰金に処する。

(1) 第40条第1項の規定に違反したとき。

(2) 第40条第3項の規定により海上保安庁長官が付し，又は同条第4項の規定により海上保安庁長官が変更し，若しくは付した条件に違反したとき。

(3) 第41条第2項，第42条又は第43条第3項の規定による海上保安庁長官の処分に違反したとき。

第52条 第4条，第5条，第9条，第11条，第15条，第16条又は第18条第1項若しくは第2項の規定の違反となるような行為をした者は，50万円以下の罰金に処する。

第53条 次の各号のいずれかに該当する者は，30万円以下の罰金に処する。

(1) 第7条又は第27条第1項の規定の違反となるような行為をした者

(2) 第22条又は第36条の規定に違反した者

2 第40条第6項又は第41条第1項の規定に違反したときは，その違反行為をした者は，30万円以下の罰金に処する。

第54条 法人の代表者又は法人若しくは人の代理人，使用人その他の従業者が，その法人又は人の業務に関し，第51条第2項又は前条第2項の違反行為をしたときは，行為者を罰するほか，その法人又は人に対して，各本条の罰金刑を科する。

附 則 （略）

---

§2-5-1 罰 則 （第51条～第54条）

罰則を設けたのは，海交法に規定する義務の違反に対して制裁を加えること

により義務の履行を求め，法の実効性を確保しようとするためである。

もとより，船舶交通の安全は，法と罰則によって確保されるものではなく，交通環境の整備が重要であることは論をまたない。

罰則には，航法規定のうち避航に関するもの（例えば第3条，第12条など）の違反について定めていないが，これは，状況の判断が複雑なことが多いため海難審判などに委ねることにしたためである。

（具体例）

第10条の2（航路外での待機の指示）**違反**

航路外での待機の指示に違反となるような行為をした者は，3月以下の拘禁刑又は30万円以下の罰金に処する。（第51条）

航路の名称	所　在　海　域
浦賀水道航路	東京湾中ノ瀬の南方から久里浜湾沖に至る海域
中ノ瀬航路	東京湾中ノ瀬の東側の海域
伊良湖水道航路	伊良湖水道
明石海峡航路	明石海峡
備讃瀬戸東航路	瀬戸内海のうち小豆島地蔵埼沖から豊島と男木島との間を経て小与島と小瀬居島との間に至る海域
宇高東航路	瀬戸内海のうち荒神島の南方から中瀬の西方に至る海域
宇高西航路	瀬戸内海のうち大槌島の東方から神在鼻沖に至る海域
備讃瀬戸北航路	瀬戸内海のうち小与島と小瀬居島との間から佐柳島と二面島との間に至る海域で牛島及び高見島の北側の海域
備讃瀬戸南航路	瀬戸内海のうち小与島と小瀬居島との間から二面島と栗島との間に至る海域で牛島及び高見島の南側の海域
水島航路	瀬戸内海のうち水島港から葛島の西方，濃地諸島の東方及び与島と本島との間を経て沙弥島の北方に至る海域
来島海峡航路	瀬戸内海のうち大島と今治港との間から来島海峡を経て大下島の南方に至る海域

別　表

練 習 問 題

<定 義>

問 「漁ろう船等」の意義を述べた次の文の ☐ 内にあてはまる語句を，記号とともに記せ。

漁ろう船等とは，漁ろうに従事している船舶のほか， (ア) を行っているため接近してくる他の船舶の進路を避けることが (イ) でない国土交通省令で定める船舶で国土交通省令で定めるところにより (ウ) を表示しているものをいう。（法第2条）

（三級）

〔ヒント〕(ア) 工事又は作業 (イ) 容易 (ウ) 灯火又は標識

<航路における一般的航法>

問 航路の航行を義務づけられているのは，どんな船か。 （五〜三級）

〔ヒント〕長さ50メートル以上の船舶

問 海上交通安全法の「航路における一般的航法」の規定によると，次の(1)〜(3)の各場合における避航船は，それぞれどちらの船か。

(1) 航路をこれに沿って航行している動力船Aと航路外から航路に入ろうとしている動力船Bとが衝突するおそれのある場合（両船とも巨大船以外の一般動力船である。）

(2) 航路をこれに沿って航行している巨大船以外の一般動力船Cと航路外から航路に入ろうとしている巨大船Dとが衝突するおそれのある場合

(3) 航路をこれに沿って航行している巨大船以外の一般動力船Eと航路外から航路に入ろうとしている漁ろう従事船Fとが衝突するおそれのある場合 （四級）

〔ヒント〕(1) B船（§2-2-1（1））

(2) D船（§2-2-1（1））

(3) E船（ただし，F船がE船の通航を妨げる場合は，F船が通航を妨げない動作をとらなければならない。）（§2-2-4（1））

問 海上交通安全法の「航路における一般的航法」によると，次の(1)と(2)の場合は，それぞれどちらの船が避航船となるか。

(1) 漁ろうに従事しながら航路外から航路に入ろうとしている船が，航路をこれに沿って航行している巨大船と衝突するおそれがあるとき

(2) 漁ろうに従事しながら航路を横断しようとしている船が，航路をこれに沿って航

266　　　　　　　　　第2編　海上交通安全法

　　行している巨大船以外の一般動力船と衝突するおそれがあるとき　　　　　（四級）
〔**ヒント**〕⑴　漁ろうに従事している船舶（§2-2-2）
　　　　　　⑵　一般動力船（ただし，漁ろうに従事している船舶が一般動力船の通航を
　　　　　妨げてはならない場合がある。）（§2-2-4（1））

問　航路における一般的航法によれば，航路又は航路の付近において，巨大船以外の一
　　般動力船が，同航路をこれに沿って航行している巨大船の進路を避けなければならな
　　いのは，どのような場合か。　　　　　　　　　　　　　　　　　　　　　　（三級）
〔**ヒント**〕・航路外から航路に入ろうとしている場合
　　　　　　・航路から航路外に出ようとしている場合
　　　　　　・航路を横断しようとしている場合
　　　　　　・航路をこれに沿わないで航行している場合
　　　　　　・航路で停留している場合

問　海上交通安全法では，航路の一定区間を航行する船舶に対して速力を制限している
　　が，その規定制限速力は次のうちどれか。
　　⑴　8ノットを超えない速力　　　　⑵　10ノットを超えない速力
　　⑶　12ノットを超えない速力　　　　⑷　14ノットを超えない速力　　　　（六級）
〔**ヒント**〕⑶（§2-2-6）

問　海上交通安全法に定める航路において，他の船舶の左げん側を追い越そうとする場
　　合に，他船の協力動作を必要とするときは，どのような「汽笛」を行うか。次のうち
　　から選べ。ただし，ーは長音，・は短音とする。
　　⑴　ー・　　　　⑵　ーー・・　　　⑶　ー・・　　　⑷　ー・ー・　　　（六級）
〔**ヒント**〕⑵（§2-2-7，§1-4-7）

問　航路において他船の右げん側を追い越そうとする船が，長音2回に引き続く短音1
　　回の汽笛信号を行うことは，正しいかどうか，理由とともに述べよ。　　　　（三級）
〔**ヒント**〕他船が自船を安全に通過させるための動作をとらなければこれを追い越すこ
　　　　　とができない場合に，追越しの意図を示すために行うのは，正しい。（第6条ただ
　　　　　し書，予防法第9条第4項）
　　　　　　他船を安全に追い越す余地があって追い越そうとするときは，不可。この場
　　　　　合は，長音1回に引き続く短音1回の汽笛信号を鳴らす。（第6条本文）

問　航路において追越し船が行わなければならない信号は，海上交通安全法施行規則で
　　定めているものに限るかどうか。　　　　　　　　　　　　　　　　　　　　（三級）

練 習 問 題　　267

〔**ヒント**〕限らない。予防法第9条第4項前段の規定による汽笛信号を行うとき。
　　　　（§2-2-7）

問　船舶は，航路において他船の左げん側を追い越そうとするときは，どんな信号を行
わなければならないか。また，どんな信号を行ってもよいか。　　　　　　　（三級）
〔**ヒント**〕①　長音1回に引き続く短音2回の汽笛信号（§2-2-7）
　　　　②　他船に追越し同意の動作を求めて追い越そうとする場合は，長音2回に
　　　　引き続く短音2回の汽笛信号（§1-2-18）

問　進路を知らせるための措置のうち，信号旗又は汽笛による信号（以下「進路信号」
と略する。）を義務づけられているのは，どのような船舶か。また進路信号は，どのよ
うなときに行うか。　　　　　　　　　　　　　　　　　　　　　　　　　　（四級）
〔**ヒント**〕①　総トン数100トン以上の船舶で汽笛を備えているもの。
　　　　②　航路外から航路に入り，航路から航路外に出，又は航路を横断しようと
　　　　するとき。

問　信号旗による進路信号としては，「第1代表旗の下にS旗」のほかどのような種類が
あるか，4つあげよ。　　　　　　　　　　　　　　　　　　　　　　　　　　（四級）
〔**ヒント**〕　第1代表旗の下にP旗，　　第1代表旗の下にC旗
　　　　　　第2代表旗の下にS旗，　　第2代表旗の下にP旗

問　進路を知らせるための措置（第7条）としては，国際信号旗による方法のほか，ど
んな方法があるか。　　　　　　　　　　　　　　　　　　　　　　　　　　（三級）
〔**ヒント**〕汽笛信号による方法
　　　　AIS（船舶自動識別装置）による目的地に関する情報の送信

問　航路の横断の方法については，どのように規定されているか。また，横断方法の原
則が適用されない場合の例を1つあげよ。　　　　　　　　　　　　　　　　（三級）
〔**ヒント**〕①　航路を横断する船舶は，当該航路に対しできる限り直角に近い角度で，
　　　　速やかに横断しなければならない。
　　　　②　備讃瀬戸東航路をこれに沿って航行している船舶が宇高西航路を横断す
　　　　ることとなる場合は，備讃瀬戸東航路に沿って，速やかでなく，制限速力
　　　　（対水速力12ノット）を超えない速力で横断する。

問　航路においては，びょう泊してはならないが，例外としてびょう泊が許されるのは，
どのような場合か。　　　　　　　　　　　　　　　　　　　　　　　　　　（四級）
〔**ヒント**〕（§2-2-11）

268   第2編　海上交通安全法

問 航路を航行しようとするとき，船長が，あらかじめ，航行予定時刻その他の定められた事項を海上保安庁長官に通報しなければならないのは，どんな船舶か。　（三級）
〔ヒント〕・巨大船
　　　　・巨大船以外の船舶で施行規則で定める長さ以上のもの
　　　　・危険物積載船
　　　　・物件えい航船で全体の距離が施行規則で定める距離以上のもの
　　　　（具体的には，§2-2-40参照）

問 海上交通安全法適用海域で次の灯火を掲げなければならないのは，それぞれどんな船か。　　　　　　　　　　　　　　　　　　　　　　　　　　　　　　　　（五級）
　(1)　少なくとも2海里の視認距離を有し，一定の間隔で毎分180回以上200回以下のせん光を発する緑色の全周灯1個
　(2)　少なくとも2海里の視認距離を有し，一定の間隔で毎分180回以上200回以下のせん光を発する紅色の全周灯1個
　〔ヒント〕　(1)　巨大船（航行中・停留中・錨泊中）
　　　　　　(2)　緊急船舶（航行中・錨泊中）

問 危険物積載船であることを表示する灯火及び標識を述べよ。　　　　（五級）
　〔ヒント〕①　予防法上の灯火に加えて，一定の間隔で毎分120回以上140回以下の閃光を発する紅色の全周灯（2海里以上）1個
　　　　　　②　上から第1代表旗及びB旗

問 物件曳航船等（船名，航路の航行予定時刻その他の定められた事項を通報する義務のあるもの）の船列の長さは，何メートル以上か。　　　　　　　　　（五級）
　〔ヒント〕全体の距離が200メートル以上（ただし，明石海峡航路は160メートル以上，来島海峡航路は100メートル以上）（§2-2-40）

＜航路ごとの航法＞

問 海上交通安全法の次の航路のうち，速力の制限規定が設けられていない航路はどれか。
　(1)　浦賀水道航路　　　(2)　伊良湖水道航路
　(3)　備讃瀬戸北航路　　(4)　明石海峡航路　　　　　　　　　　　　（六級）
　〔ヒント〕(4)　（§2-2-6）

問 海上交通安全法に定められている次の(1)～(5)の各航路の航行方法としてあてはまるものを，それぞれ，右のわく内から選び，番号と記号で示せ。　　（解答例：(6)—(ケ)）

練 習 問 題　　　　　　269

(1)　中ノ瀬航路

(2)　伊良湖水道航路

(3)　明石海峡航路

(4)　備讃瀬戸北航路

(5)　来島海峡航路中水道

　　　　　　　　（五級）

〔ヒント〕(1)—(ク)　(2)—(イ)

　　　　　(3)—(ア)　(4)—(カ)

　　　　　(5)—(ウ)

(ア)　航路の中央から右の部分を航行する。

(イ)　できる限り航路の中央から右の部分を航行する。

(ウ)　潮流が順潮の場合に航行する。

(エ)　潮流が逆潮の場合に航行する。

(オ)　東の方向に航行する。

(カ)　西の方向に航行する。

(キ)　南の方向に航行する。

(ク)　北の方向に航行する。

問　下のわく内に示す航路のうち次の，(1)～(3)に該当するものを選び，それぞれ番号と記号で答えよ。（解答例(4)……(コ)，(サ)）

(1)　東京湾にある航路

(2)　備讃瀬戸東航路と交差している航路

(3)　航路をこれに沿って航行するとき，西の方向に航行しなければならない航路

(ア)　伊良湖水道航路	(イ)　中ノ瀬航路	(ウ)　明石海峡航路
(エ)　水島航路	(オ)　宇高東航路	(カ)　宇高西航路
(キ)　浦賀水道航路	(ク)　備讃瀬戸北航路	(ケ)　備讃瀬戸南航路

（五級）

〔ヒント〕(1)……(イ)，(キ)　　(2)……(オ)，(カ)　　(3)……(ク)

問　航路を航行する船舶が，東，西，南及び北の各方向に一方通航しなければならないと規定されている航路の名称を，それぞれ1つずつあげよ。　　　　（四級）

〔ヒント〕①　東の方向：備讃瀬戸南航路　　②　西の方向：備讃瀬戸北航路

　　　　　③　南の方向：宇高西航路　　　　④　北の方向：宇高東航路

　　　　　　　　　　　　　　　　　　　　　　　　　　　　中ノ瀬航路

問　海上交通安全法に定められている航路を航行して，関門港より水島港に向かう船舶（長さ50メートル以上）が：

(1)　航行しなければならない航路名を順次述べよ。

(2)　航路をこれに沿って航行中，横断しなければならない本法で定められた他の航路名をあげよ。

(3)　(ア)の航路のうち，「できる限り，航路の中央から右の部分を航行しなければならない」のは，どの航路か。　　　　（四級）

〔ヒント〕(1)　来島海峡航路→備讃瀬戸南航路→水島航路

　　　　　(2)　備讃瀬戸北航路

　　　　　(3)　水島航路

270 第2編 海上交通安全法

[問] 航路の幅が地形上十分にとれないため，巨大船がその航路を航行する場合に，巨大
船以外の船舶が航路外で待機するよう管制されるのは，どの航路か。また，管制され
るのは，長さ何メートル以上の船舶か。 (四級)
〔ヒント〕伊良湖水道航路……130メートル以上
　　　　　水島航路……70メートル以上

[問] 航路をこれに沿って航行するとき，できる限り，その航路の中央から右の部分を航
行しなければならない航路名を2つあげよ。 (四級)
〔ヒント〕伊良湖水道航路，水島航路

[問] 浦賀水道航路のほか，航路の全区間において速力が制限されているのは，どの航路
か，1つあげよ。また，その航路において，海難を避けるため等やむを得ない事由が
あるときを除き，制限速力を超える速力で航行してもよいのは，どのような場合か。
(四級)
〔ヒント〕① 中ノ瀬航路，伊良湖水道航路，水島航路 (いずれか1つ)
　　　　　② 緊急船舶が緊急用務を行うためやむを得ない必要がある場合

[問] 海上交通安全法及び同法施行規則に関する次に掲げる汽笛信号は，それぞれ何を意
味するか述べよ。
(1) 長音1回に引き続く短音1回
(2) 長音2回
(3) 長音3回に引き続く短音2回
(4) 長音4回 (三級)
〔ヒント〕(1) 航路において他の船舶の右舷側を追い越そうとするときに鳴らす追越し
信号。
(2) 来島海峡航路の西水道を同航路に沿って航行する場合において潮流信号
により転流することが予告され，西水道を通過中に転流すると予想される
ときに鳴らす信号。
(3) 航路の出入口を出てから左転するか，又はこれに類する場合の夜間の進
路信号。
(4) 航路を横断するか，又はこれに類する場合の夜間の進路信号。

＜浦賀水道航路＞

[問] 海上交通安全法に関する以下の問いに答えよ。
(1) 浦賀水道航路に沿って航行する船は，どのように航行しなければならないか。
(2) 中ノ瀬航路に沿って航行する船は，どのように航行しなければならないか。

　　　　　　　　　　　練　習　問　題　　　　　　　　　　　271

　(3)　浦賀水道航路と中ノ瀬航路とを連続して航路に沿い航行し，同航路の東側の境界
　　　線を横切って木更津港に入ろうとする船は，昼間，国際信号旗によるどんな行先信
　　　号を表示しなければならないか。
　(4)　浦賀水道航路においては，どのような速力で航行しなければならないか。

　　　　　　　　　　　　　　　　　　　　　　　　　　　　　　　　　　（四級）
　〔ヒント〕(1)　中央から右の部分を航行しなければならない。
　　　　　(2)　北の方向に航行しなければならない。
　　　　　(3)　上から第1代表旗・N旗・S旗（観音埼灯台に並航したとき～中ノ瀬航
　　　　　　　路外に出たとき）
　　　　　(4)　対水速力12ノット以下

問　浦賀水道航路においては，この航路を横断する場合を除き，何ノットを超える速力
　　で航行してはならないか。　　　　　　　　　　　　　　　　　　　　（四級）
　〔ヒント〕対水速力12ノット

問　浦賀水道航路及び中ノ瀬航路における巨大船と巨大船以外の船との間の航法につい
　　て，航路ごとの航法（法第12条）に規定されているところを述べよ。　　　（三級）
　〔ヒント〕第12条

＜伊良湖水道航路＞

問　伊良湖水道航路に沿って航行する船は，それぞれどのように航行しなければならな
　　いか。　　　　　　　　　　　　　　　　　　　　　　　　　　　　　（五級）
　〔ヒント〕できる限り，中央から右の部分を航行しなければならない。

問　伊良湖水道航路管制信号所におけるNの文字及びSの文字の交互点滅の信号は，何
　　を意味するか。　　　　　　　　　　　　　　　　　　　　　　　　　（三級）
　〔ヒント〕伊良湖水道航路を航行しようとする130メートル以上の船舶（巨大船を除く。）
　　　　　は，航路外で待機しなければならない。

＜明石海峡航路等＞

問　次の(1)及び(2)の航路において，航路内を航行中の船舶が航路をこれに沿って航行し
　　ている船舶でないものとみなされる状態を，それぞれ1例ずつ略図で示せ。　（三級）
　(1)　宇高東航路　　　　(2)　明石海峡航路
　〔ヒント〕(1)　宇高東航路を南航する船舶（図は省略）
　　　　　(2)　明石海峡航路を左側航行する船舶（図は省略）

272　　　　　　　　第２編　海上交通安全法

＜備讃瀬戸・水島・宇高航路＞

問　次の(1)及び(2)の場合，避航船となるのはそれぞれどちらの船か。ただし，甲，乙，丙及び丁の各船とも巨大船以外の一般動力船である。　　　　　　　　　　　　　（三級）
　(1)　備讃瀬戸東航路をこれに沿って西行している甲船と宇高西航路をこれに沿って航行している乙船とが，両航路の交差部において衝突するおそれがある場合
　(2)　備讃瀬戸北航路をこれに沿って航行している丙船と水島航路をこれに沿って南行している丁船とが，両航路の交差部において衝突するおそれがある場合
〔ヒント〕(1)　甲船　　　(2)　丁船

問　宇高東航路又は宇高西航路をこれに沿って航行している船舶と備讃瀬戸東航路をこれに沿って航行している巨大船とが衝突するおそれがあるときは，どちらの船舶が避航しなければならないか。　　　　　　　　　　　　　　　　　　　　　　　　　（四級）
〔ヒント〕宇高東航路又は宇高西航路をこれに沿って航行している船舶（第17条第１項）

問　巨大船以外の一般動力船は，備讃瀬戸南航路をこれに沿って航行している場合であっても，どのように航行し又は航行しようとしているどんな船舶（漁ろう船等を除く。）に対して避航義務を負うか。　　　　　　　　　　　　　　　　　　　　　（三級）
〔ヒント〕備讃瀬戸南航路（東行）から水島航路に入ろうとしており，又は水島航路から備讃瀬戸南航路（東行）に入ろうとしている巨大船

問　水島航路をこれに沿って南行する巨大船以外の一般動力船が，備讃瀬戸北航路をこれに沿って航行している巨大船以外の一般動力船と衝突するおそれがあるときは，どちらの船が避航船となるか。　　　　　　　　　　　　　　　　　　　　　　（五級）
〔ヒント〕水島航路南行の一般動力船（第19条第１項）

問　水島航路をこれに沿って航行している漁ろう船Ｃ丸と備諸瀬戸北航路をこれに沿って西行している巨大船Ｄ丸とが，衝突するおそれがあるときは，どちらが避航船となるか。　　　　　　　　　　　　　　　　　　　　　　　　　　　　　　　　（三級）
〔ヒント〕Ｃ丸（第19条第２項）

問　水島航路をこれに沿って航行している船舶と備讃瀬戸北航路をこれに沿って航行している船舶とが，衝突するおそれがあるときは，どちらの船舶が避航船となるか。ただし，両船とも巨大船以外の一般動力船である。　　　　　　　　　　　　　（三級）
〔ヒント〕水島航路をこれに沿って航行している船舶

問　水島航路三ツ子島管制信号所におけるＳの文字の点滅は，何を意味するか。（四級）

〔**ヒント**〕水島航路を北の方向に航行しようとする70メートル以上の船舶（巨大船を除く。）は，航路外で待機しなければならない。（§2-2-28表）

問 備讃瀬戸東航路において，航路の横断が禁止されているのはどの付近か。　（四級）
〔**ヒント**〕（§2-2-10）

＜来島海峡航路＞

問 来島海峡航路において，航路航行義務船が次の汽笛信号を行わなければならないのは，それぞれどのような場合か。
(1) 長音 2 回　　　　(2) 長音 3 回　　　　　　　　　　（四級，三級）
〔**ヒント**〕(1) 汽笛を備えている船舶が，潮流信号により転流することが予告され，西水道の通過中に転流すると予想されるとき。（第21条第 1 項）
　　　　　(2) 汽笛を備えている船舶が，西水道から小島・波止浜間の水道へ出ようとするとき，又は同水道から西水道に入ろうとするとき。（第21条第 1 項）

問 海上交通安全法に関する以下の問いに答えよ。
(1) 来島海峡航路において，順潮の場合であっても西水道を航行することができるのは，どのように航行しようとする船か。
(2) 来島海峡中水道を来島海峡航路に沿って航行する船は，どのようなときに，どんな汽笛信号を行わなければならないか。　　　　　　　　　　　（三級）
〔**ヒント**〕(1) 西水道を航行して小島・波止浜間の水道へ出ようとする船舶又は小島・波止浜間の水道から来島海峡航路に入って西水道を航行しようとする船舶。
　　　　　(2) ① 潮流信号により転流することが予告され，中水道の通過中に転流すると予想されるときに，津島一ノ瀬鼻又は竜神島並航時から中水道を通過し終わるまで。
　　　　　　　② 長音 1 回

問 来島海峡航路の全区間を航路に沿って航行する船は，来島海峡の潮流の順逆によってどの水道を航行しなければならないか。　　　　　　　　　　　　（五級）
〔**ヒント**〕順潮時は中水道，逆潮時は西水道

問 来島海峡航路の西水道を経由して航行する船は，どこに近寄って航行しなければならないか。　　　　　　　　　　　　　　　　　　　　　　　　　（四級）
〔**ヒント**〕できる限り四国側に近寄って航行

274　　　　　　　第2編　海上交通安全法

問　北流時，来島海峡航路をこれに沿って西水道を東行しようとする汽船A丸と，今治
　から東水道に向かって航行している汽船B丸とが，衝突するおそれがある場合，避航
　船となるのはどちらか。また，それはなぜか。　　　　　　　　　　　　　（三級）
　〔**ヒント**〕①　B丸
　　　　　　　②　A丸は航路をこれに沿って航行している船舶であり，また，B丸は航路
　　　　　　　　を横断しようとしている船舶であるから，第3条（避航等）第1項の適用
　　　　　　　　による。

問　阪神港から関門港に向かう船舶は，来島海峡航路において，逆潮の場合はどの水道
　を航行するか。また，その場合は，できる限りどこに近寄って航行しなければならな
　いか。　　　　　　　　　　　　　　　　　　　　　　　　　　　　　　　（五級）
　〔**ヒント**〕①　西水道　　　②　四国側

問　来島海峡航路における最低速力の保持に関する規定は，どんな場合に，どんな速力
　を保持しなければならないと定めているか。また，同規定を定めた理由を述べよ。
　　　　　　　　　　　　　　　　　　　　　　　　　　　　　　　　　　　（四級）
　〔**ヒント**〕①　逆潮の場合に，潮流の速度に4ノットを加えた速力以上の速力（則第9
　　　　　　　　条第1項）
　　　　　　　②　§2-2-35（5）

問　来島海峡航路を航行している船舶に対して，海上保安庁長官から特別な航法を指示
　されることがあるが，それはどんな場合に指示されるか。　　　　　　　　（三級）
　〔**ヒント**〕§2-2-35の3

問　来島海峡西水道を来島海峡航路に沿って南行している船舶は，小島・波止浜間の水
　道に向かって西水道に入って来る反航船と，左右どちらのげんを相対して航過すれば
　よいか。　　　　　　　　　　　　　　　　　　　　　　　　　　　　　　（三級）
　〔**ヒント**〕右舷対右舷

第3編　港　則　法

$$\left(\begin{array}{ll}\text{昭和23年 7 月15日} & \text{法律第174号} \\ \text{最近改正　令和 4 年 6 月17日} & \text{法律第 68号}\end{array}\right)$$

第1章　総　　則

第1条　法律の目的

> **第1条**　この法律は，港内における船舶交通の安全及び港内の整とんを図ることを目的とする。

§3-1-1　港則法の目的（第1条）

本条は，次のとおり港則法の目的を定めたもので，同法を解釈し，又は運用する場合の一定の基準を示したものである。

(1)　港内における船舶交通の安全を図ること。

　　「船舶交通」とは，船舶の航行だけでなく，錨泊や係留などを含んだ広い意味の交通である。

(2)　港内の整とんを図ること。

§3-1-2　港則法と予防法との優先関係

予防法第41条第1項の規定に「船舶の衝突予防に関し遵守すべき航法，灯火又は形象物の表示，信号その他運航に関する事項であって，港則法又は海上交通安全法の定めるものについては，これらの法律の定めるところによる。」と定めているとおり，港則法は予防法の特例であって，港則法の適用される港においては，同法が予防法に優先して適用される。

また，予防法第40条は，予防法の一定の規定が港則法の航法等の事項についても適用又は準用されることを明示し，解釈に疑義を生じないようにしている。（§1-5-6参照）

276   第3編 港　則　法

第2条　港及びその区域

> **第2条**　この法律を適用する港及びその区域は，政令で定める。

§3-1-3　港及びその区域（第2条）

　港則法を適用する港及びその区域は，「政令」，すなわち港則法施行令（以下，本編において「施行令」又は「令」と略する。）第1条・別表第1に定められている。

（具体例）

施行令・別表第1（令第1条関係）　　　　　　　　　　　　　　　（港及びその区域）

都道府県	港　名	港　　　の　　　区　　　域
北 海 道	小　樽	平磯岬から茅柴岬まで引いた線及び陸岸により囲まれた海面

　適用港の数は，現在500港である。

第3条　定　　義

> **第3条**　この法律において「汽艇等」とは，汽艇（総トン数20トン未満の汽船をいう。），はしけ及び端舟その他ろかいのみをもって運転し，又は主としてろかいをもって運転する船舶をいう。
>
> 2　この法律において「特定港」とは，喫水の深い船舶が出入できる港又は外国船舶が常時出入する港であって，政令で定めるものをいう。
>
> 3　この法律において「指定港」とは，指定海域（海上交通安全法（昭和47年法律第115号）第2条第4項に規定する指定海域をいう。以下同じ。）に隣接する港のうち，レーダーその他の設備により当該港内における船舶交通を一体的に把握することができる状況にあるものであって，非常災害が発生した場合に当該指定海域と一体的に船舶交通の危険を防止する必要があるものとして政令で定めるものをいう。

第1章 総　則（§3-1-4）　　　277

§3-1-4　汽艇等，特定港及び指定港の定義（第3条）

（1）　汽艇等（第1項）

　　「汽艇等」とは，次の船舶をいう。

　⑴　汽艇

　　　総トン数20トン未満の汽船で，例えば，交通艇，水先艇，綱取りボートなどがこれに該当する。

　⑵　はしけ

　　　これは，港内又は港の境界付近で停泊船舶と陸岸との間の貨物の運搬などに用いられる無動力か多少の動力を持っている船舶のことである。

　　　はしけの大きさには，相当大きいものがある。

　⑶　端舟その他ろかいのみをもって運転し，又は主としてろかいをもって運転する船舶

　　　汽艇等は，港則法において特別に設けられた船舶の種類で，港内の船舶交通の安全上及び港内の整とん上，一般船舶と異なる取扱いを受けることになる。（後述）

（2）　特定港（第2項）

　　「特定港」とは，次のいずれかに該当する港であって，政令（令第2条・別表第2）で定めるものをいう

　　　1．喫水の深い船舶が出入できる港

　　　2．外国船舶が常時出入する港

　　特定港は，現在，次の表に掲げる87港が定められている。特定港には，港長が置かれている。

施行令・別表第2（令第2条関係）　　　　　　　　　　　　　　　　（特定港）

都道府県	特　　定　　港
北　海　道	根室，釧路，苫小牧，室蘭，函館，小樽，石狩湾，留萌，稚内
青　森　県	青森，むつ小川原，八戸
岩　手　県	釜石
宮　城　県	石巻，仙台塩釜
秋　田　県	秋田船川
山　形　県	酒田
福　島　県	相馬，小名浜

茨 城 県	日立，鹿島
千 葉 県	木更津，千葉
東 京 都 神 奈 川 県	京浜
神 奈 川 県	横須賀
新 潟 県	直江津，新潟，両津
富 山 県	伏木富山
石 川 県	七尾，金沢
福 井 県	敦賀，福井
静 岡 県	田子の浦，清水
愛 知 県	三河，衣浦（きぬうら），名古屋
三 重 県	四日市
京 都 府	宮津，舞鶴
大 阪 府	阪南，泉州
大 阪 府 兵 庫 県	阪神
兵 庫 県	東播磨，姫路
和 歌 山 県	田辺，和歌山下津
鳥 取 県 島 根 県	境
島 根 県	浜田
岡 山 県	宇野，水島
広 島 県	福山，尾道糸崎，呉，広島
山 口 県	岩国，柳井，徳山下松（とくやまくだまつ），三田尻中関，宇部，萩
山 口 県 福 岡 県	関門
徳 島 県	徳島小松島
香 川 県	坂出，高松
愛 媛 県	松山，今治，新居浜，三島川之江
高 知 県	高知
福 岡 県	博多，三池

佐　賀　県	唐津
佐　賀　県 長　崎　県	伊万里
長　崎　県	長崎，佐世保，厳原^{いずはら}
熊　本　県	八代，三角^{みすみ}
大　分　県	大分
宮　崎　県	細島
鹿 児 島 県	鹿児島，喜入，名瀬
沖　縄　県	金武中城^{きんなかぐすく}，那覇

（3）　指定港（第3項）

　　「指定港」とは，次の1及び2のいずれにも該当する港であって，大津波
の発生，大型タンカーからの大量の危険物流出，大規模火災等の非常災害が
発生した場合に，船舶を迅速かつ円滑に安全な海域に避難させること等によ
り，海交法に規定する指定海域と一体的に船舶交通の危険を防止する必要が
あるものとして，政令（施行令第3条・別表第3）で定めるものをいう。

　　1．海上交通安全法第2条第4項に規定する指定海域に隣接する港

　　　　指定海域については，§2-1-6参照。

　　2．レーダーその他の設備により港内における船舶交通を一体的に把握す
　　　ることができる状況にある港

施行令・別表第3（令第3条関係）

都 道 府 県	指　　　　　定　　　　　港
千　葉　県	館山，木更津，千葉
東　京　都 神 奈 川 県	京浜
神 奈 川 県	横須賀

〔注〕 **港長とは**

　港則法は，入出港の届け出や工事の許可申請等の手続き，港内における船舶交通の安全確保のための指示または勧告等について港長の職権を定めている。当然のことながら，港長とはこのように，港内における船舶交通の安全及び港内の整とんに関する職務を行う者であり，港湾施設の管理者とは異なる。具体的には，港長には海上保安部等の長があたる。

　（参考）

　海上保安庁法（昭和23年法律第28号）

　第21条　海上保安庁長官は，海上保安官の中から港長を命ずる。

　2　港長は，海上保安庁長官の指揮監督を受け，港則に関する法令に規定する事
　　務を掌る。

〔注〕 **NACCS による電子申請手続きについて**

　第4条の入出港の届出など港則法に定める一定の届出・申請・願・通報は，インターネットを利用した電子手続きによっても行うことができる。当初は，海上保安庁及び港湾管理者等，船舶の入出港に関係する複数の行政機関に対する申請や届出等の手続きを，一度の入力・送信で同時に可能にした港湾 EDI（Electronic Data Interchange）システムとして運用されたが，平成20年に，海上貨物の通関等情報処理システムであった旧 Sea-NACCS と統合した。その後，Sea-NACCS は，航空貨物を対象とした Air-NACCS と統合し，更に検疫等も含めた関係省庁の申請窓口を一元化したシステムになり，現在は NACCS（Nippon Automated Cargo and Port Consolidated System）として運用されている。同システムは，輸出入・港湾関連情報処理センター（株）が運営管理を行っており，業務の簡素化・効率化・迅速化を図るもので，多くの関係者の利用が望まれている。

　　NACCS センターホームページ　　http://www.naccs.jp/

　　TEL：0120-794-550（担当ヘルプデスク）

281

第2章　入出港及び停泊

第4条　入出港の届出

> **第4条**　船舶は，特定港に入港したとき又は特定港を出港しようとするときは，国土交通省令の定めるところにより，港長に届け出なければならない。

§3-2-1　入出港の届出（第4条）
本条は，入出港（特定港）の届出について定めたものである。

港長への届出は，「国土交通省令」すなわち港則法施行規則（以下，「施行規則」又は「則」と略する。）に，次のとおり（要旨）定められている。

（1）　入出港の届出の区分（則第1条）
 ⑴　①　特定港に入港したときは，遅滞なく，入港届を提出する。

  ②　特定港を出港しようとするときは，出港届を提出する。

 ⑵　特定港に入港した場合に出港の日時があらかじめ定まっているときは，入出港届を提出してもよい。

 ⑶　⑵の入出港届の提出後に，出港の日時に変更があったときは，遅滞なく，その旨を届け出る。

 ⑷　特定港内に操業などの本拠を有する漁船は，1月間の予定など所定の事項を記載した書面を提出してもよい。

 ⑸　避難その他船舶の事故などによるやむを得ない事情で特定港に入港又は出港をしようとするときは，上記の各届出に代えて，その旨を港長に届け出てもよい。（例えば，VHFで届け出る。）

 〔注〕⑴　入出港の届出の書式は，施行規則第1条に定められている。

  ⑵　入出港の届出など港則法に定める一定の届出・申請・願・通報は，NACCSによる電子申請手続によっても行うことができる。*p*.280〔注〕を参照のこと。

（2）　入出港の届出をすることを要しない船舶（則第2条・第21条）
 ⑴　総トン数20トン未満の船舶及び端舟その他ろかいのみをもって運転し，又は主としてろかいをもって運転する船舶

 ⑵　平水区域を航行区域とする船舶

 ⑶　旅客定期航路事業に使用される船舶であって一定のもの

 ⑷　あらかじめ港長の許可を受けた場合（則第21条）

第5条　びょう地

> **第5条**　特定港内に停泊する船舶は，国土交通省令の定めるところにより，各々そのトン数又は積載物の種類に従い，当該特定港内の一定の区域内に停泊しなければならない。
>
> 2　国土交通省令の定める船舶は，国土交通省令の定める特定港内に停泊しようとするときは，けい船浮標，さん橋，岸壁その他船舶がけい留する施設（以下「けい留施設」という。）にけい留する場合の外，港長からびょう泊すべき場所（以下「びょう地」という。）の指定を受けなければならない。この場合には，港長は，特別の事情がない限り，前項に規定する一定の区域内においてびょう地を指定しなければならない。
>
> 3　前項に規定する特定港以外の特定港でも，港長は，特に必要があると認めるときは，入港船舶に対しびょう地を指定することができる。
>
> 4　前二項の規定により，びょう地の指定を受けた船舶は，第1項の規定にかかわらず，当該びょう地に停泊しなければならない。
>
> 5　特定港のけい留施設の管理者は，当該けい留施設を船舶のけい留の用に供するときは，国土交通省令の定めるところにより，その旨をあらかじめ港長に届け出なければならない。
>
> 6　港長は，船舶交通の安全のため必要があると認めるときは，特定港のけい留施設の管理者に対し，当該けい留施設を船舶のけい留の用に供することを制限し，又は禁止することができる。
>
> 7　港長及び特定港のけい留施設の管理者は，びょう地の指定又はけい留施設の使用に関し船舶との間に行う信号その他の通信について，互いに便宜を供与しなければならない。

§3-2-2　錨　地（第5条）

本条は，特定港はふくそうするので船舶交通の安全と港内の整とんを図るため，①一定の区域内に停泊すること，②錨地の指定，③係留施設への係留などについて定めたものである。

（1）　特定港の一定の区域内に停泊すること（第1項）

　　「一定の区域（港区）」及びその区域に「停泊すべき船舶」は，施行規則第3条・別表第1に定められている。

第2章　入出港及び停泊（§3-2-2）　　　283

（具体例）

施行規則・別表第1（則第3条関係）　　　　　　　　　　　（港区）

港の名称	港　区	境　　　　界	停泊すべき船舶
松　山	第1区	興居島神埼から白石鼻まで引いた線，同島黒埼から松山港防波堤灯台まで引いた線及び陸岸により囲まれた海面	各種船舶及び係留施設に係留する場合における危険物を積載した船舶
	第2区	第1区を除いた港域内海面	各種船舶及び危険物を積載した船舶

（備考）　各種船舶とは，危険物を積載した船舶以外の船舶をいう。

〔**注**〕　「停泊」の意味は，錨泊や係船浮標に係留するほか，さん橋，岸壁その他船舶が係留する施設に係留することも含んだものである。

（2）　錨地の指定（第2項～第4項）

⑴　国土交通省令で定める特定港における錨地の指定（第2項）

　　錨地の指定を受けなければならない「国土交通省令で定める船舶」及び錨地を指定される「国土交通省令で定める特定港」は，次のとおりである。

　　この錨地は，特別な事情がない限り，第1項の停泊区域内に指定される。

　　①　国土交通省令で定める船舶……総トン数500トン（関門港若松区においては，総トン数300トン）以上の船舶（阪神港尼崎西宮芦屋区に停泊しようとする船舶を除く。）　　　　　　　　　　　　　（則第4条第1項）

　　　　〔**注**〕　これらの大きさ以外の船舶に対しても，港長は特に必要があると認めるときは，錨地を指定することができることになっている。（則第4条第2項）

　　②　国土交通省令で定める特定港……京浜港，阪神港，関門港（3港）
　　　　　　　　　　　　　　　　　　　　　　　　　　　　（則第4条第3項）

⑵　国土交通省令で定める特定港以外の特定港における錨地の指定（第3項）

　　上記②の「国土交通省令で定める特定港」以外の特定港でも，港長は，特に必要があると認めるときは，錨地を指定することができる。

⑶　港長の錨地指定権の優先（第4項）

　　錨地は，特別な事情がある場合，第1項に定める港区と異なるところに指定されることがあるが，この場合は，第1項の規定にかかわらず，港長の錨地指定権が優先するので，その指定錨地に停泊しなければならない。

（3）　係留施設への係留（第5項～第6項）

⑴　管理者の港長への届出（第5項）

　　特定港の係留施設の管理者（例えば，阪神港神戸区においては多くの係

留施設を神戸市が管理。）は，総トン数500トン（関門港若松区においては，総トン数300トン）以上の船舶を係留の用に供するときは，国土交通省令で定めるところにより，一定の場合（港長の許可を受けた場合など。）を除き，次の事項をあらかじめ港長に届け出なければならない。

① 係留施設の名称
② 係留の時期又は期間
③ 船舶の国籍，船種，船名，総トン数，長さ及び最大喫水
④ 揚荷又は積荷の種類及び数量　　（則第4条第4項・第5項，第21条）

(2) 係留施設の使用の制限（第6項）

　港長は，船舶交通の安全のため，係留施設の使用を制限し，又は禁止する権限が与えられている。

(4) 錨地指定等の通信についての港長・管理者間の便宜併与（第7項）

　錨地の指定又は係留施設の使用に関する通信は，信号，無線通信などによって行われるが，港長と管理者が別個に信号所を設けることは無駄であり，また船舶にとっても煩雑なことであるので，互いに便宜を供与することを定めたものである。

(備考)　第5条に「国土交通省令の定める」とあるが，条項の改正されたところでは，「国土交通省令で定める」と改まったので，解説においては，すべて後者の文言を用いることとした。枠内に示した条文は，すべて法令と同じである。

〔注〕　**船舶と港長との間の無線通信による連絡に関する告示**（昭和44年海上保安庁告示第205号，最近改正平成31年同告示第21号）

　この告示は，第5条の錨地の指定その他船舶・港長間の連絡について，則第5条第2項・第3項により定められたものである。

　同告示は，船舶が，次に掲げる連絡事項（要旨）に関し，港長（一定の港）と超短波無線電話（**VHF** 無線電話）により連絡することについて定めたものである。

(イ) 入港通報に関すること。
(ロ) 避難その他船舶の事故等によるやむを得ない事情に係る入港又は出港をしようとするときの届出に関すること。
(ハ) 錨地の指定に関すること。
(ニ) 海難を避けようとする場合その他やむを得ない事由のある場合に移動したときの届出に関すること。
(ホ) 航行管制に関すること。
(ヘ) 危険物積載船舶に対する指揮に関すること。

第2章　入出港及び停泊（§3-2-3）　　285

- (ト)　港内又は港の境界付近において発生した海難に関する危険予防のための措置の報告に関すること。
- (チ)　航路障害物の発見及び航路標識の異常の届出に関すること。
- (リ)　検疫法（第6条）に基づく通報及び植物防疫法（第8条）・家畜伝染病予防法（第40条～第41条）に基づく検査等に係る通報に関すること。

第6条　移動の制限

> 第6条　汽艇等以外の船舶は，第4条，次条第1項，第9条及び第22条の場合を除いて，港長の許可を受けなければ，前条第1項の規定により停泊した一定の区域外に移動し，又は港長から指定されたびょう地から移動してはならない。ただし，海難を避けようとする場合その他やむを得ない事由のある場合は，この限りでない。
>
> 2　前項ただし書の規定により移動したときは，当該船舶は，遅滞なくその旨を港長に届け出なければならない。

§3-2-3　移動の制限（第6条）

本条は，船舶が自船の都合のみで停泊場所から移動すると，港長は港内の交通状況を把握できず，入港船舶の停泊に混乱を生じさせ，船舶交通の安全と港内の整とんの妨げとなるので，汽艇等以外の船舶に対し，原則として移動を禁止したものである。

(1)　移動の制限（第1項）

汽艇等以外の船舶は，次に掲げる場合を除いて，港長の許可を受けなければ，停泊した港区又は港長の指定した錨地から移動してはならない。

- (1)　出港の届出をした場合（第4条）
- (2)　修繕又は係船の届出をした場合（第7条第1項）
- (3)　港長から移動を命ぜられた場合（台風時の退避命令など。）（第9条）
- (4)　危険物の荷役又は運搬の許可を受けた場合（第22条）
- (5)　海難を避けようとする場合（本条第1項ただし書）
- (6)　その他やむを得ない事由がある場合（人命の救助など。）（本条第1項ただし書）

(2)　海難を避けるためなどで移動したときの届出（第2項）

前記(5)及び(6)のただし書規定により移動したときは，やむを得ず許可を受

286 第3編 港 則 法

ける時間のなかったときであるから，事後遅滞なく，その旨を港長に届け出
る義務が課せられている。

第7条 修繕及び係船

> **第7条** 特定港内においては，汽艇等以外の船舶を修繕し，又は係船しようとする
> 者は，その旨を港長に届け出なければならない。
> 2 修繕中又は係船中の船舶は，特定港内においては，港長の指定する場所に停泊
> しなければならない。
> 3 港長は，危険を防止するため必要があると認めるときは，修繕中又は係船中の
> 船舶に対し，必要な員数の船員の乗船を命ずることができる。

§3-2-4 修繕及び係船 (第7条)

本条は，修繕中又は係船中の船舶は安全に運航することができない状態にあ
るから，船舶交通の安全及び港内の整とんの観点から，次のことを定めたもの
である。

（1） 特定港においては，汽艇等以外の船舶の修繕又は係船は，港長に届け出
ること。（第1項）
　1．「修繕」とは，急に移動しなければならないとき運航に支障を来たすよ
　うな修繕をいう。例えば，外板の取替えや主機関の分解修理などである。
　2．「係船」とは，船舶安全法の規定によって，船舶検査証書を管海官庁に
　返納して航行の用に供しないことである。係留の意味ではない。
（2） 特定港においては，港長の指定する場所に停泊すること。（第2項）
（3） 港長は，危険防止のため，必要な員数の船員の乗船を命ずることができ
ること。（第3項）

第8条 係留等の制限

> **第8条** 汽艇等及びいかだは，港内においては，みだりにこれを係船浮標若しくは
> 他の船舶に係留し，又は他の船舶の交通の妨げとなるおそれのある場所に停泊さ
> せ，若しくは停留させてはならない。

第2章　入出港及び停泊（§3-2-5）　　　287

§3-2-5　汽艇等及びいかだの係留等の制限（第8条）

　汽艇等は港内に多数存在してひんぱんに往来し，また，いかだ（筏）は広い水面を占めるものであるから，これらがみだりに行動をすると，他の船舶の港内における航行や停泊に多大な支障を来たすことになる。

　したがって，本条は，汽艇等及びいかだに対し，すべての適用港において，係留等を制限するため，次のことを定めたものである。

（1）　みだりに係船浮標又は他の船舶に係留してはならない。

（2）　みだりに他の船舶の交通の妨げとなるおそれのある場所に停泊させ，又は停留させてはならない。

　〔注〕　「停留」の意味については，§2-2-2〔注〕を参照のこと。

第9条　移動命令

第9条　港長は，特に必要があると認めるときは，特定港内に停泊する船舶に対して移動を命ずることができる。

§3-2-6　移動命令（第9条）

　本条は，海難を未然に防止するために，停泊船舶に対する港長の移動命令権を定めたものである。

　特定港内の停泊船舶に対して移動を命ずることができる「特に必要があると認めるとき」とは，次のようなときである。

　⑴　台風襲来の公算が大であるため，船舶を港外に退避させる場合

　⑵　港内に火災が発生し，付近の船舶を退避させる必要がある場合

　⑶　津波警報が発せられ，港内に停泊することが危険であると認める場合

第10条　停泊の制限

第10条　港内における船舶の停泊及び停留を禁止する場所又は停泊の方法について必要な事項は，国土交通省令でこれを定める。

§3-2-7 停泊の制限（第10条）

さきの第8条は汽艇等及びいかだに関しての「係留等の制限」について規定したものであるが，本条は，船舶全般に関して「停泊の制限」について必要な事項を国土交通省令に委任することを定めたものである。

国土交通省令（施行規則）は，停泊の制限について，次の事項を定めている。

（1）みだりに錨泊又は停留してはならない場所（則第6条）

  ⑴ ふとう，さん橋，岸壁，係船浮標及びドックの付近

  ⑵ 河川，運河その他狭い水路及び船だまりの入口付近

（2）異常な気象又は海象により，当該船舶の安全の確保に支障が生ずるおそれがあるときの準備（則第7条）

  ⑴ 適当な予備錨を投下する準備をしなければならない。

  ⑵ 停泊船舶が汽船であるときは，蒸気の発生その他直ちに運航できる準備をしなければならない。

（3）錨泊の方法（則第36条）

  錨泊の方法について定められているのは，現在関門港のみで，次のとおり定めている。

  港長は，必要があると認めるときは，関門港内に錨泊する船舶に対し，双錨泊を命ずることができる。

  この双錨泊の規定は，錨泊船の振れ回りを小さくすることにより，船舶のふくそうする狭い同港における船舶交通の安全を図るとともに，港内を整とんして，より多くの船舶を錨泊させるためである。

（4）錨泊等の制限（則第23条，第26条，第42条，第48条，第49条）

  次の港においては，一定の海面・水面において，海難を避ける等の場合を除いて，錨泊し，又は曳航している船舶その他の物件を放すことを禁止している。

  鹿島港，京浜港，高松港，細島港，那覇港

（5）停泊の制限（則第25条，第30条，第34条，第47条）

  次の港においては，一定の海面・水面において，はしけや船舶を他の船舶の船側に係留するときの縦列の数を制限し，あるいは可航幅を確保するため船舶やいかだの停泊・停留する水域を制限したり，船舶を他の船舶の船側に係留することを禁止することなどを定めている。

  京浜港，阪神港，尾道糸崎港，細島港

第3章　航路及び航法

第11条～第12条　航　路

> **第11条**　汽艇等以外の船舶は，特定港に出入し，又は特定港を通過するには，国土交通省令で定める航路（次条から第39条まで及び第41条において単に「航路」という。）によらなければならない。ただし，海難を避けようとする場合その他やむを得ない事由のある場合は，この限りでない。

§3-3-1　航路による義務（第11条）

　本条は，船舶交通のふくそうする一定の特定港に船舶の通路として「航路」を設け，航路航法（第13条）などと相まって船舶交通の安全を図ることにしている。しかし船舶がせっかく設けた航路を通らなければ，その目的を達することができないので，汽艇等以外の船舶に対し，①特定港に出入し，又は②特定港を通過するには，航路によらなければならない義務を課したものである。

（1）　国土交通省令で定める航路

　　国土交通省令（施行規則第8条・別表第2）は，港の名称，航路の区域及び特定条件について定めている。

　（具体例）

　　施行規則・別表第2（則第8条関係）　　　　　　　　　　（航路）

港の名称	航　路　の　区　域	特　定　条　件
青　森	第1号の地点から第2号の地点まで引いた線と第3号の地点から第4号の地点まで引いた線との間の海面 　　(1)　新北防波堤東端から264度1,400メートルの地点 　　(2)　新北防波堤東端から340度30分1,715メートルの地点 　　(3)　新北防波堤東端から277度1,930メートルの地点 　　(4)　新北防波堤東端から329度30分1,880メートルの地点	総トン数500トン未満の船舶は，本航路によらないことができる。

　〔注〕　1．航路の区域は，港区（第5条第1項）と重複しないように定められている。すなわち，港区から除かれている。

　　　　2．航路は，海図に記載されている。

　　　　3．特定条件のある航路を持つ特定港は，青森港と千葉港のみである。

290　　　　　　　　　第3編　港　　則　　法

（2）　「航路による」の意味

　　「航路による」とは，航路の1つの出入口から入り他の出入口から出て航
路の全部を通るか，又は航路の側方に停泊場所があるような場合には航路の
一部を安全であり実行に適する範囲において通ることである。

　　航路に入る場合には，次のことに注意しなければならない。

　1．航路の出入口から航路に入る場合

　　　出入口から相当の距離を隔てたところから航路の方向に向かう態勢で入
るべきで，出入口近くで大角度の転針を行って入ってはならない。

　2．航路の側方から航路に入る場合

　　　航路に入ろうとすることが他船によく分かるように，また航路内で大角
度の転針をしなくても航路の方向に向かえるように，航路に対しできる限
り小さい角度で入るべきである。

（3）　航路によらないことができる場合（ただし書）

　　航路による義務は，ただし書規定により，次の場合には，この限りでない。
つまり，航路によらないことができる。

　⑴　海難を避けようとする場合

　⑵　その他やむを得ない事由のある場合（例えば，人命の救助。）

第12条　船舶は，航路内においては，次に掲げる場合を除いては，投びょうし，又
　はえい航している船舶を放してはならない。

　⑴　海難を避けようとするとき。

　⑵　運転の自由を失ったとき。

　⑶　人命又は急迫した危険のある船舶の救助に従事するとき。

　⑷　第31条の規定による港長の許可を受けて工事又は作業に従事するとき。

---

§3-3-2　航路内における投錨等の制限（第12条）

　本条は，当然のことながら，船舶の通路である航路において船舶交通の障害
となる投錨等の行為を原則として禁止したものである。

（1）　航路内における投錨等の禁止

　　船舶は，航路内においては，次の行為をしてはならない。

　⑴　投錨すること。

　⑵　曳航している船舶を放すこと。

　　「投錨禁止」は，単に航路内に投錨しなければよいということではなく，

第3章　航路及び航法（§3-3-3）　　　　291

航路外であっても，それが航路至近であるときは，船体が振れ回って航路に
かかり船舶の航路航行を妨げることになるから，このような投描もしてはな
らない。
（2）　適用除外
　　　航路内における投錨禁止等が適用除外となるのは，次の場合である。
⑴　海難を避けようとするとき。
⑵　運転の自由を失ったとき。
⑶　人命又は急迫した危険のある船舶の救助に従事するとき。
⑷　港長の許可（第31条）を受けて工事又は作業に従事するとき。

第13条～第19条　航　　法

> **第13条**　航路外から航路に入り，又は航路から航路外に出ようとする船舶は，航路
> 　　を航行する他の船舶の進路を避けなければならない。
> **2**　船舶は，航路内においては，並列して航行してはならない。
> **3**　船舶は，航路内において，他の船舶と行き会うときは，右側を航行しなければ
> 　　ならない。
> **4**　船舶は，航路内においては，他の船舶を追い越してはならない。

§3-3-3　航路航行船の優先（第1項）

　　第13条（第1項～第4項）は，航路は幅が極めて狭く交通量の多いところで
あるから，予防法の航法のみでは船舶交通の安全を期し難いので，特別な航法
として，次の4つの航路航法を定めたものである。
⑴　航路航行船の優先（第1項）
⑵　並列航行の禁止（第2項）
⑶　行き会うときの右側航行（第3項）
⑷　追越しの禁止（第4項）
　　第1項は，航路を航行する船舶を優先させ，航路外から航路に入り，又は航
路から航路外に出ようとする船舶に避航義務を課したものである。（図3・1）
1．「航路を航行する」とは，船舶の進路が航路とほぼ同じ方向に向いて航路
　　内を航行することをいい，航路内を斜航しているような場合は，これに該当
　　しない。海交法の「航路をこれに沿って航行している」と同じ意味である。

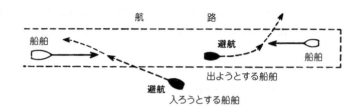

図 3・1 航路航行船の優先

2．航路出入船（避航船）に対して，航路航行船は，保持船となる。

　その理由は，港則法が航路出入船の避航義務を規定しているのみで，航路航行船については，なんら規定していないので，一般法である予防法第17条（保持船）の規定を補充的に適用するからである。

　なお，これについて，予防法第40条は，この航路航行船に予防法第17条（保持船）の規定が適用される旨を明示している。（§1-5-6参照）

　しかし，ふくそうする狭い港内を航行している場合であるから，航路航行船は運航上針路又は速力を変更しなければならないことも起こり得るが，これはやむを得ないことであり，他船もこのことに十分に注意して動作をとらなければならない。

3．この規定は，一般法である予防法の横切り船の航法（予防法第15条第1項前段）や行会い船の航法（予防法第14条第1項）などの規定に当然優先する。

　例えば，一見横切りの状況になっても，予防法第15条第1項前段（横切り船）は適用されず，航路外から航路に入り，又は航路から航路外に出ようとする船舶が，常に避航義務を負うことになる。したがって，当然のことながら予防法第15条第1項前段の規定と相反する場合を生じる。

§3-3-4　航路内の並列航行の禁止（第2項）

　第13条第2項は，幅が極めて狭い航路において，並列して航行すると，2船間に接触の危険があり，更に第3船と行き会うと極めて危険であるので，並列航行を禁止したものである。

§3-3-5　航路内において行き会うときの右側航行（第3項）

　航路は，幅が極めて狭く，しかも側方には浅所や陸岸があったり停泊船舶や係船浮標が存在したりして周辺水域も狭く，かつ風潮流の影響も受けやすいた

め，予防法第9条第1項（狭い水道等に
おいては，安全であり，かつ実行に適す
る限り，右側端に寄って航行）の規定に
より難いので，第13条第3項は，常時で
はなく行き会うときに右側を航行するこ
とを定めたものである。（図3・2）

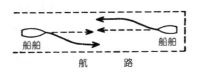
図 3・2 航路内で行き会うときは右側航行

1. 行き会うおそれのあるときと規定していないから，遠くから右側航行をする必要はなく，行き会うときに安全な距離のところから航路の右側を航行すればよい。なお，右転しているときには，操船信号を行う。
2. 他船と行き会わないときは，運航上必要ならば，航路の中央部でも，風浪の影響などによっては航路の左側でも全幅を利用して差し支えない。
3. この規定は，予防法の狭い水道等の航法（予防法第9条第1項）に優先して適用される。

§3-3-6　航路内の追越しの禁止（第4項）

予防法の追越し船の航法によると，追越し船は，他船を確実に追い越し十分に遠ざかるまで避航義務を負わされているから，安全に追い越す余地がなければ，追い越すことができない。航路は，一般に，幅が極めて狭く安全に追い越す余地の少ない水域であるから，第13条第4項は，航路内の追越しを禁止したものである。

第14条　港長は，地形，潮流その他の自然的条件及び船舶交通の状況を勘案して，航路を航行する船舶の航行に危険を生ずるおそれのあるものとして航路ごとに国土交通省令で定める場合において，航路を航行し，又は航行しようとする船舶の危険を防止するため必要があると認めるときは，当該船舶に対し，国土交通省令で定めるところにより，当該危険を防止するため必要な間航路外で待機すべき旨を指示することができる。

---

§3-3-6の2　危険防止のための航路外待機の指示（第14条）

本条は，自然的条件や船舶交通の状況による航路航行船の危険を防止するため，港長は，当該船舶に対し，必要な間，航路外で待機すべき旨を指示することができることを定めたものである。（図3・2の2）

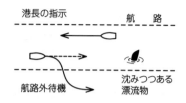

図 3・2の2　航路外待機の指示

(1) 航行に危険を生ずるおそれのある場合

航路航行船の「航行に危険を生ずるおそれのあるものとして航路ごとに国土交通省令で定める場合」とは，次のとおりである。（則第8条の2）

港長は，これらの場合において，当該船舶に対し，航路外待機を指示することができる。

航　路		危険を生ずるおそれのある場合
仙台塩釜港航路		視程が500メートル以下の状態で，総トン数500トン以上の船舶が航路を航行する場合
京浜港横浜航路		船舶の円滑な航行を妨げる停留その他の行為をしている船舶と航路を航行する長さ50メートル以上の他の船舶（総トン数500トン未満の船舶を除く。）との間に安全な間隔を確保することが困難となるおそれがある場合
関門港	関門航路	次の各号のいずれかに該当する場合 1．視程が500メートル以下の状態である場合 2．早鞆瀬戸において潮流を遡って航路を航行する船舶が潮流の速度に4ノットを加えた速力（対水速力をいう。）以上の速力を保つことができずに航行するおそれがある場合
	関門第2航路 砂津航路 戸畑航路 若松航路 奥洞海航路 安瀬航路	視程が500メートル以下の状態である場合

〔注〕　航路外待機の指示の対象となる航路は，現在のところ，上記の航路のみである。

(2) 危険防止のための航路外待機の指示

港長は，危険を防止するため必要な間航路外で待機すべき旨の指示を，海上保安庁長官が告示で定めるところにより，VHF無線電話その他適切な方法により行う。（則第8条の2）

〔注〕　港長の待機指示は，現場においては，委任により，港内管制官からなされる場合が多い。

> 第15条 汽船が港の防波堤の入口又は入口附近で他の汽船と出会う虞のあるときは，入航する汽船は，防波堤の外で出航する汽船の進路を避けなければならない。

§3-3-7 防波堤入口付近の航法（第15条）

　本条は，汽船が防波堤の入口又は入口付近で出会うおそれのあるときに同入口を一方通航とし，出航汽船を優先させる航法を定めたものである。

　出航汽船を優先させたのは，防波堤の入口又は入口付近は，①防波堤に挟まれた狭い水路を形成し，②入・出航船が集中して船舶交通量が多く，③潮流等の外力の影響が防波堤によって複雑に変化するなどの悪条件を持つ水域で，衝突の危険が発生しやすいところであるからである。

　したがって，同入口の航行を一方通航にすることによって，反航船と出会うことのないようにして，船舶交通の安全を図ろうとするものである。そして，一方通航の方法としては，出航汽船が防波堤内の狭いふくそう水域にあるのに対して，入航汽船は防波堤外の広い水域にあることから，入航汽船に防波堤外で避航する義務を課したものである。(図3・3)

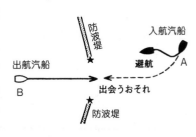

図 3・3　防波堤入口付近の航法

1．本条は，汽船のみに適用される航法規定である。「汽船」とは，予防法にいう動力船である。
2．「出会うおそれ」とは，衝突のおそれのあるときはもちろんのこと，入航汽船と出航汽船とが互いに出・入航の態勢の変化も考慮に入れながら判断して，防波堤の入口又は入口付近で最も接近して衝突のおそれを生ずる可能性のあることをいう。
3．「入航」とは，船舶が入港する場合のみでなく港内を移動する場合も含むすべての場合において，港の外方から内方へ向かって航行することである。また，「出航」とは，この逆に，内方から外方へ向かって航行することである。
4．防波堤入口付近の航法は，予防法の「行会い船の航法」や「横切り船の航法」に優先する。
　（具体例）
　　① 入航汽船と出航汽船が，一見行会いの状況となり，防波堤の入口付近

で出会うおそれがあっても，予防法第14条第１項は適用されず，港則法第15条により，入航汽船が，防波堤外で出航汽船を避航する義務を負う。
② 入航汽船と出航汽船が，一見横切りの状況となり，出航汽船が入航汽船を右舷側に見て，防波堤の入口付近で出会うおそれがあっても，予防法第15条第１項前段は適用されず，港則法第15条により，入航汽船が，防波堤の外で出航汽船を避航する義務を負う。

§3-3-8　入航汽船の注意すべき事項等

（1）　入航汽船が出航汽船を避航する場合の注意事項

1．出航汽船が入口を通過後，いずれの方向に進行しても衝突のおそれのない水域（少なくとも入口より出航汽船の長さの４倍程度の距離を隔てたところ）で待つ。

2．出航汽船に疑念を与えないよう，船首を同船の進路に向けないようにして待つ。

3．又は，機関を後進にかけ操船信号を行って動作をはっきり示す。

4．できれば出航汽船の進路の左側（入航汽船から見て入口の右方）の水域で待つ。

5．操船信号や警告信号，注意喚起信号などの励行，投錨用意，あるいはその他の港則法及び予防法の規定を遵守する。

6．避航した後，防波堤入口を通過するときは，入口に対しできる限り直角に近い角度で入航すべきであって，斜航することは危険である。また，他船に危険を及ぼさないような速力（第16条）で航行しなければならない。

（2）　防波堤入口に航路が設けられている場合の航法

防波堤入口及び入口付近に「航路」が設けられている場合に，出航汽船と入航汽船とが出会うおそれのあるときは，その航法は，第15条の規定が第14条第１項の規定に優先して適用される。

その理由は，防波堤入口又は入口付近は，この場合，航路のうちの特定な水域であるから，第13条第１項と第15条との関係は一般規定と特別規定との関係に立ち，特別規定が優先するからである。

第16条　船舶は，港内及び港の境界附近においては，他の船舶に危険を及ぼさないような速力で航行しなければならない。

2 帆船は，港内では，帆を減じ又は引船を用いて航行しなければならない。

§3-3-9　速力の制限等（第16条）
(1) 速力の制限（第1項）

　港内は水域が狭く船舶交通がふくそうするので，高速での航行は，航法上余裕のある動作をとることができず衝突の危険が増し，また，航走波によって舟艇や荷役中の船舶を動揺させたり，係留船の係留索を切断するなどの危険を発生させる。よって，当然ながら，速力を減じ安全な速力で航行しなければならず，第1項は，これを特に明文化したものである。

(2) 帆船の減帆又は引き船の使用（第2項）

　帆船も，第1項の規定により他の船舶に危険を及ぼさないような速力で航行しなければならないが，狭い港内で海洋と同様にすべての帆を上げて航行することは，自船のみならず他船をも危険な状態に陥れやすい。よって，第2項は，帆を用いる推進方法にかんがみ，特に帆船に対して，帆を減ずるか，引き船を用いて航行することを定めたものである。

〔注〕　帆船が，引き船を用いた場合は，「引き船・引かれ船一体の原則」により，その船列全体は，引き船（動力船）と同じ性格となり，1隻の動力船（汽船）とみなされる。（§1-3-23参照）

第17条　船舶は，港内においては，防波堤，ふとうその他の工作物の突端又は停泊船舶を右げんに見て航行するときは，できるだけこれに近寄り，左げんに見て航行するときは，できるだけこれに遠ざかって航行しなければならない。

§3-3-10　工作物の突端・停泊船舶付近における航法（第17条）

　本条は，右側航行（左舷対左舷）の航法の原則に基づく規定で，工作物が多数存在し，また多数の船舶が停泊している港内において，船舶の航行を航法上整然とさせるために，いわゆる「右小回り・左大回り」の航法を定めたものである。（図3・4）

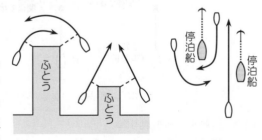

図 3・4　工作物の突端・停泊船舶付近における航法

1．この航法は，工作物の突端や停泊船舶の付近で回頭する場合だけでなく，それらの付近を直進して航行する場合にも適用される。
2．工作物の突端や停泊船舶を右舷側に見て航行するときは近寄り，左舷側に見て航行するときは遠ざかることは，図3・4に示すとおり，出会い頭に出会うことを未然に防ぎ，互いに左舷対左舷で安全に航過することができるようにするものである。

第18条　汽艇等は，港内においては，汽艇等以外の船舶の進路を避けなければならない。
2　総トン数が500トンを超えない範囲内において国土交通省令で定めるトン数以下である船舶であって汽艇等以外のもの（以下「小型船」という。）は，国土交通省令で定める船舶交通が著しく混雑する特定港内においては，小型船及び汽艇等以外の船舶の進路を避けなければならない。
3　小型船及び汽艇等以外の船舶は，前項の特定港内を航行するときは，国土交通省令で定める様式の標識をマストに見やすいように掲げなければならない。

---

§3-3-11　汽艇等の避航義務（第1項）

本条第1項は，船舶交通の安全を図るため，全適用港においては，操縦の小回りが効く汽艇等に対して，「汽艇等以外の船舶」を避航する義務を課したものである。（図3・5）

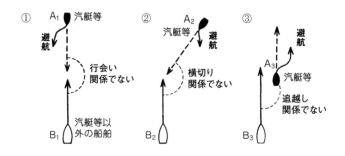

図 3・5　汽艇等の避航義務

(1)　汽艇等の避航動作等

汽艇等は，港内においては，常に，汽艇等以外の船舶に対して避航義務を

負うもので，その避航動作は，港内が船舶交通のふくそうする狭い水域であることを考え，汽艇等以外の船舶に疑念を起こさせないよう狭い水域なりに，できる限り早期に，かつ大幅にとられなければならない。

　一方，汽艇等以外の船舶は，相手船が汽艇等であるかどうかの判断を誤らないように注意し，保持船の立場で運航しなければならない。

〔注〕　「港内」とは，「港の区域」（施行令第1条）を指すものであるから，当然，「航路の区域」も含まれる。

（2）　第1項と他の航法規定との優先関係

　　この規定は，次のとおり予防法や港則法の規定に優先して適用される。

⑴　予防法の「行会い船の航法」などに優先（図3・5）

　　港則法第18条第1項は，予防法の「行会い船の航法」，「横切り船の航法」，「追越し船の航法」などに優先して適用される。

⑵　港則法第13条第1項・第15条に優先

　　港則法第18条第1項は，港則法第13条第1項（航路航行船の優先）及び第15条（出航汽船の優先）に優先して適用される。

　（具体例）

　　①　汽艇等が航路を航行していても，航路外から航路に入り，又は航路から航路外に出ようとする船舶が，汽艇等以外の船舶であるならば，第13条第1項でなく第18条第1項により，これを避航しなければならない。

　　②　汽艇は，出航汽船であっても，入航汽船が汽艇等でない汽船であるならば，第15条でなく第18条第1項により，これを避航しなければならない。

§3-3-12　小型船の避航義務（第2項）

　第18条第2項は，特定港の中でも特に船舶交通がふくそうする「国土交通省令で定める船舶交通が著しく混雑する特定港」（6港）においては，船舶の操縦性能を考えた場合，第1項（汽艇等の避航義務）の規定だけでは，船舶交通の安全を図ることが難しいので，汽艇等のほかに「小型船」という船舶の種類を設け，これに「汽艇等・小型船以外の船舶」を避航する義務を課したものである。

（1）　「小型船の避航義務」の規定の適用範囲

　　この規定が適用される「国土交通省令で定める船舶交通が著しく混雑する

特定港」及び「国土交通省令で定めるトン数以下であって汽艇等以外のもの」
（小型船）は，次の表のとおりである。（則第8条の3）

国土交通省令で定める船舶交通が 著しく混雑する特定港	小　　型　　船		
千　葉　港，京　浜　港	総トン数500トン以下（汽艇等を除く。）		
名　古　屋　港	〃	（　　〃　　）	
四　日　市　港（第1航路及び午起 航路に限る。）	〃	（　　〃　　）	
阪　神　港（尼崎西宮芦屋区を 除く。）	〃	（　　〃　　）	
関　門　港（響新港区を除く。）	総トン数300トン以下（　　〃　　）		

　これらの6つの特定港においては，船舶の種類が①汽艇等，②小型船，③
汽艇等及び小型船以外の船舶の3つに分かれ，小型船は，汽艇等に対しては
保持船となるが，汽艇等及び小型船以外の船舶を避航しなければならない。
（2）　第2項と他の航法規定との優先関係
　この規定は，次のとおり予防法や港則法の規定に優先して適用される。
⑴　予防法の「行会い船の航法」などに優先
　　港則法第18条第2項は，前記の第1項（汽艇等の避航義務）の規定と予
　防法の規定との優先関係の場合と同様に，予防法の「行会い船の航法」，
　「横切り船の航法」，「追越し船の航法」などに優先して適用される。
⑵　港則法第13条第1項・第15条に優先
　　港則法第18条第2項は，前記の第1項（汽艇等の避航義務）の規定と港
　則法第13条第1項又は第15条の規定との優先関係の場合と同様に，港則法
　第13条第1項及び第15条に優先して適用される。

§3-3-13　小型船及び汽艇等以外の船舶の標識（第3項）

　第18条第3項は，「国土交通省令で定める船舶交通が著しく混雑する特定港」
（6港）には，汽艇等のほかに小型船が設けられたので，特に「小型船の避航
義務」の規定の適用について船舶間に認識の不一致を来たさないようにするた
めに，小型船及び汽艇等以外の船舶に掲げる標識を定めたものである。
　「国土交通省令で定める様式の標識」とは，国際信号旗数字旗1をいう。（則
第8条の4）

第3章　航路及び航法（§3-3-14）　301

§3-3-14　汽艇等に関する特別な扱い

　港則法においては，汽艇等は，一般船舶と異なる取扱いを受ける場合があるが，これに関する規定をまとめて掲げると，次のとおりである。

	汽 艇 等 に 関 す る 規 定
制限的又は義務的な規定	①　係留等の制限を受ける。（第8条） ②　曳航の制限を受ける（第19条第2項，則第31条ほか） ③　はしけは船側への係留の制限を受ける。（第10条，則第25条ほか） ④　港内においては汽艇等以外の船舶を避航する。（第18条第1項）
制限の適用を除外又は緩和されている規定	①　入出港（特定港）の届出を要しない。（第4条，則第2条） ②　錨地（国土交通省令の定める特定港，必要のあるときはその他の特定港）の指定を受ける義務はない。（第5条） ③　停泊場所の移動の制限を受けない。（第6条） ④　修繕及び係船の届出を要しない。（第7条） ⑤　特定港の出入又は通過には，航路による義務はない。（第11条）

> 第19条　国土交通大臣は，港内における地形，潮流その他の自然的条件により第13条第3項若しくは第4項，第15条又は第17条の規定によることが船舶交通の安全上著しい支障があると認めるときは，これらの規定にかかわらず，国土交通省令で当該港における航法に関して特別の定めをすることができる。
> 2　第13条から前条までに定めるもののほか，国土交通大臣は，国土交通省令で一定の港における航法に関して特別の定めをすることができる。

§3-3-15　第19条第1項による特別の定め（第1項）

　本条第1項は，国土交通大臣は港内の地形，潮流その他の自然的条件により，次に掲げる規定によることが船舶交通の安全上著しく支障があると認めるときは，国土交通省令で当該港の航法に関して特別の定めをすることができる，と定めている。

　(1)　第13条第3項（航路内において行き会うときの右側航行）
　(2)　第13条第4項（航路内の追越しの禁止）
　(3)　第15条（防波堤入口付近の航法）
　(4)　第17条（工作物の突端・停泊船舶付近における航法）

　これらの航法に関する特別の定めは，施行規則に特定航法として定められている。その特定航法をあげると，次のとおりで，§3-3-16～§3-3-19において具体的に述べる。

§3-3-16　第13条第3項に関する特定航法
§3-3-17　第13条第4項に関する特定航法
§3-3-18　第15条に関する特定航法
§3-3-19　第17条に関する特定航法

§3-3-16　第13条第3項（航路内において行き会うときの右側航行）に関する特定航法

（1）　名古屋港　東航路・西航路・北航路（図3・13）

総トン数500トン未満の船舶は，東航路，西航路及び北航路においては，航路の右側を航行しなければならない。　　　　　　（則第29条の2第3項）

この特定航法は，大小の船舶の往来の激しい名古屋港において，3つの航路は地形上複雑に接続し，その航路が長く，幅も狭く，船舶の出入する岸壁が近くに存在するなど自然的条件が悪いので，船舶の航路内で行き会うときの安全を図るため，総トン数500トン未満の小型の船舶に対しては，行き会うときだけでなく，常時右側航行することを命じたものである。

（2）　関門港　関門航路及び関門第2航路（図3・18）

関門航路及び関門第2航路を航行する汽船は，できる限り，航路の右側を航行しなければならない。　　　　　　（則第38条第1項第1号）

両航路は，関門海峡の東口と西口とを結ぶ主航路であり，距離は極めて長く，幅の狭い所や湾曲して見通しの悪い所があり，さらに，航路の側方には船舶の出入する多くの港区が接している。しかも潮流が激しいなど自然的条件もきびしいので，この特定航法は，両航路における船舶交通の安全を図るため，汽船は，行き会うときだけでなく常時，できる限り，航路の右側を航行することを命じたものである。

（3）　関門港　早鞆瀬戸の西行汽船（100総トン未満）及び東行汽船の航法（図3・6, 図3・17）

⑴　早鞆瀬戸の100総トン未満の西行汽船の航法（則第38条第1項第3号）

早鞆瀬戸を西行しようとする総トン数100トン未満の汽船は，次の航法によらないことができる。

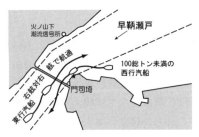

図 3・6　門司埼に近寄る特定航法

① 則第38条第1項第1号（前記(2)）に規定する航法（関門航路のできる限り右側航行の航法）

② 則第38条第1項第2号（後述§3-3-25）に規定する航法（田野浦区から関門航路に入航する航法）

　この場合（上記①及び②によらない場合。）においては，できる限り門司埼に近寄って航行し，他の船舶に行き会ったときは，右舷を相対して（右舷対右舷）航過しなければならない。　　　　　　　　（同項第3号）

(2) 早鞆瀬戸の東行汽船の航法（則第38条第1項第4号）

　則第38条第1項第1号（前記(2)）の規定により早鞆瀬戸を東行する汽船は，同項第3号（上記(1)）の規定により同瀬戸を西行する汽船（100総トン未満）を常に右舷に見て航過しなければならない。　　（同項第4号）

　1．これらの特定航法は，総トン数100トン未満の西行汽船は①関門航路のうち早鞆瀬戸においては門司埼に近寄って航行するから，関門航路の左側を航行することになり，また②東行汽船とは，第13条第3項の行き会うときの右側航行（左舷対左舷）ではなく，常時右舷対右舷で航過することになる。

　2．この西行汽船は，早鞆瀬戸において，門司埼に近寄る航法によるのではなく，関門航路のできる限り右側を航行する航法（第1項第1号）によって航行してもよい。これは，第1項第3号の規定が明示しているところである。

（4）　関門港　若松航路・奥洞海航路（図3・19）

　若松航路及び奥洞海航路においては，総トン数500トン以上の船舶は航路の中央部を，その他の船舶は，航路の右側を航行しなければならない。

　　　　　　　　　　　　　　　　　　　　　　（則第38条第1項第6号）

　1．両航路は枝状に接続し，距離が長く，航路幅も極めて狭い上，屈曲するなど自然的条件がきびしい。よって，この特定航法は，総トン数500トン以上の船舶に対しては，航路内で行き会う場合は右側航行ではなく，常時航路の中央部を航行することを命じたものである。なお，両航路においては，港長が航行管制（第38条）を行っているので，総トン数500トン以上の船舶同士が行き会うことがないようになっている。

　2．その他の船舶（総トン数500トン未満）に対しては，前記（1）の名古屋港の航路と同様に，行き会うときだけでなく，常時右側航行することを命じている。

§3-3-17　第14条第4項（航路内の追越し禁止）に関する特定航法
(1)　京浜港　東京西航路（図3・7，図3・12）
⑴　東京西航路の追越し（則第27条の2第1項）

　　船舶は，東京西航路において，周囲の状況を考慮し，次の各号のいずれにも該当する場合には，他の船舶を追い越すことができる。
　①　当該他の船舶が自船を安全に通過させるための動作をとることを要しないとき。
　②　自船以外の船舶の進路を安全に避けられるとき。
　　　　　　　　　　　　　　　　　　　　　　　　（則第27条の2第1項）

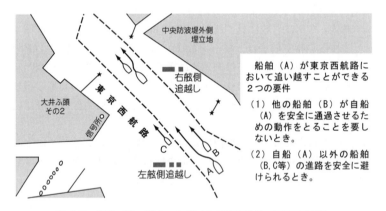

図3・7　航路で追い越すことができる特定航法（東京西航路）

⑵　東京西航路の追越し信号（則第27条の2第2項）

　　上記第1項の規定により汽船が追い越そうとするときは，次の追越し信号を汽笛又はサイレンをもって吹き鳴らさなければならない。
　　{ 他の船舶の右舷側追越し……長音及び短音（　—　●　）
　　　他の船舶の左舷側追越し……長音，短音及び短音（　—　●　●　）
　　　　　　　　　　　　　　　　　　　　　　　　　　（同条第2項）

　1．この特定航法は，東京西航路は幅が狭く，船舶の往来の激しいところであり，追越し禁止（第13条第4項）のままにしておくと，同航路の船舶交通がふくそうし，かえって渋滞を来たし危険を伴うので，船舶交通の流れを円滑にするため追い越すことができる上記の要件を設けて，その要件に該当する場合に限って，追越しを認めたものである。

第3章　航路及び航法（§3-3-18）　　　　　305

　　２．追越し信号は，追越し船が追い越される船舶にいずれの舷側を追い越
　　　すかを示し，注意を喚起するためのものである。
　　　　この信号は，海交法第６条（追越しの場合の信号）本文規定の信号と
　　　同じものであって，船舶（追越し船）が汽船である場合に，これを吹鳴
　　　する義務を負う。
（2）　名古屋港　東航路・西航路（屈曲部を除く。）・北航路（図3・13）
　　　則第27条の２第１項及び第２項の規定（東京西航路）は，東航路，西航路
　　（屈曲部を除く。）及び北航路において，船舶（同条第２項を準用する場合
　　にあっては，汽船）が他の船舶を追い越そうとする場合に準用する。
　　　　　　　　　　　　　　　　　　　　　　　　　　（則第29条の２）
　　１．屈曲部とは，図3・8に示すとおり，西航路北側線西側屈曲点から135度に
　　　引いた線の両側それぞれ500メートル以内の部分のことである。
　　２．この特定航法は，前記(1)の東京西航路の追越し・追越し信号の規定が
　　　準用され，それと同じである。
（3）　広島港　航路
　　　則第27条の２第１項及び第２項の規定（東京西航路）は，航路（広島港）
　　において，船舶（同条第２項を準用する場合にあっては，汽船）が他の船舶
　　を追い越そうとする場合に準用する。　　　　　　　　　　（則第35条）
　　　広島港の航路の追越し・追越し信号の特定航法は，前記(1)の東京西航路
　　のものと同じである。
（4）　関門港　関門航路（図3・18）
　　　則第27条の２第１項及び第２項の規定（東京西航路）は，関門航路におい
　　て，船舶（同条第２項を準用する場合にあっては，汽船）が他の船舶を追い
　　越そうとする場合に準用する。　　　　　　　　　　（則第38条第２項）
　　　関門航路の追越し・追越し信号の特定航法は，前記(1)の東京西航路のも
　　のと同じである。

§3-3-18　第15条（防波堤入口付近の航法）に関する特定航法

江名港及び中之作港（福島県小名浜港の北東方）
　　汽船が江名港又は中之作港の防波堤の入口付近で他の汽船と出会うおそれの
あるときは，出航する汽船は，防波堤の内で入航する汽船の進路を避けなけれ
ばならない。　　　　　　　　　　　　　　　　　　　　　　（則第22条）
１．この特定航法は，第15条は入航汽船が避航船であるのに対して，逆に出航

汽船が避航船となる航法である。

　これは，両港が太平洋に面していて荒天時風浪の影響を受けやすく，防波堤の外には岩礁が散在しているなど自然的条件が悪く，しかも，小型の船舶が多いため，入航汽船が防波堤の外で待避するのは危険であるので，まずこれを静かな港内に入れることにしたためである。

2．第15条に関する特定航法が定められているのは，現在は江名港及び中之作港の2港だけである。

§3-3-19　第17条（工作物の突端・停泊船舶付近の航法）に関する特定航法

　第17条に関する特定航法は，現在規定されているものはない。

§3-3-20　第19条第2項による特別の定め（第19条第2項）

　第19条第2項は，第13条から前条（第18条）に定めるもののほか，国土交通大臣は国土交通省令で一定の港における航法に関して特別の定めをすることができる，と定めている。

　この第2項は，第1項と異なり，「地形，潮流その他の自然的条件により」の文言がないから，自然的条件以外の理由によっても特別の定めをすることができる。

　第2項の規定による特別の定めは，施行規則に定められている。その特別の定めを例示すると次のとおりで，§3-3-21〜§3-3-30において具体的に述べる。

　　　§3-3-21　京浜港　京浜運河等における追越し禁止等
　　　§3-3-22　京浜港　航行に関する注意
　　　§3-3-23　名古屋港　西航路屈曲部の出・入・横切りの禁止
　　　§3-3-24　阪神港大阪区　河川運河水面における追越し信号
　　　§3-3-25　関門港　田野浦区から関門航路に入航する場合の航法
　　　§3-3-26　関門港　早鞆瀬戸の航行速力
　　　§3-3-27　航路航行船の航路接続部における優先関係の航法
　　　　　　　(1)名古屋港　　(2)四日市港　　(3)関門港　　(4)博多港
　　　§3-3-28　特定港　曳航の制限
　　　§3-3-29　特定港　縫航の制限
　　　§3-3-30　進路の表示

§3-3-21　京浜港　京浜運河等における追越し禁止等（図3・12）

　船舶は，川崎第1区及び横浜第4区においては，他の船舶を追い越してはならない。ただし，東京西航路の追越しの規定（§3-3-17(1)(1)）と同様に，①他の船舶が自船を安全に通過させるための動作をとることを要せず，②自船以外の船舶の進路を安全に避けられる場合は，この限りでない。

（則第27条の3第1項）

　この特定航法は，京浜運河等を含む川崎第1区及び横浜第4区は，「航路」以外の水域であるが，船舶交通がふくそうし狭いので，原則として，航路と同様に，追越しを禁止したものである。ただし，上記の2つの要件に該当する場合には，東京西航路と同様に，追越すことができるとしている。

§3-3-22　京浜港　航行に関する注意（図3・12）

　京浜運河から他の運河に入航し，又は他の運河から京浜運河に入航しようとする汽船は，京浜運河と当該他の運河との接続点の手前150メートルの地点に達したときは，汽笛又はサイレンをもって長音1回を吹き鳴らさなければならない。

（則第28条）

　この長音1回は，京浜運河と他の運河（枝運河）との見通しの悪い場所において，自船の存在を他船に知らせ注意を喚起するためである。

§3-3-23　名古屋港　西航路屈曲部の出・入・横切りの禁止（図3・8）

　船舶が西航路の屈曲部を航行しているときは，その付近にある他の船舶は，航路外から航路に入り，航路から航路外に出，又は航路を横切って航行してはならない。

（則第29条の2第2項）

　この特定航法は，航路航行船が航路の屈曲部において安全に転針して航行することができるように，第13条第1項の航路航行船優先の規定よりも更に規制を強化し，航路への出入り等を禁止することで，屈曲部の航行船を保護したものである。

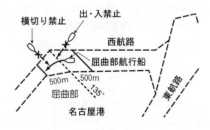

図 3・8　屈曲部の航行船優先の特定航法（名古屋港西航路）

§3-3-24 阪神港大阪区 河川運河水面における追越し信号（図3・15）

東京西航路の追越し信号（則第27条の2第2項，§3-3-17(1)(2)）の規定は，阪神港大阪区河川運河水面において，汽船が他の船舶を追い越そうとする場合に準用する。　　　　　　　　　　　　　　　　　　　　　　　　（則第32条）

阪神港大阪区の河川運河水面は，「航路」ではないがそれと同様にその幅が狭く船舶の往来が激しいので，この追越し信号は，汽船が他船を追い越そうとするときに，船舶交通の安全のため右舷側追越しか左舷側追越しかを他の船舶に知らせ注意を喚起するためのものである。

§3-3-25 関門港 田野浦区から関門航路に入航する場合の特定航法（図3・9，図3・17）

田野浦区から関門航路によろうとする汽船は，門司埼灯台から67度1,980メートルの地点（32号ブイの地点）から321度30分に引いた線以東の航路から入航しなければならない。

　　　　　　　（則第38条第1項第2号）

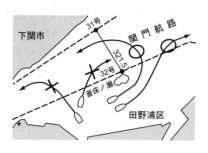

図 3・9　田野浦区から関門航路に入航の特定航法

1. この特定航法は，田野浦区から関門航路によろうとする汽船は，端的にいえば，図3・9の32号ブイ（右舷標識）以東から入航することを定めたものである。

その理由は，早鞆瀬戸は航路幅が狭く航路が湾曲し，潮流が激しく，しかも船舶の往来が多いので，同汽船がもし32号ブイ以西から同航路に入航しようとすると，①同瀬戸の航行船と危険な見合いを生じさせ，また②潮流の激しいときに同瀬戸で大角度の転針をすると自船を危険な状況に陥れかねないので，これらの危険を未然に避け，同瀬戸における船舶交通の安全を確保するためである。

2. 早鞆瀬戸を西行しようとする総トン数100トン未満の汽船は，この特定航法によらないことができることになっている。（則第38条第1項第3号参照）

§3-3-26 関門港　早鞆瀬戸の航行速力 (図3・17)

潮流を遡り早鞆瀬戸を航行する汽船は, 潮流の速度に4ノットを加えた速力以上の速力を保たなければならない。　　　　　　(則第38条第1項第5号)

1. この特定航法は, 潮流の激しい早鞆瀬戸において, 例えば, 7ノットの逆潮中を8ノットで航行する船舶は, 対地速力が1ノットしかなく, 超低速航行となり, 後続の船舶が渋滞して, 船舶交通の安全を阻害するので, 逆潮船に (潮流の速度＋4) ノット以上の速力の保持を命じたものである。
2. 逆潮船は, 上記の速力を保持できないと判断した場合は, 逆潮の流速が緩む時期を選んで早鞆瀬戸に差し掛かるようにしなければならない。

§3-3-27 航路航行船の航路接続部における優先関係の特定航法

(1)　名古屋港　航路接続部における優先関係の航法 (図3・10, 図3・13)

　⑴　東航路を航行する船舶と西航路又は北航路を航行する船舶とが出会うおそれのある場合は, 西航路又は北航路を航行する船舶は, 東航路を航行する船舶の進路を避けなければならない。　　　(則第29条の2第4項)

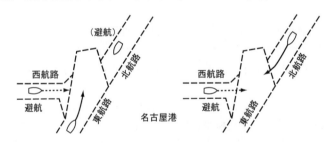

図 3・10　航路接続部における優先関係の特定航法 (名古屋港)

〔注〕 以下, 航路接続部における優先関係の航法の条文は, 次のように略して掲げる。
　　例えば, 上記の規定を「西航路又は北航路航行船は, 東航路航行船の進路を避けなければならない。」と略する。条文は, 施行規則 (巻末) を参照のこと。

　⑵　西航路航行船 (西航路を航行して東航路に入った船舶を含む。) は, 北航路航行船 (北航路を航行して東航路に入った船舶を含む。) の進路を避けなければならない。　　　　　　　　　　　　　(同条第5項)

1. これら3つの航路は, 図3・10が示すように接続しているので, 航路航行船は互いに他の2つの航路の航行船の有無や動静に十分に注意して航

310　　　　　　　　　第3編　港　　則　　法

　　　行し，出会うおそれのある場合は，上記の特定航法により避航船となる
　　　船舶は，狭い水域であることを十分加味した上で，できる限り早期に，
　　　かつ大幅に他船の進路を避ける動作をとらなければならない。
　　２．他船は，保持船の立場で動作をとらなければならない。
（2）　四日市港　航路接続部における優先関係の航法（図3・14）
　　　午起航路航行船は，第1航路航行船の進路を避けなければならない。
　　　　　　　　　　　　　　　　　　　　　　　　　　　　（則第29条の4）
（3）　関門港　航路接続部における優先関係の航法（図3・18，図3・19）
　⑴　砂津航路，戸畑航路，若松航路又は関門第2航路航行船は，関門航路航
　　　行船の進路を避けなければならない。　　　　　（則第38条第1項第7号）
　　　　この特定航法は，図3・18が示すように，関門航路を主航路とし，一方，
　　　砂津航路等を分岐航路とする考え方で定められている。
　⑵　安瀬航路航行船は，関門第2航路航行船の進路を避けなければならない。
　　　　　　　　　　　　　　　　　　　　　　　　　　　　　（同項第8号）
　⑶　若松航路航行船は，関門第2航路航行船の進路を避けなければならない。
　　　　　　　　　　　　　　　　　　　　　　　　　　　　　（同項第9号）
　⑷　若松航路航行船は，戸畑航路航行船の進路を避けなければならない。
　　　　　　　　　　　　　　　　　　　　　　　　　　　　　（同項第10号）
　⑸　奥洞海航路航行船は，若松航路航行船の進路を避けなければならない。
　　　　　　　　　　　　　　　　　　　　　　　　　　　　　（同項第11号）
（4）　博多港　航路接続部における優先関係の航法（図3・20）
　　　東航路航行船は，中央航路航行船の進路を避けなければならない。
　　　　　　　　　　　　　　　　　　　　　　　　　　　　　（則第44条）

§3-3-28　特定港　曳航の制限

　⑴　船舶は，特定港内において，他の船舶その他の物件を引いて航行すると
　　　きは，引船の船首から被曳物件の後端までの長さは200メートルを超えて
　　　はならない。　　　　　　　　　　　　　　　　　　（則第9条第1項）
　⑵　港長は，必要があると認めるときは，⑴の制限を更に強化することがで
　　　きる。　　　　　　　　　　　　　　　　　　　　　　（同条第2項）
　　　〔注〕　あらかじめ港長の許可を受けた場合については，⑴の規定は，適用しない。
　　　　（則第21条第2項）
　　　　港によっては，上記⑵の規定により，曳航の制限を強化している水域が

第3章　航路及び航法（§3-3-29）　　　311

ある。例えば，釧路港東第1区（則第21条の2）や関門港関門航路（則第37条）においてである。

§3-3-29　特定港　縫航の制限

（1）　航路内の縫航禁止

帆船は，特定港の航路内を縫航（ジグザグ航行）してはならない。

（則第10条）

（2）　港区の縫航禁止

帆船は，次の港区を縫航してはならない。

⑴　関門港　門司区，下関区，西山区及び若松区（図3・18）　　（則第41条）

⑵　長崎港　第1区及び第2区（図3・21）　　　　　　　　　　（則第45条）

この縫航の制限は，船舶の通路である航路において帆船のジグザグ航行の禁止は当然であるが，船舶交通が特にふくそうする上記の狭い港区においても，航路と同様に，ジグザグ航行を禁止したものである。

§3-3-30　進路の表示

船舶は，港内又は港の境界付近を航行するときは，進路を他の船舶に知らせるため，①AIS（船舶自動識別装置）の目的地に関する情報の送信及び②信号旗による進路の表示をしなければならない。

（1）　AISによる目的地に関する情報の送信（則第11条第1項）

船舶は，港内又は港の境界付近を航行するときは，進路を他の船舶に知らせるため，海上保安庁長官が告示で定める記号（下記）を，AISの目的地に関する情報として送信していなければならない。

ただし，AISを備えていない場合及びAISの常時作動を免除される場合に該当するためAISを作動させていない場合は，この限りではない。

港則法施行規則第11条第1項の規定による進路を他の船舶に知らせるために船舶自動識別装置の目的地に関する情報として送信する記号（平成22年海上保安庁告示第94号，最近改正令和4年同告示第16号）

同告示には，AISの目的地に関する情報として以下の①～③の情報を示す記号を定めている。

①　仕向港を示す記号（告示・別表第1）

②　仕向港での進路を示す記号（告示・別表第2）

③　出発港又は通過港での進路を示す記号（告示・別表第3）

目的地に関する情報は，これら①〜③の各記号の組み合わせによる。
(具体例)

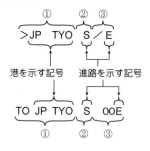

①京浜東京区を仕向港とし，②京浜東京区では品川ふ頭に向かって航行する場合であって，③途中，関門港を東口に向かって航行し，関門港を通過することを示す。

告示・別表第1（抄）

都道府県	仕 向 港	港を示す記号
東京都・神奈川県 （抄）	京浜東京区 京浜川崎区 京浜横浜区	JP TYO JP KWS JP YOK

告示・別表第2（抄）

港 名	仕 向 港	進路を示す記号
京浜東京区 （抄）	品川ふ頭に向かって航行する。 東京国際クルーズふ頭桟橋又は晴海コンテナふ頭岸壁に向かって航行する。	S R

告示・別表第3（抄）

港 名	仕 向 港	進路を示す記号
関門（抄）	東口に向かって航行し，関門港（響新港区，新門司区を除く。）を通過又は出港する。 西口の六連島東方に向かって航行し，関門港（響新港区，新門司区を除く。）を通過又は出港する。	E WM

(2) 信号旗による進路の表示（則第11条第2項）
　船舶は，次に掲げる港の港内を航行するときは，前部マストその他の見やすい場所に海上保安庁長官が告示で定める信号旗（下記）を掲げて進路を表示するものとする。
　ただし，当該信号旗を有しない場合又は夜間においては，この限りでない。

第3章　航路及び航法（§3-3-30）　　313

（則第11条第2項）

釧路港，苫小牧港，函館港，秋田船川港，鹿島港，千葉港，京浜港，
新潟港，名古屋港，四日市港，阪神港，水島港，関門港，博多港，
長崎港，那覇港

港則法施行規則第11条第2項の港を航行するときの進路を表示する信号（平成7年
海上保安庁告示第35号，最近改正令和4年同告示第16号）

（具体例）

告示・別表　名古屋港（抄）

信　　　号	信　　　　　　　文
1代・E	東航路を航行して出航する。
1代・W	西航路を航行して出航する。
2代・E・I	北浜ふ頭西側の係留施設（J2からG1桟橋）又は高潮防波堤東信号所から89度1,270メートルの地点を中心とする半径300メートルの円内海面の危険物船錨地に向かって航行する。
2代・E・2	東海元浜ふ頭南側，北浜ふ頭北側の係留施設（G2からG4桟橋）又は横須賀ふ頭に向かって航行する。
2代・E・3	東海元浜ふ頭西側の係留施設に向かって航行する。
2代・E・4	東海元浜ふ頭北側の係留施設に向かって航行する。
2代・E・5	新宝ふ頭の係留施設に向かって航行する。

〔注〕　進路信号において，①1代を冠したものは，原則として出港する又は通過
　　　するを意味し，その後に航路，方向などを示す数字旗又は文字旗を用い，②
　　　2代を冠したものは，原則として係留施設又は一定の錨地に向かって航行す
　　　ることを意味し，その後に港区，岸壁などを示す数字旗又は文字旗を用いて
　　　いる。

　この進路の表示の規定は，船舶交通がふくそうする港で，複雑な見合い関
係などが発生しやすい水域において，船舶が互いに他船の進路を前広に確認
し，早期に衝突回避の動作をとることができるようにして，船舶交通の安全
を図ろうとするものである。

〔注〕 **港則法における各規定の適用対象港**

港則法において，各規定の適用対象となる港は，次の5つに整理される。

分　類	規　定	対　象　港
港則法が適用される港	法第2条 令第1条・別表第1	500港
特定港	法第3条第2項 令第2条・別表第2	87港
指定港	法第3条第3項 令第3条・別表第3	5港（館山，木更津，千葉，京浜，横須賀）
国土交通省令で定める特定港 （錨地の指定）	法第5条第2項 則第4条第1項	3港（京浜，阪神，関門）
国土交通省令で定める船舶交通が著しく混雑する特定港 （小型船の避航義務）	法第18条第2項 則第8条の3	6港（千葉，京浜，名古屋，四日市，阪神，関門）

第4章 危 険 物

第20条～第22条 危 険 物

> **第20条** 爆発物その他の危険物（当該船舶の使用に供するものを除く。以下同じ。）を積載した船舶は，特定港に入港しようとするときは，港の境界外で港長の指揮を受けなければならない。
>
> **2** 前項の危険物の種類は，国土交通省令でこれを定める。

§3-4-1 危険物を積載した船舶の入港（第20条）

　本条は，危険物を積載した船舶は，その危険性にかんがみ，船舶交通の安全を図るため，同船の特定港に入港するときの港長の指揮及び危険物の種類について定めたものである。

（1）　港長の入港指揮（第1項）

　　危険物を積載した船舶は，特定港に入港しようとするときは，港の境界外で港長の指揮を受けなければならない。

　1．「当該船舶の使用に供するものを除く。」とあるが，これは，運搬が目的でなくその船舶が使用するため積載している危険物で，例えば，火せん，落下傘付信号などの信号装置（船舶救命設備規則）や運航用の燃料油である。これらを積載しているだけなら，危険物を積載した船舶に該当しないから，本条をはじめ第4章の規定が定める規制の対象とはならない。

　2．港長の指揮は，危険物を積載した船舶に対して，必要に応じて，航行速力の指示や引き船等の手配，油火災・油の船外流出・毒物による中毒などの事故を防止するための注意や措置などの指示がなされる。

（2）　危険物の種類（第2項）

　　危険物の種類は，施行規則第12条により告示で定められている。その告示は，次のとおりである。

　　港則法施行規則の危険物の種類を定める告示（昭和54年運輸省告示第547号，最近改正令和2年国土交通省告示第1590号）

告示・別表（大要） 　　　　　　　　　　　　　　　　　　　（危険物の種類）

(1)爆発物	(イ)	火薬類　危険物船舶運送及び貯蔵規則第2条第1号イに定める火薬類
	(ロ)	酸化性物質類（有機過酸化物）　　同規則第2条第1号ホ(2)に定める有機過酸化物（船舶による危険物の運送基準等を定める告示別表第1の副次危険性等級が「1」のものに限る。）
(2)その他の危険物	(イ)	高圧ガス
	(ロ)	引火性液体類
	(ハ)	可燃性物質類（可燃性物質）
	(ニ)	可燃性物質類（自然発火性物質）
	(ホ)	可燃性物質類（水反応可燃性物質）
	(ヘ)	酸化性物質類（酸化性物質）
	(ト)	酸化性物質類（有機過酸化物）
	(チ)	毒物類（毒物）
	(リ)	放射性物質等
	(ヌ)	腐食性物質
	(ル)	その他（液体化学薬品（化学廃液に限る。））

> 告示には，それぞれ物質名が詳しく掲げられている。海事六法などを参照のこと。

（備考）　上記(1)及び(2)に規定した危険物は，運送及び貯蔵の形態のいかんにかかわらず，危険物とする。

> **第21条**　危険物を積載した船舶は，特定港においては，びょう地の指定を受けるべき場合を除いて，港長の指定した場所でなければ停泊し，又は停留してはならない。ただし，港長が爆発物以外の危険物を積載した船舶につきその停泊の期間並びに危険物の種類，数量及び保管方法に鑑み差し支えないと認めて許可したときは，この限りでない。

§3-4-2　危険物を積載した船舶の停泊・停留場所の指定（第21条）

　本条は，危険物を積載した船舶は，危険物の危険性にかんがみ，原則として港長の指定した場所でなければ停泊・停留してはならないことを定めたものである。

　ただし書規定による場合は，許可を申請（則第13条）して，港長が差し支えないと認めて許可したときは，停泊場所の指定を受けなくてよい。

第4章 危険物 （§3-4-3） 317

> **第22条** 船舶は，特定港において危険物の積込，積替又は荷卸をするには，港長の許可を受けなければならない。
>
> 2 港長は，前項に規定する作業が特定港内においてされることが不適当であると認めるときは，港の境界外において適当の場所を指定して同項の許可をすることができる。
>
> 3 前項の規定により指定された場所に停泊し，又は停留する船舶は，これを港の境界内にある船舶とみなす。
>
> 4 船舶は，特定港内又は特定港の境界付近において危険物を運搬しようとするときは，港長の許可を受けなければならない。

§3-4-3 危険物の荷役・運搬の許可 （第22条）

本条は，船舶が特定港において危険物の荷役をしたり，運搬をするときは，港長の許可を要することを定めたものである。

（1） 危険物の荷役の許可等 （第1項～第3項）

⑴ 危険物の荷役の許可 （第1項）

船舶は，特定港において危険物の荷役（積込み，積替え又は荷卸し）をするには，港長の許可を受けなければならない。

⑵ 荷役を港の境界外に指定して許可 （第2項）

港長は，第1項の危険物の荷役作業が特定港内においてなされることが不適当と認めるときは，港の境界外の適当な場所を指定して第1項の許可をすることができる。

⑶ 境界外に指定されても港内にある船舶とみなすこと （第3項）

上記⑵により指定された場所に停泊・停留する船舶は，これを港の境界内にある船舶とみなす。

港長から港の境界外に指定されて荷役を許可されたときは，港の境界内にある船舶とみなされるから，港則法の規定が同船に適用され，港長の権限及び同法の規制が及ぶものである。

（2） 危険物の運搬の許可 （第4項）

船舶は，特定港内又は特定港の境界付近において危険物を運搬しようとするときは，港長の許可を受けなければならない。

1．近時，化学工業の発達に伴い危険物の取扱いが増え，毒物の積載も多くなり，それによる中毒が荷役時にしばしば発生しているので，毒物の荷役については，引火性液体類の火災防止とともに，厳重な注意を要する。

危険物の荷役や運搬を許可される場合に，危険防止や中毒防止について港長から指示されたときは，これを遵守しなければならない。

2．危険物の規定に関連して，油送船の付近での喫煙又は火気の取扱いを制限する規定が，第37条（喫煙等の制限）に定められている。

3．タンカーの引火による事故を防止するための航泊制限

引火性危険物積載タンカーの出入する特定港においては，これらの船舶の引火による事故を防止するため，第39条（船舶交通の制限・公示）により，停泊中の同タンカー付近水面での一般船舶の航泊を制限している場合がある。水路通報等をよく見ておく必要がある。

4．危険物に関する法令は，港則法のほかに，「危険物船舶運送及び貯蔵規則」，同規則に基づく「船舶による危険物の運送基準等を定める告示」，「船舶による放射性物質等の運送基準の細目等を定める告示」，「液化ガスばら積船の貨物タンク等の技術基準を定める告示」などがあり，また「海洋汚染等及び海上災害の防止に関する法律」，「船員労働安全衛生規則」などがある。

〔**注**〕 港則法の「危険物を積載した船舶」と海交法（第22条）の「危険物積載船」とは，定義が異なっているので混同しないこと。

第5章　水路の保全

第23条～第25条　水路の保全

> **第23条**　何人も，港内又は港の境界外1万メートル以内の水面においては，みだりに，バラスト，廃油，石炭から，ごみその他これらに類する廃物を捨ててはならない。
> 2　港内又は港の境界付近において，石炭，石，れんがその他散乱するおそれのある物を船舶に積み，又は船舶から卸そうとする者は，これらの物が水面に脱落するのを防ぐため必要な措置をしなければならない。
> 3　港長は，必要があると認めるときは，特定港内において，第1項の規定に違反して廃物を捨て，又は前項の規定に違反して散乱するおそれのある物を脱落させた者に対し，その捨て，又は脱落させた物を取り除くべきことを命ずることができる。

§3-5-1　廃物及び散乱物に関する規制（第23条）

本条は，水路の保全のため，廃物の投捨て禁止，散乱物（貨物）の脱落防止及び港長の廃物・散乱物の除去命令権を定めたものである。

（1）　廃物の投捨て禁止（第1項）

第1項は，すべての適用港の港内又は港の境界外1万メートル以内の水面においては，みだりに廃物を捨てることを禁止している。

1．バラスト，廃油，石炭から，ごみその他これに類する廃物は，水面又は水面下に浮かんで推進器に絡み付いたり，冷却水パイプを詰まらせたり，水底に沈んで水深を浅くしたり，引火する危険をもたらしたりするなどして，船舶交通に支障を来たす原因となることから，これらの廃物の投捨てを禁止したものである。

2．「何人も」とあるから，船舶から廃物を捨てる場合だけでなく，陸岸や桟橋などから捨てる場合も含まれている。

3．港内及び境界外1万メートル以内の水面は，港則法のほか，海洋汚染等及び海上災害の防止に関する法律の適用があり，両法の規定を満足しなければならない。

（2）　散乱物の脱落防止（第2項）

第2項は，すべての適用港の港内又は境界付近において，貨物である石炭，煉瓦等を荷役する者は，これらの物が水面に脱落しない措置をとることを命じている。

脱落するのを防ぐ措置としては，舷側にネットやキャンバスを張ったり，滑り板を取り付ける方法などがとられている。

（3）　廃物・散乱物の除去命令（第3項）

　第3項は，水路の保全のため，当然のことながら，特定港において，第1項又は第2項の規定を守らない者に対しての港長の除去命令権を定めたものである。

> **第24条**　港内又は港の境界附近において発生した海難により他の船舶交通を阻害する状態が生じたときは，当該海難に係る船舶の船長は，遅滞なく標識の設定その他危険予防のため必要な措置をし，かつ，その旨を，特定港にあっては港長に，特定港以外の港にあっては最寄りの管区海上保安本部の事務所の長又は港長に報告しなければならない。ただし，海洋汚染等及び海上災害の防止に関する法律（昭和45年法律第136号）第38条第1項，第2項若しくは第5項，第42条の2第1項，第42条の3第1項又は第42条の4の2第1項の規定による通報をしたときは，当該通報をした事項については報告することを要しない。

---

§3-5-2　海難発生時における船長の措置（第24条）

　本条は，全適用港の港内又は港の境界付近における海難の発生時には，船舶交通の安全のため，船長は，次の措置をとるべきことを定めたものである。

⑴　遅滞なく標識の設定その他危険予防のため必要な措置をとる。

⑵　港長（特定港以外の港にあっては，最寄りの管区海上保安本部の事務所の長又は港長）に報告する。

　　ただし，海洋汚染等及び海上災害の防止に関する法律第38条（油等の排出の通報等）第1項など一定の規定による通報をしたときは，その通報した事項については報告することを要しない。　　　　　　　（§2-3-4参照）

> **第25条**　特定港内又は特定港の境界付近における漂流物，沈没物その他の物件が船舶交通を阻害するおそれのあるときは，港長は，当該物件の所有者又は占有者に対しその除去を命ずることができる。

---

§3-5-3　沈没物等の除去命令（第25条）

　本条は，水路の保全のため，沈没物等の除去を所有者等に命ずることができる港長の権限を定めたものである。

321

第6章 灯 火 等

> **第26条** 海上衝突予防法（昭和52年法律第62号）第25条第2項本文及び第5項本文に規定する船舶は，これらの規定又は同条第3項の規定による灯火を表示している場合を除き，同条第2項ただし書及び第5項ただし書の規定にかかわらず，港内においては，これらの規定に規定する白色の携帯電灯又は点火した白灯を周囲から最も見えやすい場所に表示しなければならない。
> 2 港内にある長さ12メートル未満の船舶については，海上衝突予防法第27条第1項ただし書及び第7項の規定は適用しない。

§3-6-1　小型の船舶の灯火の常時表示（第26条）

　予防法は，一定の小型の船舶に対して，①臨時表示を認める灯火や，②表示することを要しない灯火を定めているが，港内は船舶交通がふくそうするのでその安全のため，本条は，灯火の常時表示について，次のとおり定めている。

（1）　予防法で臨時表示を認められている灯火の常時表示（第1項）

　⑴　航行中の長さ7メートル未満の帆船の白色の携帯電灯又は点火した白灯
　　　　臨時表示（予防法第25条第2項ただし書）──→常時表示

　⑵　航行中のろかいを用いている船舶の白色の携帯電灯又は点火した白灯
　　　　臨時表示（予防法第25条第5項ただし書）──→常時表示

（2）　予防法で表示を要しない灯火の常時表示（第2項）

　⑴　航行中の長さ12メートル未満の運転不自由船の灯火
　　　　表示を要しない（予防法第27条第1項ただし書）──→常時表示

　⑵　航行中又は錨泊中の長さ12メートル未満の操縦性能制限船の灯火
　　　　表示を要しない（予防法第27条第7項）──→常時表示

> **第27条** 船舶は，港内においては，みだりに汽笛又はサイレンを吹き鳴らしてはならない。

§3-6-2　汽笛吹鳴の制限（第27条）

　本条は，港内は多数の船舶が出入したり停泊したりするため，予防法や港則

法に規定されている信号（例えば，操船信号，警告信号，追越し信号，火災警報）を行わねばならないことが多く，みだりに汽笛やサイレンを吹き鳴らすと無用の混乱を起こすことになり，船舶交通に危険を及ぼすので，当然のことながら，みだりに吹き鳴らしてはならないことを明文化したものである。

第28条 特定港内において使用すべき私設信号を定めようとする者は，港長の許可を受けなければならない。

---

§3-6-3 私設信号の許可（第28条）

本条は，私設信号の使用を使用者の自由に委ねると，船舶交通がふくそうする特定港においては信号による無用の混乱が起きるので，その許可制を定めたものである。

私設信号には，例えば，施行規則第5条第3項の規定に基づいて告示された次の信号がある。

係留施設の使用に関する私設信号（平成7年海上保安庁告示第34号，最近改正令和4年同告示第17号）

（具体例）

告示・別表 和歌山下津港（抄）

指　　　　　示		応答信号	備　　　　考
信　号	信　　文		
指・D・2	日本製鉄LPG専用桟橋に係留せよ。	回・D・2	指示信号は，日本製鉄関西製鉄所和歌山地区の係留施設に係留する船舶に対し，和歌山北港日本製鉄信号所において発するもの
係・A	日本製鉄係船岸壁Aに係留せよ。	2代・A	
係・B	日本製鉄係船岸壁Bに係留せよ。	2代・B	

〔注〕 表において，「指」とは指定旗，「係」とは係岸旗を示す。このほかに離岸旗がある。これらの旗の様式が定められている。（告示第2項・第3項）

第6章　灯火等（§3-6-4）　　　　323

第29条〜第30条　火災警報

> **第29条**　特定港内にある船舶であって汽笛又はサイレンを備えるものは，当該船舶
> に火災が発生したときは，航行している場合を除き，火災を示す警報として汽笛
> 又はサイレンをもって長音（海上衝突予防法第32条第3項の長音をいう。）を5
> 回吹き鳴らさなければならない。
> **2**　前項の警報は，適当な間隔をおいて繰り返さなければならない。
> **第30条**　特定港内に停泊する船舶であって汽笛又はサイレンを備えるものは，船内
> において，汽笛又はサイレンの吹鳴に従事する者が見やすいところに，前条に定
> める火災警報の方法を表示しなければならない。

§3-6-4　火災警報（第29条・第30条）

　第29条及び第30条の規定は，火災は自船のみならず，船舶交通がふくそうす
る特定港では他船にも大きな危険を及ぼすおそれがあるので，自船に火災が発
生したときは，これを的確かつ早急に他船及び周囲の者に知らせるために，そ
の火災を示す警報について，次のとおり定めたものである。

（1）　火災警報の方法（第29条）

　　　　長音5回（ ━━ ━━ ━━ ━━ ━━ ）（汽笛又はサイレン）

　1．特定港内にある船舶であって汽笛又はサイレンを備えるものが鳴らす。

　　〔注〕　「長音」とは，4秒以上6秒以下の時間継続する吹鳴をいう。（予防法第32
　　　　条第3項）

　2．航行している場合は鳴らしてはならない。

　3．適当な間隔をおいて繰り返し鳴らす。

（2）　警報の方法の表示（第30条）

　　特定港内に停泊する船舶であって汽笛又はサイレンを備えるものは，汽笛
　　又はサイレンの吹鳴に従事する者（停泊当直者など）が見やすいところに，
　　火災警報の方法(1)を表示しなければならない。

〔注〕　「**特定船舶**」等について

　　海交法及び港則法は，一定の海域又は区域にある特定の船舶に対して，安全な航行等を援助するため海上保安庁長官又は港長が提供する情報を聴取する義務などを規定しているが，それらを整理すると以下のとおりである。

	海上交通安全法	港則法
特定船舶	航路及びその周辺海域を航行する長さ50メートル以上の船舶　　（第30条）	京浜港，千葉港，名古屋港及び関門港の航路（計12航路）及びその周辺の区域を航行する小型船及び汽艇等以外の船舶　　（第41条）
異常気象等時特定船舶	異常気象等が発生した場合に，海上の重要施設の周辺等の海域において，航行，停留又は錨泊している長さ50メートル以上の船舶　　（第33条）	異常気象等が発生した場合に，特定港にある海上の重要施設の周辺等の区域において，航行，停留又は錨泊している小型船及び汽艇等以外の船舶　　（第43条）
指定海域内船舶（海交法）指定港内船舶（港則法）	非常災害発生周知措置がとられている指定海域内にある長さ50メートル以上の船舶　　（第38条）	指定港非常災害発生周知措置がとられている指定港内にある長さ50メートル以上の船舶　　（第47条）

第7章 雑 則

第31条～第34条 工事等の許可及び進水等の届出

> **第31条** 特定港内又は特定港の境界附近で工事又は作業をしようとする者は，港長
> の許可を受けなければならない。
> **2** 港長は，前項の許可をするに当り，船舶交通の安全のために必要な措置を命ず
> ることができる。

§3-7-1 工事等の許可及び措置命令（第31条）

　本条は，特定港又はその境界付近における船舶交通の安全を図るため，工事
等の許可について，次のとおり定めたものである。

(1) 工事・作業を港長の許可制とすること。

(2) その許可をするに当たり，港長は必要な措置命令ができること。

> **第32条** 特定港内において端艇競争その他の行事をしようとする者は，予め港長の
> 許可を受けなければならない。

§3-7-2 端艇競争等の行事の許可（第32条）

　本条は，特定港における船舶交通の安全を図るため，端艇競争等の行事を港
長の許可制とすることを定めたものである。

> **第33条** 特定港の国土交通省令で定める区域内において長さが国土交通省令で定め
> る長さ以上である船舶を進水させ，又はドックに出入させようとする者は，その
> 旨を港長に届け出なければならない。

§3-7-3 進水・ドック出入の届出（第33条）

　本条は，特定港における船舶交通の安全を図るため，一定の区域内の一定の
船舶の進水又はドックの出入を届出制とすることを定めたものである。

進水・ドックの出入の届出をしなければならない「国土交通省令で定める区域及び船舶の長さ」（以上）は，施行規則第20条・別表第3に定められている。（具体例）

施行規則・別表第3（則第20条関係）　　　　　　　　　　　（進水等の届出）

港 の 名 称	区　　　　　　　　　域	船 舶 の 長 さ
京　　　浜	横浜第4区，横浜第5区	50メートル

第34条　特定港内において竹木材を船舶から水上に卸そうとする者及び特定港内においていかだをけい留し，又は運行しようとする者は，港長の許可を受けなければならない。

2　港長は，前項の許可をするに当り船舶交通の安全のために必要な措置を命ずることができる。

---

§3-7-4　竹木材の荷卸し等の許可及び措置命令（第34条）

本条は，特定港における船舶交通の安全を図るため，竹・木材の荷卸し等について，次のとおり定めたものである。

(1)　竹・木材の水上荷卸し及びいかだの係留・運行を港長の許可制とすること。

(2)　その許可をするに当たり，港長は必要な措置命令ができること。

竹・木材やこれらを束ねたいかだ（筏）は，広い水面を占めて船舶交通に支障を来たすおそれがあり，時には水面下に没して推進器に損傷を与えるなどのおそれもあることから，許可制としたものである。

第35条　漁ろうの制限

第35条　船舶交通の妨となる虞のある港内の場所においては，みだりに漁ろうをしてはならない。

---

§3-7-5　漁ろうの制限（第35条）

本条は，港内（全適用港）は船舶交通がふくそうするので，漁ろうをする者は船舶交通の障害となるような「みだりに漁ろうをする」ことをしてはならな

いと，航法以前において，漁ろうそのものを制限したものである。

1．本条の「漁ろう」とは，予防法上の「漁ろうに従事している船舶」の場合の漁ろうだけでなく，その他の漁ろう（一本釣りなど）や陸岸から行っている漁ろうも含んだものである。

2．本条は，航法を規定したものでないから，漁ろう船と一般船舶とが接近した場合には，航法上は予防法（第9条第3項，第18条第1項・第2項など）の規定によることになる。

　　もし，その場所が航路筋又は船舶交通がふくそうする水域であるならば，漁ろう船は，予防法第9条第3項ただし書規定又は注意義務（予防法第38条・第39条）により，一般船舶の通航を妨げない動作をとらなければならない。その場合に，もしみだりに漁ろうをしていたとすれば，本条により，その違反を問われることになる。

3．本条は，港則法のすべての適用港に適用されるものである。

第36条　灯火の制限

> **第36条**　何人も，港内又は港の境界附近における船舶交通の妨となる虞のある強力な灯火をみだりに使用してはならない。
> 2　港長は，特定港内又は特定港の境界附近における船舶交通の妨となる虞のある強力な灯火を使用している者に対し，その灯火の滅光又は被覆を命ずることができる。

§3-7-6　強力な灯火の制限（第36条）

　全適用港の港内又は港の境界付近において船舶の荷役用の灯火や陸上施設の灯火で強力なものがあると，当然のことながら船舶の航行の妨げとなるので，本条は，船舶交通の安全上，灯火の制限について，次のとおり定めたものである。

　(1)　何人も，港内又は港の境界付近における船舶交通の妨げとなるおそれのある強力な灯火をみだりに使用してはならない。

　(2)　港長は，特定港又はその境界付近において，(1)と同様の強力な灯火を使用している者に対し，その灯火の滅光又は被覆を命ずることができる。

328　　　　　　　　　第3編　港　　則　　法

第37条　喫煙等の制限

> **第37条**　何人も，港内においては，相当の注意をしないで，油送船の付近で喫煙し，又は火気を取り扱ってはならない。
> **2**　港長は，海難の発生その他の事情により特定港内において引火性の液体が浮流している場合において，火災の発生のおそれがあると認めるときは，当該水域にある者に対し，喫煙又は火気の取扱いを制限し，又は禁止することができる。ただし，海洋汚染等及び海上災害の防止に関する法律第42条の５第１項の規定の適用がある場合は，この限りでない。

§3-7-7　喫煙・火気取扱いの制限（第37条）

本条は，大きな災害となりがちなタンカーの油火災などを予防するため，次のとおり定めたものである。

(1)　何人も，港内（全適用港）においては，相当の注意をしないで，油送船の付近で喫煙し，又は火気を取り扱ってはならない。

(2)　港長は，特定港内で引火性の液体が浮流した場合（例えば，バルブの操作のミスによる油の流出。）に，その水域にある者に対し，喫煙又は火気の取扱いを制限し，又は禁止することができる。

第38条～第39条　船舶交通の制限等

> **第38条**　特定港内の国土交通省令で定める水路を航行する船舶は，港長が信号所において交通整理のため行う信号に従わなければならない。
> **2**　総トン数又は長さが国土交通省令で定めるトン数又は長さ以上である船舶は，前項に規定する水路を航行しようとするときは，国土交通省令で定めるところにより，港長に次に掲げる事項を通報しなければならない。通報した事項を変更するときも，同様とする。
> (1)　当該船舶の名称
> (2)　当該船舶の総トン数及び長さ
> (3)　当該水路を航行する予定時刻
> (4)　当該船舶との連絡手段
> (5)　当該船舶が停泊し，又は停泊しようとする当該特定港の係留施設
> **3**　次の各号に掲げる船舶が，海上交通安全法第22条の規定による通報をする際に，あわせて，当該各号に定める水路に係る前項第５号に掲げる係留施設を通報したときは，同項の規定による通報をすることを要しない。

第7章 雑 則（§3-7-8）　　　　329

(1) 第1項に規定する水路に接続する海上交通安全法第2条第1項に規定する航路を航行しようとする船舶　当該水路

(2) 指定港内における第1項に規定する水路を航行しようとする船舶であって，当該水路を航行した後，途中において寄港し，又はびょう泊することなく，当該指定港に隣接する指定海域における海上交通安全法第2条第1項に規定する航路を航行しようとするもの　当該水路

(3) 指定海域における海上交通安全法第2条第1項に規定する航路を航行しようとする船舶であって，当該航路を航行した後，途中において寄港し，又はびょう泊することなく，当該指定海域に隣接する指定港内における第1項に規定する水路を航行しようとするもの　当該水路

4 港長は，第1項に規定する水路のうち当該水路内の船舶交通が著しく混雑するものとして国土交通省令で定めるものにおいて，同項の信号を行ってもなお第2項に規定する船舶の当該水路における航行に伴い船舶交通の危険が生ずるおそれがある場合であって，当該危険を防止するため必要があると認めるときは，当該船舶の船長に対し，国土交通省令で定めるところにより，次に掲げる事項を指示することができる。

(1) 当該水路（海上交通安全法第2条第1項に規定する航路に接続するものを除く。以下この号において同じ。）を航行する予定時刻を変更すること（前項（第2号及び第3号に係る部分に限る。）の規定により第2項の規定による通報がされていない場合にあっては，港長が指定する時刻に従って当該水路を航行すること。）。

(2) 当該船舶の進路を警戒する船舶を配備すること。

(3) 前二号に掲げるもののほか，当該船舶の運航に関し必要な措置を講ずること。

5 第1項の信号所の位置並びに信号の方法及び意味は，国土交通省令で定める。

§3-7-8　国土交通省令で定める水路（管制水路）における航行管制（第38条第1項）

本条は，特定港のうち，大型船などの船舶の入出港の激しい一定の港の国土交通省令で定める水路において，船舶交通の安全と効率化のため，船舶交通の制限を行うことを定めたものである。

特定港内の国土交通省令で定める水路を航行する船舶は，港長が信号所において交通整理のために行う信号に従わなければならない。　　　　　（第1項）

第1項は，国土交通省令で定める水路（以下「管制水路」と略することがある。）を航行する船舶に，港長が船舶交通の安全と効率化を図るために行う交

通整理(以下「航行管制」と略することがある。)の信号に従う義務を課したものである。

1. この航行管制は,図3・10の2に示すように,例えば,入航船(一定の大きさ以上の船)Aに入航することを認めた場合に,出航船(一定の大きさ以上の船)Bに対しては,運航停止・待機を指示するが,小型の出航船(一定の大きさ未満の船)Cに対しては,効率的に出航を認める方法で行われる。

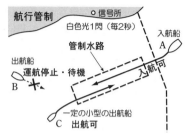

図 3・10の2　管制水路における航行管制

2. 「国土交通省令で定める水路」は,施行規則第20条の2・別表第4に定められている。

同別表によれば,その管制水路は,現在,次の特定港(15港)に設けられており,港によっては複数の水路が存在している。

　　苫小牧,八戸,仙台塩釜,鹿島,千葉,京浜,新潟,名古屋,四日市,阪神,水島,関門,高知,佐世保,那覇

§3-7-9　管制水路を航行する船舶の名称等の通報など(第38条第2項,第3項)

(1)　船舶の名称等の通報(第2項)

総トン数又は長さが国土交通省令で定めるトン数又は長さ以上である船舶は,前項に規定する水路を航行しようとするときは,国土交通省令で定めるところにより,港長に次に掲げる事項を通報しなければならない。

(1)　当該船舶の名称
(2)　当該船舶の総トン数及び長さ
(3)　当該水路を航行する予定時刻
(4)　当該船舶との連絡手段
(5)　当該船舶が停泊し,又は停泊しようとする当該特定港の係留施設

第2項は,管制水路における航行管制を効率的に行い,船舶交通がいたずらに渋滞することがないようにするため,港長が,当該水路を航行しようとする船舶の名称など上記事項をよく把握しておく必要があるので,船舶にその通報義務を課したものである。

総トン数又は長さが「国土交通省令で定めるトン数又は長さ以上である船

第7章　雑　　則（§3-7-9の2）　　　331

舶」は，「国土交通省令で定めるところ」により通報しなければならないが，
国土交通省令（施行規則）は，例えば，次のとおり定めている。
（具体例）
（航行に関する注意）　　（阪神港）（則第33条第1項・第6項）
第33条第1項　総トン数300トン以上の船舶は，大船橋以西の木津川運河を航行
して入航し，又は出航しようとするときは，法第38条第2項各号に掲げる事項
（同項第3号に掲げる事項は，入航しようとするときにあっては木津川運河入
口付近に達する予定時刻とし，出航しようとするときにあっては運航開始予定
時刻とする。）を，それぞれ入航予定日又は運航開始予定日の前日正午までに
港長に通報しなければならない。
第6項　前各項の事項を通報した船舶は，当該事項に変更があったときは，直ち
に，その旨を港長に通報しなければならない。
（2）　管制水路と海交法の航路の両方を航行する場合の通報の省略（第3項）
本条第3項は，海交法又は港則法に基づき，それぞれ海上保安庁長官又は
港長に対して別々に行う通報を，同長官への通報に一本化することで重複を
避け，手続を簡素化したものである。
次の船舶が，海交法第22条の通報（巨大船等の航行に関する通報）をする
際に，あわせて管制水路に係る第2項第5号の係留施設を通報したときは，
同項による通報をすることを要しない。
⑴　管制水路（第1項）に接続する海交法の航路を航行しようとする船舶
（第1号）
管制水路に接続する海交法の航路の例としては，水島港の港内航路（管
制水路）と水島航路があり，同港の境界のところで両航路は接続している。
⑵　指定港内の管制水路及び隣接する指定海域における航路の両方を航行し
ようとする船舶で，当該水路及び当該航路間の途中において寄港し，又は
錨泊することがないもの。（第2号，第3号）

§3-7-9の2　管制水路を航行する船舶に対する港長の指示（第4項）

第38条第4項は，船舶の管制信号待ちや渋滞を緩和し，船舶交通の危険防止
と効率化を図るため，管制水路の航行に関し事前通報義務のある船舶（第2
項）の船長に対して，港長が当該水路の入航時刻等を指示できることを定めた
ものである。適用対象となる水路は，次の表に掲げるとおりである。（則第20
条の2第2項）

港	水　　路
千 葉 港	千葉航路，市原航路
京 浜 港	東京東航路，東京西航路，鶴見航路，京浜運河，川崎航路，横浜航路
名古屋港	東水路，西水路，北水路

　港長は，国土交通省令（則第20条の２第３項）で定めるところにより，次に掲げる事項を指示することができる。
　⑴　管制水路（海交法の航路に接続するものを除く。）を航行する予定時刻を変更すること。なお，第３項第２号及び第３号の規定により，第２項の通報が省略されている場合は，港長が指定する時刻に従って当該水路を航行しなければならないこと。
　⑵　船舶局のある船舶にあっては，水路入航予定時刻の３時間前から当該水路から水路外に出るときまでの間における海上保安庁との連絡を保持すること。
　⑶　当該船舶の進路を警戒する船舶又は航行を補助する船舶を配備すること。
　⑷　上記のほか，当該船舶の運航に関し必要と認められる事項に関すること。

§3-7-10　管制水路における航行管制のための信号（第38条第５項）

　第１項の信号所の位置並びに信号の方法及び意味は，国土交通省令で定める。
　第５項は，航行管制のために行う信号は国土交通省令（施行規則）で定めることを定めたものである。
　その「信号所の位置並びに信号の方法及び意味」は，施行規則第20条の２・別表第４に定められている。

第7章 雑 則 （§3-7-10） 333

（具体例）

施行規則・別表第4 （則第20条の2関係）　　　　　　　　　（交通整理の信号）

港の名称	水路	信号所の位置	信号の方法 昼間	信号の方法 夜間	信 号 の 意 味
千葉	千葉航路	千葉灯標信号所（北緯35度34分5秒東経140度2分44秒）（図3・11）〔注〕上記信号所のほか，千葉中央港信号所で灯火による信号を行っているが，略する。	28度及び278度方向に面する信号板による。		
			Ｉの文字の点滅		入航船は，入航することができること。長さ50メートル以上の出航船（総トン数500トン未満の船舶を除く。）は，運航を停止して待たなければならないこと。ただし，港長の指示を受けた船舶は，出航することができること。長さ50メートル未満又は総トン数500トン未満の出航船は，出航することができること。
			Ｏの文字の点滅		出航船は，出航することができること。長さ50メートル以上の入航船（総トン数500トン未満の船舶を除く。）は，航路外において，出航船の進路を避けて待たなければならないこと。ただし，港長の指示を受けた船舶は，入航することができること。長さ50メートル未満又は総トン数500トン未満の入航船は，入航することができること。
			Ｆの文字の点滅		長さ140メートル（油送船にあっては，総トン数1,000トン）以上の入航船は，航路外において，出航船の進路を避けて待たなければならないこと。長さ140メートル（油送船にあっては，総トン数1,000トン）以上の出航船は，運航を停止して待たなければならないこと。長さ140メートル（油送船にあっては，総トン数1,000トン）未満の入出航船は，入出航することができること。
			Ｘの文字の点滅		港長の指示を受けた船舶以外の船舶は，入出航してはならないこと。

〔注〕 この表の電光文字板による信号は，新しい方式で増えつつあるが，このほか，従来の灯火・形象物による信号の方法があり，一部の水路では，その方法で行われている。

334 第3編 港 則 法

> **第39条** 港長は，船舶交通の安全のため必要があると認めるときは，特定港内にお
> いて航路又は区域を指定して，船舶の交通を制限し又は禁止することができる。
> 2 前項の規定により指定した航路又は区域及び同項の規定による制限又は禁止の
> 期間は，港長がこれを公示する。
> 3 港長は，異常な気象又は海象，海難の発生その他の事情により特定港内におい
> て船舶交通の危険が生じ，又は船舶交通の混雑が生ずるおそれがある場合におい
> て，当該水域における危険を防止し，又は混雑を緩和するため必要があると認め
> るときは，必要な限度において，当該水域に進行してくる船舶の航行を制限し，
> 若しくは禁止し，又は特定港内若しくは特定港の境界付近にある船舶に対し，停
> 泊する場所若しくは方法を指定し，移動を制限し，若しくは特定港内若しくは特
> 定港の境界付近から退去することを命ずることができる。ただし，海洋汚染等及
> び海上災害の防止に関する法律第42条の8の規定の適用がある場合は，この限り
> でない。
> 4 港長は，異常な気象又は海象，海難の発生その他の事情により特定港内におい
> て船舶交通の危険を生ずるおそれがあると予想される場合において，必要がある
> と認めるときは，特定港内又は特定港の境界付近にある船舶に対し，危険の防止
> の円滑な実施のために必要な措置を講ずべきことを勧告することができる。

§3-7-11 一時的な船舶交通の制限（第39条）

本条は，前条（第38条）が管制水路で船舶の航行管制を行うという恒常的な
船舶交通の制限であるのに対して，工事等による一時的な，あるいは異常な気
象等による臨機の船舶交通の制限等を定めたものである。

（1） 一時的な交通制限（第1項）

第1項は，特定港内で工事等が行われる場合に，港長が船舶交通の安全の
ため必要があると認めるときに，一時的に船舶交通を制限・禁止することを
定めたものである。

（具体例）

ある特定港において，新しい岸壁の築造工事を行う場合に，船舶交通の安
全のため，どうしても交通の制限を行わなければならないときに，港長が必
要最小限の範囲で区域，期間等を定め，工事に従事する船舶以外の船舶の航
泊を禁止する等である。

（2） 一時的な交通制限の公示（第2項）

第2項は，第1項により一時的に船舶交通を制限・禁止した場合には，港

第7章　雑　　則（§3-7-11）　　　335

長はその制限事項（区域，期間など。）を公に知らせるため公示することを
定めたものである。

　公示は，公示文（下記）の掲示（海上保安部等の掲示板），水路通報，管
区水路通報，航行警報，海上交通情報，ラジオ放送，関係者への通報などの
方法によって周知される。

　（具体例）

港長公示　第○○号

　港則法第39条第1項の規定により，○○港第1区において，次のとおり船舶の航
行を制限したので，同条第2項の規定により，公示する。

○　○　港　長

　　令和○○年4月1日

　　　　　○○港第1区における船舶の航行の制限について

　○○港第1区2号地埋立地南側水路において浚渫工事を実施するので，同水路に
おける船舶の行会いを防止するため，下記により同水路における船舶の航行を制限
する。

記

1．期　　　　間　　令和○○年4月3日から当分の間
2．境　界　線　　2号地埋立地南東端と中央防波堤東灯台とを結ぶ線
3．制 限 事 項　　総トン数500トン以上の船舶は，上記境界線を超えて西行して
　　　　　　　　　はならない。

（3）　臨機の航行制限（第3項）

　　第3項は，異常な気象又は海象，海難の発生等による船舶交通の危険を防
止し，又は混雑を緩和するため，港長は特定港内にある船舶に対し，停泊す
る場所等を指定し，移動を制限し，又は特定港内若しくは境界付近からの退
去を命ずることができると定めたものである。

　　この規定は，第1項の一時的な交通制限とは異なり，公示（第2項）する
時間的な余裕がない場合のもので，臨機の交通制限である。

（4）　異常な気象等による危険の防止のための港長の勧告（第4項）

　　第4項は，異常な気象又は海象，海難の発生等により特定港内において船
舶交通の危険を生ずるおそれがあると予想される場合において，港長は特定
港内又は特定港の境界付近にある船舶に対し，危険の防止の円滑な実施のた
めに必要な措置を講ずべきことを勧告することができると定めたものである。

336 第3編 港 則 法

　この勧告の制度は，連絡手段が整備されたことを契機に，特定港内又はその境界付近にある船舶の危険を防止するために設けられた新しい制度である。

〔注〕 「勧告」とは，命令とは異なり，ある措置をとるべきことを勧めるとの意である。勧告を受けた船舶は，勧告を尊重して，危険の防止ための措置を講ずべきである。

第40条　原子力船に対する規制

> **第40条**　港長は，核原料物質，核燃料物質及び原子炉の規制に関する法律（昭和32年法律第166号）第36条の2第4項の規定による国土交通大臣の指示があったとき，又は核燃料物質（使用済燃料を含む。以下同じ。），核燃料物質によって汚染された物（原子核分裂生成物を含む。）若しくは原子炉による災害を防止するため必要があると認めるときは，特定港内又は特定港の境界付近にある原子力船に対し，航路若しくは停泊し，若しくは停留する場所を指定し，航法を指示し，移動を制限し，又は特定港内若しくは特定港の境界付近から退去することを命ずることができる。
> 2　第20条第1項の規定は，原子力船が特定港に入港しようとする場合に準用する。

§3-7-12　原子力船に対する規制（第40条）

　本条は，原子力船の核燃料物質等による災害を防止することについて，次のとおり定めたものである。

　⑴　特定港又はその境界付近にある原子力船に対して，港長が交通の規制をすることができる。（第1項）

　⑵　原子力船は，特定港の境界外で港長の指揮を受けなければならない。（第2項）

第7章　雑　　則（§3-7-13）　　　337

第41条　港長が提供する情報の聴取

> **第41条**　港長は，特定船舶（小型船及び汽艇等以外の船舶であって，第18条第2項に規定する特定港内の船舶交通が特に著しく混雑するものとして国土交通省令で定める航路及び当該航路の周辺の特に船舶交通の安全を確保する必要があるものとして国土交通省令で定める当該特定港内の区域を航行するものをいう。以下この条及び次条において同じ。）に対し，国土交通省令で定めるところにより，船舶の沈没等の船舶交通の障害の発生に関する情報，他の船舶の進路を避けることが容易でない船舶の航行に関する情報その他の当該航路及び区域を安全に航行するために当該特定船舶において聴取することが必要と認められる情報として国土交通省令で定めるものを提供するものとする。
>
> **2**　特定船舶は，前項に規定する航路及び区域を航行している間は，同項の規定により提供される情報を聴取しなければならない。ただし，聴取することが困難な場合として国土交通省令で定める場合は，この限りでない。

§3-7-13　港長が提供する情報の聴取（第41条）

　本条は，次条（第42条）とともに，連絡手段が整備されたことを契機として，船舶の安全な航行を援助するための措置について定めたものである。

（1）　船舶の安全な航行を援助するための港長による情報の提供（第1項）

　　第1項は，港長が「特定船舶」（下記1.）に対し，次に掲げる情報（下記2.）を提供することを定めている。

1．特定船舶

　　特定船舶とは，小型船及び汽艇等以外の船舶であって，第18条第2項に規定する特定港（千葉港，京浜港，名古屋港，四日市港，阪神港，関門港）内の①船舶交通が特に著しく混雑するものとして国土交通省令（則第20条の3第1項）で定める航路及び②当該航路の周辺の特に船舶交通の安全を確保する必要があるものとして国土交通省令（則同条同項）で定める当該特定港内の区域を航行するものをいう。

　（具体例）

　　「特定船舶」の適用される航路及び区域（情報の聴取が義務付けられる航路及び区域）（則同条同項・別表第5）は，現在は，関門港（図3・10の3），千葉港，京浜港及び名古屋港について定められている。

　　これらは，上記6つの特定港のうち，複雑な地形，多数の航路の存在，船舶交通のふくそう，激潮流など航行環境が厳しい港である。

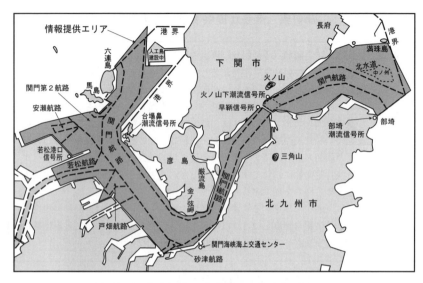

図 3·10の3　特定船舶の適用航路・区域（関門港）
　　　　　（情報の聴取が義務付けられる航路・区域）

2．港長が提供する情報

　港長は，次に掲げる情報であって，国土交通省令（則第20条の3第3項）で定めるものを提供する。

(1)　船舶の沈没等の船舶交通の障害の発生に関する情報
(2)　他の船舶の進路を避けることが容易でない船舶の航行に関する情報
(3)　その他，当該航路及び区域を安全に航行するために当該特定船舶において聴取することが必要と認められる情報

　港長による情報の提供は，海上保安庁長官が告示で定めるところにより，VHF無線電話により行う。（則第20条の3第2項）

(2)　特定船舶の情報の聴取義務（第2項）

　第2項は，特定船舶が第1項の航路及び区域を航行している間は，同項の情報を聴取しなければならないことを定めている。

　ただし，聴取することが困難な場合（則第20条の4）は，この限りでない。

第7章　雑　則（§3-7-14）　　339

第42条　航法の遵守及び危険の防止のための勧告

> **第42条**　港長は，特定船舶が前条第1項に規定する航路及び区域において適用される交通方法に従わないで航行するおそれがあると認める場合又は他の船舶若しくは障害物に著しく接近するおそれその他の特定船舶の航行に危険が生ずるおそれがあると認める場合において，当該交通方法を遵守させ，又は当該危険を防止するため必要があると認めるときは，必要な限度において，当該特定船舶に対し，国土交通省令で定めるところにより，進路の変更その他の必要な措置を講ずべきことを勧告することができる。
>
> **2**　港長は，必要があると認めるときは，前項の規定による勧告を受けた特定船舶に対し，その勧告に基づき講じた措置について報告を求めることができる。

§3-7-14　航法の遵守及び危険の防止のための勧告（第42条）

　本条は，前条と同様に，船舶の安全な航行を援助するための措置について定めたものである。

（1）　航法の遵守及び危険の防止のための勧告（第1項）

　港長は，特定船舶が，①前条第1項に規定する航路及び区域において適用される交通方法に従わないで航行するおそれがあると認める場合又は②他の船舶若しくは障害物に著しく接近するおそれその他の特定船舶の航行に危険が生ずるおそれがあると認める場合において，次に掲げることを勧告することができる。

⑴　当該交通方法を遵守させること。

⑵　当該危険を防止するため必要があると認めるときは，必要な限度において，当該特定船舶に対し，国土交通省令で定めるところにより，進路の変更その他の必要な措置を講ずべきこと。

　　この勧告は，国土交通省令の定めにより，海上保安庁長官が告示で定めるところにより，VHF無線電話その他の適切な方法により行われる。

（則第20条の5）

（2）　勧告を受けた特定船舶の講じた措置の報告（第2項）

　港長は，必要があると認めるときは，勧告を受けた特定船舶に対し，その勧告に基づき講じた措置について報告を求めることができる。

340 　　　　　　第3編　港　　則　　法

第43条　異常気象等時特定船舶に対する情報の提供等

> **第43条**　港長は，異常な気象又は海象による船舶交通の危険を防止するため必要が
> あると認めるときは，異常気象等時特定船舶（小型船及び汽艇等以外の船舶で
> あって，特定港内及び特定港の境界付近の区域のうち，異常な気象又は海象が発
> 生した場合に特に船舶交通の安全を確保する必要があるものとして国土交通省令
> で定める区域において航行し，停留し，又はびょう泊をしているものをいう。以
> 下この条及び次条において同じ。）に対し，国土交通省令で定めるところにより，
> 当該異常気象等時特定船舶の進路前方にびょう泊をしている他の船舶に関する情
> 報，当該異常気象等時特定船舶のびょう泊に異状が生ずるおそれに関する情報そ
> の他の当該区域において安全に航行し，停留し，又はびょう泊をするために当該
> 異常気象等時特定船舶において聴取することが必要と認められる情報として国土
> 交通省令で定めるものを提供するものとする。
>
> 2　前項の規定により情報を提供する期間は，港長がこれを公示する。
>
> 3　異常気象等時特定船舶は，第1項に規定する区域において航行し，停留し，又
> はびょう泊をしている間は，同項の規定により提供される情報を聴取しなければ
> ならない。ただし，聴取することが困難な場合として国土交通省令で定める場合
> は，この限りでない。

§3-7-14の2　異常気象等の発生時における情報の提供等（第43条）

　本条は，次条（第44条）とともに，特に勢力の大きい台風や津波の来襲といっ
た異常な気象又は海象が発生した場合に，海上にある重要施設の周辺等の特に
船舶交通の安全を確保する必要がある区域において，船舶の安全な航行等を援
助するための措置について定めたものである。

（1）　港長による船舶の安全な航行等を援助するための情報の提供（第1項）

　　第1項は，港長が「異常気象等時特定船舶」（下記1.）に対し，次に掲げ
る情報（下記2.）を提供することを定めている。

　1.　異常気象等時特定船舶（第1項前段）

　　異常気象等時特定船舶とは，下記のいずれにも該当する船舶である。

　⑴　小型船及び汽艇等以外の船舶

　⑵　特定港内及び特定港の境界付近の国土交通省令で定める区域において
　　航行し，停留し，又は錨泊をしている船舶

　　国土交通省令で定める区域としては，現在のところ，京浜港の一定の
　　区域のみが定められている。（則第20条の6第1項，別表第6）

第7章 雑 則（§3-7-14の2）

2．港長が提供する情報（第1項後段）

　港長は，次に掲げる情報であって，国土交通省令（則第20条の6第3項）で定めるものを提供する。

⑴　当該異常気象等時特定船舶の進路前方に錨泊をしている他の船舶に関する情報

⑵　当該異常気象等時特定船舶の錨泊に異状が生ずるおそれに関する情報

⑶　その他，当該区域において安全に航行し，停留し，又は錨泊をするために当該異常気象等時特定船舶において聴取することが必要と認められる情報

3．これらの情報の提供は，告示で定めるところにより，VHF無線電話によって行われる。（則第20条の6第2項）

（2）　情報提供の期間（第2項）

　情報を提供する期間は，港長が公示する。

（3）　異常気象等時特定船舶の情報の聴取義務（第3項）

　第3項は，異常気象等時特定船舶が，第1項の区域において航行し，停留し，又は錨泊をしている間は，同項の情報を聴取しなければならないことを定めている。ただし，聴取することが困難な場合として国土交通省令（則第20条の7）で定める場合は，この限りでない。

第44条　異常気象等時特定船舶に対する危険の防止のための勧告

> **第44条**　港長は，異常な気象又は海象により，異常気象等時特定船舶が他の船舶又は工作物に著しく接近するおそれその他の異常気象等時特定船舶の航行，停留又はびょう泊に危険が生ずるおそれがあると認める場合において，当該危険を防止するため必要があると認めるときは，必要な限度において，当該異常気象等時特定船舶に対し，国土交通省令で定めるところにより，進路の変更その他の必要な措置を講ずべきことを勧告することができる。
>
> **2**　港長は，必要があると認めるときは，前項の規定による勧告を受けた異常気象等時特定船舶に対し，その勧告に基づき講じた措置について報告を求めることができる。

342 第3編 港 則 法

§3-7-14の3　異常気象等時特定船舶に対する危険の防止のための勧告（第44条）

本条は，前条と同様に，異常な気象又は海象が発生した場合に，海上にある
重要施設の周辺等の特に船舶交通の安全を確保する必要がある区域において，
船舶の安全な航行等を援助するための措置について定めたものである。

（1）　港長による異常気象等時特定船舶に対する勧告（第1項）

港長は，異常な気象又は海象の発生時において，①異常気象等時特定船舶
が，他の船舶又は工作物に著しく接近するおそれがあると認める場合，②異
常気象等時特定船舶の航行，停留又は錨泊に危険が生ずるおそれがあると認
める場合において，その危険を回避するために，当該異常気象等時特定船舶
に対し，国土交通省令で定めるところにより，進路の変更その他の必要な措
置を講ずべきことを勧告することができる。

この勧告は，告示で定めるところにより，VHF 無線電話その他の適切な
方法により行われる。（則第20条の8）

（2）　勧告を受けた異常気象等時特定船舶の講じた措置の報告（第2項）

港長は，必要があると認めるときは，勧告を受けた異常気象等時特定船舶
に対し，その勧告に基づき講じた措置について報告を求めることができる。

第45条　準用規定

> **第45条**　第9条，第25条，第28条，第31条，第36条第2項，第37条第2項及び第38
> 条から第40条までの規定は，特定港以外の港について準用する。この場合におい
> て，これらに規定する港長の職権は，当該港の所在地を管轄する管区海上保安本
> 部の事務所であって国土交通省令の定めるものの長がこれを行うものとする。

§3-7-15　準用規定（第45条）

本条は，第9条など特定港に適用される一定の規定は，特定港以外の港にも
準用されることについて，次のとおり定めたものである。

（1）　特定港以外の港に準用される規定（前段）

次の規定は，特定港以外の港にも準用される。

⑴　停泊船舶に対する港長の移動命令（第9条）

⑵　沈没物等の港長の除去命令（第25条）

⑶　私設信号の使用に関する港長の許可（第28条）

第7章 雑　則（§3-7-16）　　　343

⑷　工事等に対する港長の許可及び措置命令（第31条）
⑸　強力な灯火に対する港長の減光又は被覆命令（第36条第2項）
⑹　引火性の液体の浮流に対する港長の喫煙又は火気の取扱いの制限・禁止命令（第37条第2項）
⑺　港長が行う船舶交通の制限及びその公示（第38条～第39条）
⑻　原子力船に対する港長の規制（第40条）
（2）　準用規定の港長の職権（後段）
　　特定港以外の港に，上記（1）の規定が準用される場合は，その港に港長が置かれていないので，それぞれの規定に定められている港長の職権は，その港の所在地を管轄とする管区海上保安本部の事務所であって国土交通省令（則第20条の9）が定める海上保安監部，海上保安部若しくは海上保安航空基地又は一定の海上保安署の長がこれを行う。

第46条～第47条　非常災害時における海上保安庁長官の措置等

> **第46条**　海上保安庁長官は，海上交通安全法第37条第1項に規定する非常災害発生周知措置（以下この項において「非常災害発生周知措置」という。）をとるときは，あわせて，非常災害が発生した旨及びこれにより当該非常災害発生周知措置に係る指定海域に隣接する指定港内において船舶交通の危険が生ずるおそれがある旨を当該指定港内にある船舶に対し周知させる措置（次条及び第48条第2項において「指定港非常災害発生周知措置」という。）をとらなければならない。
>
> 2　海上保安庁長官は，海上交通安全法第37条第2項に規定する非常災害解除周知措置（以下この項において「非常災害解除周知措置」という。）をとるときは，あわせて，当該非常災害解除周知措置に係る指定海域に隣接する指定港内において，当該非常災害の発生により船舶交通の危険が生ずるおそれがなくなった旨又は当該非常災害の発生により生じた船舶交通の危険がおおむねなくなった旨を当該指定港内にある船舶に対し周知させる措置（次条及び第48条第2項において「指定港非常災害解除周知措置」という。）をとらなければならない。

§3-7-16　非常災害時における海上保安庁長官の措置（第46条）

　本条は，非常災害が発生したときに，海交法に規定する指定海域と一体的に船舶交通の危険を防止するため，海交法の周知措置をとる場合は，指定海域に隣接する指定港内にある船舶に対しても，あわせて同様の措置をとることを定

めたものである。非常災害時において，海上保安庁長官は次の措置をとる。

（1）　指定港非常災害発生周知措置：非常災害発生周知措置（海交法第37条第
　　１項）とあわせてとられる次の措置
　　⑴　非常災害が発生した旨を周知させる措置
　　⑵　非常災害の発生により，指定港内において船舶交通の危険が生ずるおそ
　　　れがある旨を周知させる措置
（2）　指定港非常災害解除周知措置：非常災害解除周知措置（海交法第37条第
　　２項）とあわせてとられる次の措置
　　⑴　指定港内において，非常災害の発生により船舶交通の危険が生ずるおそ
　　　れがなくなった旨を周知させる措置
　　⑵　指定港内において，非常災害の発生により生じた船舶交通の危険がおお
　　　むねなくなった旨を周知させる措置

第47条　海上保安庁長官は，指定港非常災害発生周知措置をとったときは，指定港
　　非常災害解除周知措置をとるまでの間，当該指定港非常災害発生周知措置に係る
　　指定港内にある海上交通安全法第４条本文に規定する船舶（以下この条において
　　「指定港内船舶」という。）に対し，国土交通省令で定めるところにより，非常
　　災害の発生の状況に関する情報，船舶交通の制限の実施に関する情報その他の当
　　該指定港内船舶が航行の安全を確保するために聴取することが必要と認められる
　　情報として国土交通省令で定めるものを提供するものとする。
　2　指定港内船舶は，指定港非常災害発生周知措置がとられたときは，指定港非常
　　災害解除周知措置がとられるまでの間，前項の規定により提供される情報を聴取
　　しなければならない。ただし，聴取することが困難な場合として国土交通省令で
　　定める場合は，この限りでない。

---

§3-7-17　非常災害時における情報の聴取（第47条）

　本条は，非常災害が発生した場合に「指定港内船舶」に対して，航行の安全
を確保するために必要な情報の提供及びその情報の聴取について定めたもので
ある。

　指定港内船舶とは，指定港非常災害発生周知措置に係る指定港内にある長さ
50メートル以上の船舶（海交法第４条本文）をいう。

（1）　海上保安庁長官が提供する情報（第１項）

　　海上保安庁長官は，指定港非常災害発生周知措置をとったときは，次の情

報を提供する。

⑴　非常災害の発生の状況に関する情報

⑵　船舶交通の制限の実施に関する情報

⑶　その他の指定港内船舶が航行の安全を確保するために聴取することが必要と認められる情報として国土交通省令（則第20条の10第2項）で定めるもの

（2）　指定港内船舶の情報の聴取義務（第2項）

指定港内船舶は，指定港非常災害発生周知措置がとられたときは，指定港非常災害解除周知措置がとられるまでの間，上記（1）の情報を聴取しなければならない。

ただし，聴取することが困難な場合として，国土交通省令（則第20条の8）で定める場合は，この限りでない。

第48条　海上保安庁長官による港長等の職権の代行

第48条　海上保安庁長官は，海上交通安全法第32条第1項第3号の規定により同項に規定する海域からの退去を命じ，又は同条第2項の規定により同項に規定する海域からの退去を勧告しようとする場合において，これらの海域及び当該海域に隣接する港からの船舶の退去を一体的に行う必要があると認めるときは，当該港が特定港である場合にあっては当該特定港の港長に代わって第39条第3項及び第4項に規定する職権を，当該港が特定港以外の港である場合にあっては当該港に係る第45条に規定する管区海上保安本部の事務所の長に代わって同条において準用する第39条第3項及び第4項に規定する職権を行うものとする。

2　海上保安庁長官は，指定港非常災害発生周知措置をとったときは，指定港非常災害解除周知措置をとるまでの間，当該指定港非常災害発生周知措置に係る指定港が特定港である場合にあっては当該特定港の港長に代わって第5条第2項及び第3項，第6条，第9条，第14条，第20条第1項，第21条，第24条，第38条第1項，第2項及び第4項，第39条第3項，第40条，第41条第1項，第42条，第43条第1項並びに第44条に規定する職権を，当該指定港が特定港以外の港である場合にあっては当該港に係る第45条に規定する管区海上保安本部の事務所の長に代わって同条において準用する第9条，第38条第1項，第2項及び第4項，第39条第3項並びに第40条に規定する職権を行うものとする。

346　　　　　　　　　第３編　港　　則　　法

§3-7-18　異常気象等の発生時における湾外避難の一体的な実施（第48条第１項）

　本条第１項は，異常な気象又は海象の発生時に，湾内及び隣接する港内にある船舶に対する湾外避難の命令又は勧告を，海上保安庁長官が一体的に行うことを定めたものである。

　海上保安庁長官は，次の(1)又は(2)の場合，港長又は管区海上保安本部の事務所の長に代わって臨機の交通制限の職権（第39条第３項及び第４項）を行う。

　(1)　船舶交通の危険が生じ，又はそのおそれがある海域からの退去を命ずる場合（海交法第32条第１項第３号）

　(2)　船舶交通の危険が生じるおそれがあると予想される海域からの退去を勧告しようとする場合（海交法第32条第２項）

§3-7-18の2　非常災害時における一元的な交通管制　（第48条第２項）

　本条第２項は，非常災害が発生した場合に，指定港及び指定海域内の船舶交通の危険を防止し，船舶を適切に誘導するために必要な措置を，海上保安庁長官が一元的に行うことを定めたものである。

（１）　指定港が特定港の場合

　　海上保安庁長官は港長に代わって次の職権を行う。

　(1)　錨地の指定（第５条第２項及び第３項）

　(2)　指定錨地からの移動に対する許可（第６条）

　(3)　移動命令（第９条）

　(4)　危険防止のための航路外待機の指示（第14条）

　(5)　危険物を積載した船舶に対する入港時の指示（第20条第１項）

　(6)　危険物を積載した船舶に対する停泊・停留場所の指定（第21条）

　(7)　海難発生時における報告の受報（第24条）

　(8)　管制水路における航行管制（第38条第１項）

　(9)　管制水路を航行する船舶からの通報の受報（第38条第２項）

　(10)　管制水路を航行しようとする船舶に対する航行予定時刻の変更等の指示（第38条第４項）

　(11)　一時的な船舶交通の制限（第39条第３項）

　(12)　原子力船に対する規制（第40条）

　(13)　特定船舶に対する情報の提供（第41条第１項）

　(14)　特定船舶に対する航法の遵守及び危険防止のための勧告（第42条）

　(15)　異常気象等時特定船舶に対する情報の提供（第43条第１項）

第7章 雑　則（§3-7-19）　　　　347

⒃　異常気象等時特定船舶に対する危険の防止のための勧告（第44条）
（2）　指定港が特定港以外の場合
　　海上保安庁長官は管区海上保安部の事務所の長に代わって，（1）の⑶，
⑻，⑼，⑽，⑾，⑿，の職権を行う。
　〔**注**〕　港則法の適用港においては，航行管制，移動の制限，港内からの退去等の命令
　　　又は勧告は港長又は管区海上保安部の事務所の長が行う。しかし，異常気象等
　　　又は非常災害の発生時においては，海上交通の危険を防止するため隣接する海交
　　　法の適用海域と一体的に行う必要があることから，本条の規定が設けられた。

第49条　職権の委任

第49条　この法律の規定により海上保安庁長官の職権に属する事項は，国土交通省
　　令で定めるところにより，管区海上保安部長に行わせることができる。
2　管区海上保安部長は，国土交通省令で定めるところにより，前項の規定によ
　　りその職権に属させられた事項の一部を管区海上保安部の事務所の長に行わせ
　　ることができる。

---

§3-7-19　職権の委任（第49条）
　本条は，海交法に規定する「権限の委任」と同様に，本法に定める海上保安
庁長官の職権を管区海上保安部長に，また同本部長は職権の一部を管区海上
保安部の事務所の長に委任できることについて定めたものである。

第50条　行政手続法の適用除外

第50条　第9条（第45条において準用する場合を含む。），第14条，第20条第1項（第
　　40条第2項（第45条において準用する場合を含む。）において準用する場合を含
　　む。）又は第37条第2項若しくは第39条第3項（これらの規定を第45条において
　　準用する場合を含む。）の規定による処分については，行政手続法（平成5年法
　　律第88号）第3章の規定は，適用しない。
2　前項に定めるもののほか，この法律に基づく国土交通省令の規定による処分で
　　あって，港内における船舶交通の安全又は港内の整頓を図るためにその現場にお
　　いて行われるものについては，行政手続法第3章の規定は，適用しない。

---

348   第3編 港 　 則 　 法

§3-7-20　行政手続法の適用除外（第50条）

　本条は，行政手続法（§2-4-5）に関して，次に掲げる規定による処分については，同法第3条（適用除外）第1項第13号の規定により，公益（保安）を確保するため現場で臨機に必要な措置をとる必要がある事項であるため，同法第3章（不利益処分）の規定による聴聞を行ったり弁明の機会の付与を行ったりする暇のないことから，同章の規定は適用しないことを定めたものである。

(1)　①　第9条………………特定港内の停泊船舶に対する移動命令（特定港以外の港に準用。）

　　②　第14条………………危険防止のための航路外待機の指示

　　③　第20条第1項………危険物を積載した船舶に対する特定港への入港指揮（原子力船の特定港への入港指揮（特定港以外の港に準用。）を含む。）

　　④　第37条第2項………特定港内の引火性の液体の浮流時の喫煙・火気取扱いの制限・禁止（特定港以外の港に準用。）

　　⑤　第39条第3項………特定港内の臨機の交通の制限（特定港以外の港に準用。）　　　　　　　　　　　　　　　　　　（第1項）

(2)　港則法に基づく国土交通省令の規定による処分であって，港内における船舶交通の安全又は港内の整とんを図るためにその現場において行われるもの　　　　　　　　　　　　　　　　　　　　　　　　　（第2項）

第8章 罰 則

第51条～第56条 罰 則

第51条 次の各号のいずれかに該当する者は，6月以下の拘禁刑又は50万円以下の罰金に処する。

⑴ 第21条，第22条第1項若しくは第4項又は第40条第2項（第45条において準用する場合を含む。）において準用する第20条第1項の規定の違反となるような行為をした者。

⑵ 第40条第1項（第45条において準用する場合を含む。）の規定による処分の違反となるような行為をした者。

第52条 次の各号のいずれかに該当する者は，3月以下の拘禁刑又は30万円以下の罰金に処する。

⑴ 第5条第1項，第6条第1項，第11条，第12条又は第38条第1項（第45条において準用する場合を含む。）の規定の違反となるような行為をした者

⑵ 第5条第2項の規定による指定を受けないで船舶を停泊させた者又は同条第4項に規定するびょう地以外の場所に船舶を停泊させた者

⑶ 第7条第3項，第9条（第45条において準用する場合を含む。），第14条又は第39条第1項若しくは第3項（これらの規定を第45条において準用する場合を含む。）の規定による処分の違反となるような行為をした者

⑷ 第24条の規定に違反した者

2 次の各号のいずれかに該当する場合には，その違反行為をした者は，3月以下の拘禁刑又は30万円以下の罰金に処する。

⑴ 第23条第1項又は第31条第1項（第45条において準用する場合を含む。）の規定に違反したとき。

⑵ 第23条第3項又は第25条，第31条第2項，第36条第2項若しくは第38条第4項（これらの規定を第45条において準用する場合を含む。）の規定による処分に違反したとき。

第53条 第37条第2項（第45条において準用する場合を含む。）の規定による処分に違反した者は，30万円以下の罰金に処する。

第54条 第4条，第7条第2項，第20条第1項又は第35条の規定の違反となるような行為をした者は，30万円以下の罰金又は科料に処する。

2 次の各号のいずれかに該当する場合には，その違反行為をした者は，30万円以下の罰金又は科料に処する。

350　　　　　　　　第3編　港　　則　　法

⑴　第7条第1項，第23条第2項，第28条（第45条において準用する場合を含む。），第32条，第33条又は第34条第1項の規定に違反したとき。

⑵　第34条第2項の規定による処分に違反したとき。

第55条　第10条の規定による国土交通省令の規定の違反となるような行為をした者は，30万円以下の罰金又は拘留若しくは科料に処する。

第56条　法人の代表者又は法人若しくは人の代理人，使用人その他の従業員がその法人又は人の業務に関して第52条第2項又は第54条第2項の違反行為をしたときは，行為者を罰するほか，その法人又は人に対しても各本条の罰金刑を科する。

附　　則（略）

§3-8-1　罰　則（第51条〜第56条）

　罰則を設けたのは，海交法の場合と同様に，港則法に規定する義務の履行を求め，法の実効性を確保しようとするためである。（§2-5-1参照）

（具体例）

第38条第1項違反

　国土交通省令で定める水路（管制水路）で交通整理の信号に従うこと（第38条第1項）の規定の違反となるような行為をした者は，3月以下の懲役又は30万円以下の罰金に処する。　　　　　　　　　　　　　　　（第52条第1号）

港則法施行規則（抄）

第2章 各 則

第1節の4 千葉港
（航行に関する注意）

第24条 長さ140メートル（油送船にあっては総トン数1,000トン）以上の船舶は，千葉航路を航行して入航し，又は出航しようとするときは，法第38条第2項各号に掲げる事項（同項第3号に掲げる事項は，入航しようとするときにあっては当該航路入口付近に達する予定時刻とし，出航しようとするときにあっては運航開始予定時刻とする。）を，それぞれ入航予定日又は運航開始予定日の前日正午までに港長に通報しなければならない。

2 長さ125メートル（油送船にあっては，総トン数1,000トン）以上の船舶は，市原航路を航行して入航し，又は出航しようとするときは，法第38条第2項各号に掲げる事項（同項第3号に掲げる事項は，入航しようとするときにあっては当該航路入口付近に達する予定時刻とし，出航しようとするときにあっては運航開始予定時刻とする。）を，それぞれ入航予定日又は運航開始予定日の前日正午までに港長に通報しなければならない。

3 前二項の事項を通報した船舶は，当該事項に変更があったときは，直ちに，その旨を港長に通報しなければならない。 （図は次ページ）

第2節 京浜港
（停泊の制限）

第25条 京浜港において，はしけを他の船舶の船側に係留するときは，次の制限に従わなければならない。

⑴ 東京第1区においては，1縦列を超えないこと。

⑵ 東京第2区並びに横浜第1区，第2区及び第3区においては，3縦列を超えないこと。

⑶ 川崎第1区及び横浜第4区においては，2縦列を超えないこと。

（びょう泊等の制限）

第26条 船舶は，川崎第1区及び横浜第4区においては，次に掲げる場合を除

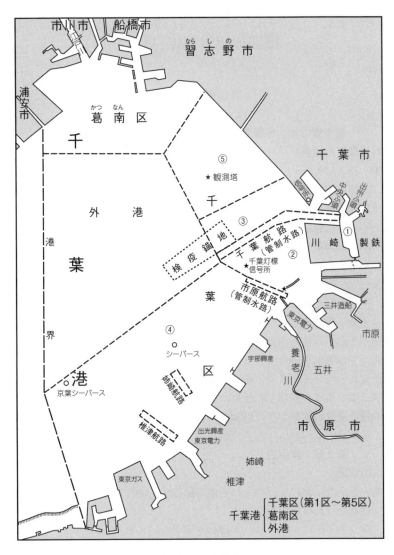

図 3·11　千葉港

図 3·12 京浜港

354 第3編 港 則 法

いては，びょう泊し，又はえい航している船舶その他の物件を放してはならない。

(1) 海難を避けようとするとき。

(2) 運転の自由を失ったとき。

(3) 人命又は急迫した危険のある船舶の救助に従事するとき。

(4) 法第31条の規定による港長の許可を受けて工事又は作業に従事するとき。

（えい航の制限）

第27条 船舶は，京浜港において，汽艇等を引くときは，第9条第1項の規定にかかわらず，次の制限に従わなければならない。

(1) 東京区河川運河水面（第1区内の隅田川水面並びに荒川及び中川放水路水面を除く。）においては，引船の船首から最後の汽艇等の船尾までの長さが150メートルを超えないこと。

(2) 川崎第1区及び横浜第4区において貨物等を積載した汽艇等を引くときは，午前7時から日没までの間は，引船の船首から最後の汽艇等の船尾までの長さが150メートルを超えないこと。

〔注〕 あらかじめ港長の許可を受けた場合については，上記第27条の規定は，適用しない。（則第21条第2項）

（特定航法）

第27条の2 船舶は，東京西航路において，周囲の状況を考慮し，次の各号のいずれにも該当する場合には，他の船舶を追い越すことができる。

(1) 当該他の船舶が自船を安全に通過させるための動作をとることを必要としないとき。

(2) 自船以外の船舶の進路を安全に避けられるとき。

2 前項の規定により汽船が他の船舶の右舷側を航行して追い越そうとするときは，汽笛又はサイレンをもって長音1回に引き続いて短音1回を，その左舷側を航行して追い越そうとするときは，長音1回に引き続いて短音2回を吹き鳴らさなければならない。

3 前項の規定は，東京第1区及び東京区河川運河水面において，汽船が他の船舶を追い越そうとする場合に準用する。

4 総トン数500トン以上の船舶は，13号地その2東端から中央防波堤内側内貿ふ頭岸壁北端（北緯35度36分25秒東経139度47分55秒）まで引いた線を超えて13号地その2南東側海面を西行してはならない。

港 則 法 施 行 規 則　　　　355

〔注〕　あらかじめ港長の許可を受けた場合については，上記第4項の規定は，適用しない。（則第21条第2項）

第27条の3　船舶は，川崎第1区及び横浜第4区においては，他の船舶を追い越してはならない。ただし，前条第1項中「東京西航路」とあるのを「川崎第1区及び横浜第4区」と読み替えて適用した場合に同項各号のいずれにも該当する場合は，この限りでない。

2　総トン数500トン以上の船舶は，京浜運河を通り抜けてはならない。

3　総トン数1,000トン以上の船舶は，塩浜信号所から239度30分1,100メートルの地点から152度に東扇島まで引いた線を超えて京浜運河を西行してはならない。

4　総トン数1,000トン以上の船舶は，京浜運河において，午前6時30分から午前9時までの間は，船首を回転してはならない。

〔注〕　あらかじめ港長の許可を受けた場合については，上記第2項及び第3項の規定は，適用しない。（則第21条第2項）

（航行に関する注意）

第28条　京浜運河から他の運河に入航し，又は他の運河から京浜運河に入航しようとする汽船は，京浜運河と当該他の運河との接続点の手前150メートルの地点に達したときは，汽笛又はサイレンをもって長音1回を吹き鳴らさなければならない。

第29条　総トン数5,000トン（油送船にあっては1,000トン）以上の船舶は，鶴見航路又は川崎航路を航行して川崎第1区又は横浜第4区に入航しようとするときはそれぞれ当該航路入口付近で，川崎第1区又は横浜第4区を出航して鶴見航路又は川崎航路を航行しようとするときはそれぞれ境運河前面水域又は東扇島26号岸壁前面水域で汽笛又はサイレンをもって長音を2回吹き鳴らさなければならない。

2　長さ150メートル（油送船にあっては，総トン数1,000トン）以上の船舶は，東京東航路を航行して入航し，又は出航しようとするときは，法第36条の3第2項各号に掲げる事項（同項第3号に掲げる事項は，入航しようとするときにあっては当該航路入口付近に達する予定時刻とし，出航しようとするときにあっては運航開始予定時刻とする。）を，それぞれ入航予定日又は運航開始予定日の前日正午までに港長に通報しなければならない。

3　長さ300メートル（油送船にあっては，総トン数5,000トン）以上の船舶は，東京西航路を航行して入航し，又は出航しようとするときは，法第38条第2項各号に掲げる事項（同項第3号に掲げる事項は，入航しようとするときに

あっては当該航路入口付近に達する予定時刻とし，出航しようとするときにあっては運航開始予定時刻とする。）を，それぞれ入航予定日又は運航開始予定日の前日正午までに港長に通報しなければならない。

4　総トン数1,000トン以上の船舶は，鶴見航路若しくは川崎航路を航行して入航し，又は川崎第1区及び横浜第四区において移動し（京浜運河以外の水域内において移動するときを除く。），若しくは鶴見航路若しくは川崎航路を航行して出航しようとするときは，法第38条第2項各号に掲げる事項（同項第3号に掲げる事項は，入航しようとするときにあってはそれぞれ当該航路入口付近に達する予定時刻とし，移動し，又は出航しようとするときにあっては運航開始予定時刻とする。）を，それぞれ入航予定日又は運航開始予定日の前日正午までに港長に通報しなければならない。

5　長さ160メートル（油送船にあっては，総トン1,000トン）以上の船舶は，横浜航路を航行して入航し，又は出航しようとするときは，法第38条第2項各号に掲げる事項（同項第3号に掲げる事項は，入航しようとするときにあっては当該航路入口付近に達する予定時刻とし，出航しようとするときにあっては運航開始予定時刻とする。）を，それぞれ入航予定日又は運航開始予定日の前日正午までに港長に通報しなければならない。

6　第2項から前項までの事項を通報した船舶は，当該事項に変更があったときは，直ちに，その旨を港長に通報しなければならない。

第2節の2　名古屋港

（特定航法）

第29条の2　第27条の2第1項及び第2項の規定は，東航路，西航路（西航路北側線西側屈曲点から135度に引いた線の両側それぞれ500メートル以内の部分を除く。）及び北航路において，船舶（同条第2項を準用する場合にあっては，汽船）が他の船舶を追い越そうとする場合に準用する。

2　船舶が第1項に規定する航路の部分を航行しているときは，その付近にある他の船舶は，航路外から航路に入り，航路から航路外に出，又は航路を横切って航行してはならない。

3　総トン数500トン未満の船舶は，東航路，西航路及び北航路においては，航路の右側を航行しなければならない。

4　東航路を航行する船舶と西航路又は北航路を航行する船舶とが出会うおそれのある場合は，西航路又は北航路を航行する船舶は，東航路を航行する船

舶の進路を避けなければならない。
5 　西航路を航行する船舶(西航路を航行して東航路に入った船舶を含む。以下この項において同じ。)と北航路を航行する船舶(北航路を航行して東航路

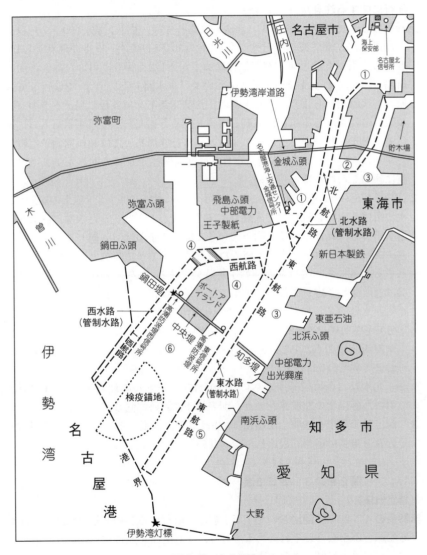

図 3·13　名古屋港

に入った船舶を含む。以下この項において同じ。）とが東航路において出会うおそれのある場合は，西航路を航行する船舶は，北航路を航行する船舶の進路を避けなければならない。

（航行に関する注意）

第29条の3 長さ270メートル（油送船にあっては，総トン数5,000トン）以上の船舶は，高潮防波堤東信号所から212度30分3,840メートルの地点から123度30分に引いた線と東航路西側線屈曲点から123度30分に引いた線との間の航路（以下この項及び別表第4において「東水路」という。）を航行して入航し，又は出航しようとするときは，法第38条第2項各号に掲げる事項（同項第3号に掲げる事項は，入航しようとするときにあっては東水路入口付近に達する予定時刻とし，出航しようとするときにあっては運航開始予定時刻とする。）を，それぞれ入航予定日又は運航開始予定日の前日正午までに港長に通報しなければならない。

2 長さ175メートル（油送船にあっては，総トン数5,000トン）以上の船舶は，次に掲げる水路を航行して入航し，又は出航しようとするときは，法第38条第2項各号に掲げる事項（同項第3号に掲げる事項は，入航しようとするときにあってはそれぞれ当該水路入口付近に達する予定時刻とし，出航しようとするときにあっては運航開始予定時刻とする。）を，それぞれ入航予定日又は運航開始予定日の前日正午までに港長に通報しなければならない。

(1) 西水路（名古屋港高潮防波堤中央堤西灯台（北緯35度34秒東経136度48分6秒）から229度2,140メートルの地点から128度に引いた線と西航路北側線西側屈曲点から135度に引いた線との間の同航路をいう。別表第4において同じ。）

(2) 北水路（金城信号所から175度30分750メートルの地点から123度30分に引いた線以北の北航路をいう。別表第4において同じ。）

3 前二項の事項を通報した船舶は，当該事項に変更があったときは，直ちに，その旨を港長に通報しなければならない。

第2節の3 四日市港

（特定航法）

第29条の4 四日市港において，第1航路を航行する船舶と午起航路を航行する船舶とが出会うおそれのある場合は，午起航路を航行する船舶は，第1航路を航行する船舶の進路を避けなければならない。

（航行に関する注意）
第29条の5　総トン数3,000トン以上の船舶は，第1航路を航行して入航し，又は第1航路若しくは午起航路を航行して出航しようとするときは，法第38条第2項各号に掲げる事項（同項第3号に掲げる事項は，入航しようとするときにあっては第1航路入口付近に達する予定時刻とし，出航しようとするときにあっては運航開始予定時刻とする。）を，それぞれ入航予定日又は運航開始予定日の前日正午までに港長に通報しなければならない。
2　前項の事項を通報した船舶は，当該事項に変更があったときは，直ちに，その旨を港長に通報しなければならない。

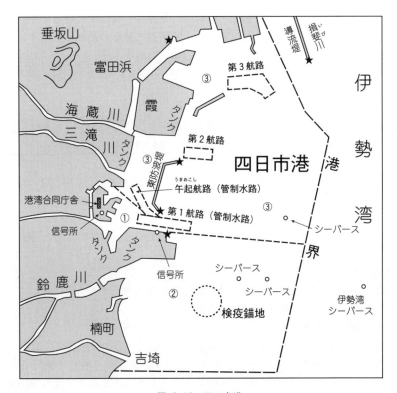

図 3・14　四日市港

360　　　　　　　　第3編 港　　則　　法

第3節　阪神港

（停泊の制限）

第30条　船舶は，阪神港大阪区河川運河水面（大阪北港北灯台（北緯34度40分24秒東経135度24分9秒）から103度730メートルの地点から99度に対岸まで引いた線，天保山記念碑と桜島入堀西岸南端とを結んだ線，第3突堤第8号岸壁東端（北緯34度38分51秒東経135度27分6秒）から102度30分に対岸まで引いた線，木津川口両突端を結んだ線及び木津川運河西口両突端を結んだ線からそれぞれ上流の港域内の河川及び運河水面をいう。以下同じ。）においては，両岸から河川幅又は運河幅の4分の1以内の水域に停泊し，又は係留しなければならない。

2　阪神港神戸区防波堤内において，はしけを岸壁，桟橋又は突堤に係留中の船舶の船側に係留するときは2縦列を，その他の船舶の船側に係留するときは3縦列を超えてはならない。

〔注〕　あらかじめ港長の許可を受けた場合については，上記第30条の規定は，適用しない。（則第21条第2項）

（えい航の制限）

第31条　船舶は，阪神港大阪区防波堤内において，汽艇等を引くときは，第9条第1項の規定にかかわらず，次の制限に従わなければならない。

　⑴　阪神港大阪区河川運河水面（木津川運河水面を除く。）においては，引船の船首から最後の汽艇等の船尾までの長さが120メートルを超えないこと。

　⑵　木津川運河水面においては，引船の船首から最後の汽艇等の船尾までの長さが80メートルを超えないこと。

〔注〕　あらかじめ港長の許可を受けた場合については，上記第31条の規定は，適用しない。（則第21条第2項）

（特定航法）

第32条　第27条の2第2項の規定は，阪神港大阪区河川運河水面において，汽船が他の船舶を追い越そうとする場合に準用する。

（航行に関する注意）

第33条　総トン数300トン以上の船舶は，大船橋以西の木津川運河を航行して入航し，又は出航しようとするときは，法第38条第2項各号に掲げる事項（同項第3号に掲げる事項は，入航しようとするときにあっては木津川運河入口付近に達する予定時刻とし，出航しようとするときにあっては運航開始予定時刻とする。）を，それぞれ入航予定日又は運航開始予定日の前日正午までに港長に通報しなければならない。

港則法施行規則　　　　　　　　　　　361

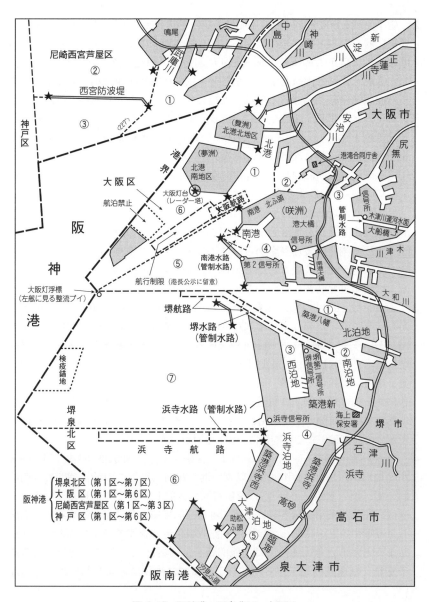

図 3·15　阪神港・堺泉北区, 大阪区

362 第3編 港 則 法

2 総トン数5,000トン以上の船舶は，第1号の地点から第3号の地点までを
順次に結んだ線と第4号の地点から第6号の地点までを順次に結んだ線との
間の海面（以下この項及び別表第4において「南港水路」という。）を航行
して入航し，又は出航しようとするときは，法第38条第2項各号に掲げる事
項（同項第3号に掲げる事項は，入航しようとするときにあっては南港水路
入口付近に達する予定時刻とし，出航しようとするときにあっては運航開始
予定時刻とする。）を，それぞれ入航予定日又は運航開始予定日の前日正午
までに港長に通報しなければならない。
⑴ 大阪南港北防波堤灯台（北緯34度37分43秒東経135度23分48秒）から113
度570メートルの地点
⑵ 大阪南港北防波堤灯台から213度70メートルの地点
⑶ 大阪南港北防波堤灯台から298度30分520メートルの地点
⑷ 大阪南港北防波堤灯台から141度660メートルの地点
⑸ 大阪南港北防波堤灯台から204度380メートルの地点
⑹ 大阪南港北防波堤灯台から269度30分620メートルの地点
3 総トン数3,000トン以上の船舶は，堺信号所から301度2,540メートルの地点
から29度に引いた線以東の堺航路（以下この項及び別表第四において「堺水
路」という。）を航行して堺泉北第2区若しくは堺泉北第3区に入航し，又は
堺泉北第2区若しくは堺泉北第3区を出航しようとするときは，法第36条の3
第2項各号に掲げる事項（同項第3号に掲げる事項は，入航しようとすると
きにあっては堺水路入口付近に達する予定時刻とし，出航しようとするとき
にあっては運航開始予定時刻とする。）を，それぞれ入航予定日又は運航開始
予定日の前日正午までに港長に通報しなければならない。
4 総トン数10,000トン以上の船舶は，浜寺信号所から262度40分2,755メート
ルの地点から181度に引いた線以東の浜寺航路（以下この項及び別表第四に
おいて「浜寺水路」という。）を航行して入航し，又は出航しようとすると
きは，法第38条第2項各号に掲げる事項（同項第3号に掲げる事項は，入航
しようとするときにあっては浜寺水路入口付近に達する予定時刻とし，出航
しようとするときにあっては運航開始予定時刻とする。）を，それぞれ入航
予定日又は運航開始予定日の前日正午までに港長に通報しなければならな
い。
5 総トン数40,000トン（油送船にあっては，1,000トン）以上の船舶は，神
戸中央航路を航行して入航し，又は出航しようとするときは，法第38条第2

項各号に掲げる事項(同項第3号に掲げる事項は,入航しようとするときにあっては当該航路入口付近に達する予定時刻とし,出航しようとするときにあっては運航開始予定時刻とする。)を,それぞれ入航予定日又は運航開始予定日の前日正午までに港長に通報しなければならない。

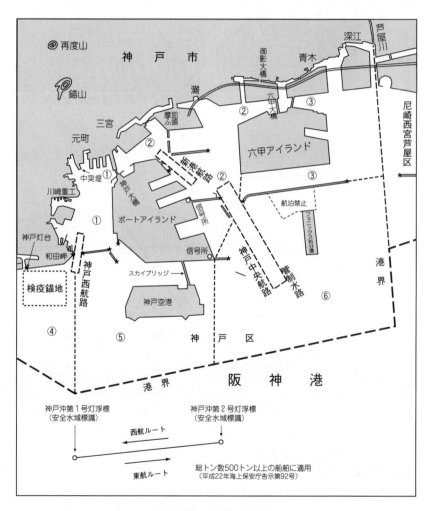

図 3·16 阪神港・神戸区

6 前各項の事項を通報した船舶は，当該事項に変更があったときは，直ちに，その旨を港長に通報しなければならない。

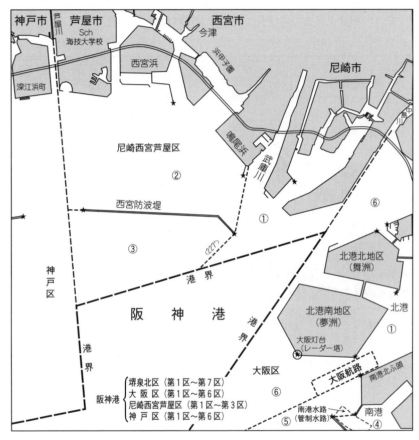

図 3・16の2　阪神港・尼崎西宮芦屋区

第3節の2　水島港
（航行に関する注意）
第33条の2　長さ200メートル以上の船舶は，港内航路を航行して入航し，又は出航しようとするときは，法第38条第2項各号に掲げる事項（同項第3号に掲げる事項は，入航しようとするときにあっては当該航路入口付近に達す

る予定時刻とし，出航しようとするときにあっては運航開始予定時刻とする。）を，それぞれ入航予定日又は運航開始予定日の前日正午までに港長に通報しなければならない。
2 　前項の事項を通報した船舶は，当該事項に変更があったときは，直ちに，その旨を港長に通報しなければならない。

第6節　関門港

（びょう泊の方法）
第36条　港長は，必要があると認めるときは，関門港内にびょう泊する船舶に対し，双びょう泊を命ずることができる。

（えい航の制限）
第37条　船舶は，関門航路において，汽艇等を引くときは，第9条第1項の規定によるほか，1縦列にしなければならない。
〔注〕　あらかじめ港長の許可を受けた場合については，上記第37条の規定は，適用しない。（則第21条第2項）

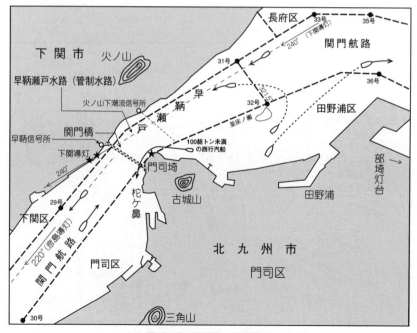

図 3·17　関門港・早鞆瀬戸

(特定航法)
第38条　船舶は，関門港においては，次の航法によらなければならない。
(1) 関門航路及び関門第2航路を航行する汽船は，できる限り，航路の右側を航行すること。
(2) 田野浦区から関門航路によろうとする汽船は，門司埼灯台（北緯33度57分44秒東経130度57分47秒）から67度1,980メートルの地点から321度30分に引いた線以東の航路から入航すること。
(3) 早鞆瀬戸を西行しようとする総トン数100トン未満の汽船は，前二号に規定する航法によらないことができる。この場合においては，できるだけ門司埼に近寄って航行し，他の船舶に行き会ったときは，右舷を相対して航過すること。
(4) 第1号の規定により早鞆瀬戸を東行する汽船は，前号の規定により同瀬戸を航行する汽船を常に右舷に見て航過すること。
(5) 潮流を遡り早鞆瀬戸を航行する汽船は，潮流の速度に4ノットを加えた

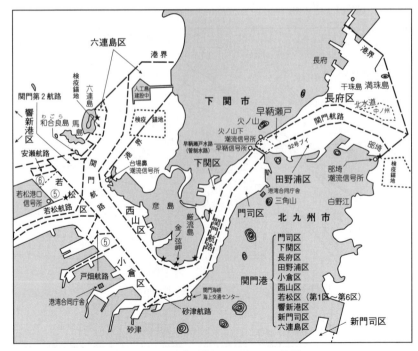

図 3·18　関門港（若松区は図3·19に掲載）

速力以上の速力を保つこと。
(6) 若松航路及び奥洞海航路においては，総トン数500トン以上の船舶は航路の中央部を，その他の船舶は，航路の右側を航行すること。
(7) 関門航路を航行する船舶と砂津航路，戸畑航路，若松航路又は関門第2航路（以下この号において「砂津航路等」という。）を航行する船舶とが出会うおそれのある場合は，砂津航路等を航行する船舶は，関門航路を航行する船舶の進路を避けること。
(8) 関門第2航路を航行する船舶と安瀬航路を航行する船舶とが出会うおそれのある場合は，安瀬航路を航行する船舶は，関門第2航路を航行する船舶の進路を避けること。
(9) 関門第2航路を航行する船舶と若松航路を航行する船舶とが関門航路において出会うおそれのある場合は，若松航路を航行する船舶は，関門第2航路を航行する船舶の進路を避けること。
(10) 戸畑航路を航行する船舶と若松航路を航行する船舶とが関門航路において出会うおそれのある場合は，若松航路を航行する船舶は，戸畑航路を航

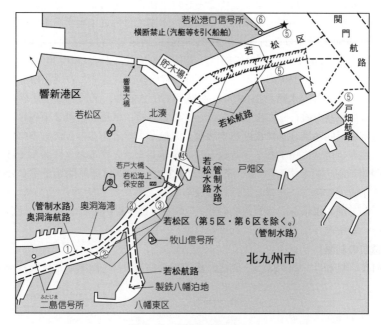

図 3·19 関門港・若松区

行する船舶の進路を避けること。

(11) 若松航路を航行する船舶と奥洞海航路を航行する船舶とが出会うおそれ
のある場合は，奥洞海航路を航行する船舶は，若松航路を航行する船舶の
進路を避けること。

2 第27条の2第1項及び第2項の規定は，関門航路（関門橋西側線と火ノ山
下潮流信号所（北緯33度58分6秒東経130度57分41秒）から130度に引いた線
との間の関門航路（第40条第1項及び別表第4において「早鞆瀬戸水路」と
いう。）を除く。）において，船舶（第27条の2第2項を準用する場合にあっ
ては，汽船）が他の船舶を追い越そうとする場合に準用する。

第39条 汽艇等その他の物件を引いている船舶は，若松航路のうち，若松港口
信号所から110度30分1,195メートルの地点から164度に引いた線と同信号所
から223度1,835メートルの地点から311度30分に引いた線との間の航路を横
断してはならない。

（航行に関する注意）

第40条 総トン数10,000トン（油送船にあっては3,000トン）以上の船舶は，
早鞆瀬戸水路を航行しようとするときは，法第38条第2項各号に掲げる事項
（同項第3号に掲げる事項は，早鞆瀬戸水路入口付近に達する予定時刻とす
る。）を通航予定日の前日正午までに港長に通報しなければならない。

2 総トン数300トン以上の船舶は，若松港口信号所から184度30分1,335メー
トルの地点から349度に引いた線以西の若松航路（以下この項及び別表第4
において「若松水路」という。）を航行して入航し，又は若松水路若しくは
奥洞海航路を航行して出航しようとするときは，法第38条第2項各号に掲げ
る事項（同項第3号に掲げる事項は，入航しようとするときにあっては若松
水路入口付近に達する予定時刻とし，出航しようとするときにあっては運航
開始予定時刻とする。）を，それぞれ入航予定日又は運航開始予定日の前日
正午までに港長に通報しなければならない。

3 前二項の事項を通報した船舶は，当該事項に変更があったときは，直ちに，
その旨を港長に通報しなければならない。

（縫航の制限）

第41条 帆船は，門司区，下関区，西山区及び若松区を縫航してはならない。

第9節　博多港

（特定航法）

第44条　博多港において，中央航路を航行する船舶と東航路を航行する船舶とが出会うおそれのある場合は，東航路を航行する船舶は，中央航路を航行する船舶の進路を避けなければならない。

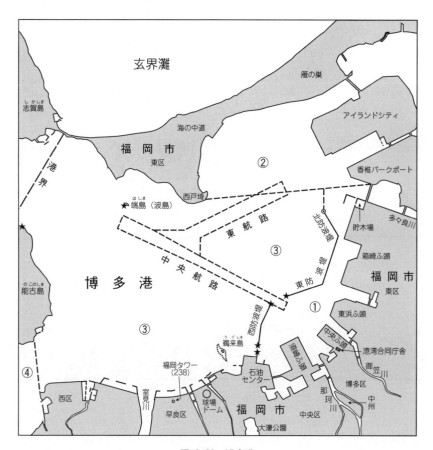

図 3・20　博多港

第10節　長崎港

（縫航の制限）

第45条　帆船は，長崎港第1区及び第2区を縫航してはならない。

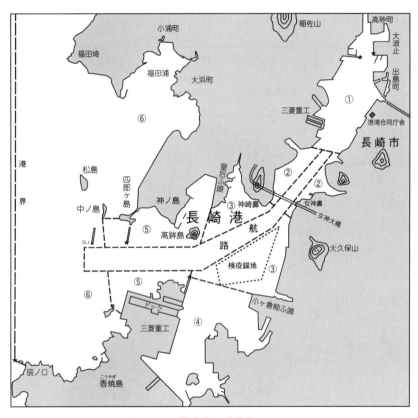

図 3・21　長崎港

練 習 問 題

＜総 則＞

問 汽艇等とは，どのような船舶か。 （口述）
〔ヒント〕§3-1-4（1）

問 特定港とは，どんな港か。 （四級）
〔ヒント〕§3-1-4（2）

＜入港及び停泊＞

問 次の文の下線部分は，港則法及び同法施行規則上「正しい」か「正しくない」かいずれか。「正しくない」ものは訂正せよ。 （五級）
　<u>総トン数20トン未満の船舶</u>及び端舟その他ろかいのみをもって運転し，又は主としてろかいをもって運転する日本船舶は，特定港に入港したとき，港長に「入港届」を提出することを要しない。
〔ヒント〕正しい。（§3-2-1（2））

問 総トン数500トン以上の船舶が，特定港内の係留施設以外の場所に停泊しようとするときに，港長からびょう地の指定を受けなければならないのはどの港か。 （四級）
〔ヒント〕京浜港，阪神港（尼崎西宮芦屋区を除く。），関門港（§3-2-2（2））
（備考）関門港若松区においては，総トン数300トン以上の船舶が錨地の指定を受けなければならないことに留意のこと。

問 港則法第7条（修繕及び係船）の規定に関し，次の問いに答えよ。
　(1)　修繕中又は係船中の船は，特定港内においては，どこに停泊しなければならないか。
　(2)　港長は，危険を防止するため必要があると認めるときは，修繕中又は係船中の船に対し，どのようなことを命ずることができるか。 （三級）
〔ヒント〕(1)　港長の指定する場所
　　　　　(2)　必要な員数の船員の乗船

問 港内で，汽艇等及びいかだは，どのようなものにみだりに係留してはならないか。 （五級）
〔ヒント〕係船浮標，他の船舶（法第8条）

372 第3編 港 則 法

問 港内でみだりに錨泊又は停留してはならない場所を5つあげよ。 (五級)
〔ヒント〕ふとう，岸壁，係船浮標，運河の入口付近，船だまりの入口付近（§3-2-7）

問 港内に停泊する船舶が，適当な予備びょうを投下する準備をし，更に，汽船においては蒸気の発生その他直ちに運航できるように準備をしなければならないのは，どのような場合か。 (三級)
〔ヒント〕異常な気象又は海象により，当該船舶の安全の確保に支障が生ずるおそれがあるとき。（§3-2-7（2））

＜航路及び航法＞

問 汽艇等以外の船舶が，港則法に定める特定港に出入し，又は特定港を通過するには，国土交通省令で定める航路によらなければならないが，次の各場合には，どのように入るようにしなければならないか。
① 航路の入口から航路に入る場合 ② 航路の途中から航路に入る場合
(三級)
〔ヒント〕 ① §3-3-1（2）1. ② §3-3-1（2）2.

問 右図は，港則法に定める特定港内において，出航する甲，乙2隻の汽船が，そのまま進行すると，防波堤の入口付近で衝突するおそれがある場合を示す。下の問いに答えよ。ただし，両船とも総トン数500トンを超える船である。
(1) 航法上，どちらの船が避航しなければならないか。また，それはなぜか。
(2) 甲，乙両船は，それぞれどのような処置をとらなければならないか。
(3) 出航船が，図示のような針路で出航することの可否について述べよ。 (四級)
〔ヒント〕(1) ① 乙船。
② 両船とも出航汽船であり，また航路航行船でないから，法第15条又は第13条第1項の適用はなく，予防法の横切り船（同法第15条第1項前段）の航法による。
(2) 乙船は避航船の動作（予防法第16条，第15条第1項後段，第8条）。甲船は保持船の動作（予防法第17条）。
(3) 否。法第11条により航路によらなければならない。

問 港則法に定める航路内において投びょうすることが例外的に認められるのは，どのような場合か。 (四級)

練習問題

[ヒント]（§3-3-2（2））

問 航路の中央を航行中，反航する他船と航路内で行き会うときは，どのような処置をとらなければならないか。　　　　　　　　　　　　　　　　　　　　　　　　（五級）
[ヒント] 右側を航行するため右転，操船信号。（§3-3-5）

問 港則法では，次の(1)～(3)についてどのように規定しているか。
(1) 港内での航行速力
(2) 航路内での追越し
(3) 航路内で他船と行き会うときの航法　　　　　　　　　　　　　　　　　　（五級）
[ヒント](1) 船舶は，他の船舶に危険を及ぼさないような速力で航行しなければならない。
(2) 船舶は，他の船舶を追い越してはならない。
(3) 船舶は，他の船舶と行き会うときは，右側を航行しなければならない。

問 次図(1)及び(2)に示すように，港則法に定める特定港内の×地点付近において，2隻の動力船が衝突するおそれがあるとき，どちらの船が他船の進路を避けなければならないか，それぞれの場合について理由を付して述べよ。ただし，各船とも総トン数600トンの汽船である。　　　　　　　　　　　　　　　　　　　　　　　　　　　　　（四級）

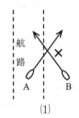
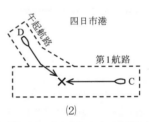

[ヒント](1) A船。（理由）A船は航路から航路外に出ようとする船舶であり，B船は航路外から航路に入ろうとする船舶であるから，港則法に適用すべき航法規定がない。したがって，一般法である予防法の第15条（横切り船）による。
(2) D船。（理由）両船は，600総トンであるから，第18条第1項及び第2項は適用されない。数字旗1は掲げる。特定航法（則第29条の4）による。

問 港則法第13条第4項は，船舶の航路内の追越しを禁止しているが，これに関する特定航法として，一定の条件を満たした場合には，追越しが認められている航路がある。これについて，次の問いに答えよ。
(1) 具体的な航路名を1つあげよ。
(2) 他の船舶を追い越すことができるためには，どのような条件が必要か。

(3) 汽船が他の船舶の左舷側を追い越そうとするときの信号を述べよ。　　　（三級）
〔ヒント〕§3-3-17
　　(1) 京浜港 東京西航路，名古屋港 東航路・西航路・北航路，広島港 航路，関門港 関門航路（これらの内から1つ）
　　(2) ① 他の船舶が自船を安全に通過させるための動作をとることを要しないとき。
　　　　② 自船以外の船舶の進路を安全に避けられるとき。
　　(3) 汽笛又はサイレンで，長音，短音及び短音。

問 特定港の一定の航路（例えば，東京西航路）において，船舶は，①他船が自船を安全に通過させるための動作をとる必要がなく，かつ②自船以外の船舶の進路を安全に避けられる場合に限り追越しが認められているが，他船を追い越そうとする場合は，追越し信号としてどんな信号を行わなければならないか。　　　（五級）
〔ヒント〕汽船は，次の信号を汽笛又はサイレンを用いて吹き鳴らす。
　　　　他船の右舷側追越し……長音及び短音
　　　　他船の左舷側追越し……長音，短音及び短音

問 特定港の航路内における航法として，禁止されている事項をあげよ。（特定航法は述べなくてもよい。）　　　（五級）
〔ヒント〕① 船舶は，航路内においては，並列して航行してはならない。
　　　　② 船舶は，航路内においては，他の船舶を追い越してはならない。

問 右図に示すように，特定港の航路内を航行中の一般動力船甲丸（総トン数700トン）と一般動力船乙丸（総トン数600トン）とが行き会うとき，甲丸及び乙丸はそれぞれどのような処置をとらなければならないか。　　　（五級）

〔ヒント〕① 両船とも右転して航路の右側を航行しなければならない。
　　　　② 右転しているときに，短音1回の汽笛信号を行わなければならない。

問 港則法第13条は，航路に関する航法として，4つの規定を定めているが，そのうち，並列航行の禁止及び追越し禁止の規定を除いて，どんな規定があるか述べよ。（四級）
〔ヒント〕① 航路外から航路に入り，又は航路から航路外に出ようとする船舶は，航路を航行する他の船舶の進路を避けなければならない。
　　　　② 船舶は，航路内において，他の船舶と行き会うときは，右側を航行しなければならない。

　　　　　練　習　問　題　　　　　　　　　　　　　　　375

問　特定港の国土交通省令で定める航路における航法について述べよ。　　　（口述）
〔**ヒント**〕法第13条第1項～第4項

問　港則法第14条の規定は，航路を航行し，又は航行しようとする船舶に対し，航路外
待機を指示することについて定めている。この規定について，次の問に答えよ。
⑴　航路外待機を指示するのは誰か。
⑵　上記の指示は，どのような場合に出されるか。
⑶　上記の指示は，どんな連絡手段で行われるか，具体例を1つあげよ。　　　（三級）
〔**ヒント**〕⑴　港長
　　　　　　⑵　地形，潮流その他の自然的条件及び船舶交通の状況を勘案して，航路航
　　　　　　　　行船に危険を生ずるおそれがある場合（国土交通省令は，具体例を示して
　　　　　　　　いる。）（§3-3-6の2）
　　　　　　⑶　VHF無線電話

問　港則法第14条（航路外での待機の指示）の規定は，どのようなことを定めているか。
また，この規定が適用される航路を1つあげ，当該航路において危険が生ずるおそれ
のある場合とは，どのような場合か。具体例を1つあげよ。　　　　　　　　（三級）
〔**ヒント**〕①　条文参照
　　　　　　②　関門第2航路。視程が500メートル以下の状態である場合。（則第8条の2）

問　港則法第15条は，防波堤入口又は入口付近の航法についてどのように定めているか。
　　　　　　　　　　　　　　　　　　　　　　　　　　　　　　　　　　　　（五級）
〔**ヒント**〕汽船が防波堤の入口又は入口付近で他の汽船と出会うおそれのあるときは，
　　　　　　入航する汽船は，防波堤の外で出航する汽船の進路を避けなければならない。

問　港に入航する汽船は，次の⑴～⑶について，それぞれどのようなことを守らなけれ
ばならないか。
⑴　出航汽船との関係　　　⑵　速力　　　⑶　防波堤の突端の航過方法
　　　　　　　　　　　　　　　　　　　　　　　　　　　　　　　　　　　　（五級）
〔**ヒント**〕⑴　防波堤の入口又は入口付近で出航汽船と出会うおそれのあるときは，防
　　　　　　　　波堤の外で出航汽船の進路を避ける。（法第15条）
　　　　　　⑵　港内及び港の境界付近においては，他の船舶に危険を及ぼさないような
　　　　　　　　速力で航行する。（法第16条第1項）
　　　　　　⑶　突端を右舷に見て航行するときは，できるだけこれに近寄り，左舷に見
　　　　　　　　て航行するときは，できるだけこれに遠ざかって航行する。（法第17条）

376 第3編 港 則 法

問 港内において，防波堤，ふとうその他の工作物の突端又は停泊船の近くでは，どのように航行しなければならないか。 (五級)
〔ヒント〕法第17条

問 「右小回り，左大回り」の航法について述べよ。 (口述)
〔ヒント〕法第17条

問 港則法に規定する航法について述べた次の (A) と (B) について，それぞれの正誤を判断し，下の(1)〜(4)のうちからあてはまるものを選べ。

> (A) 汽艇等は，港内においては汽艇等以外の船舶の進路を避けなければならない。
> (B) 港内では防波堤，停泊船舶などを右げんに見て航行するときは，できるだけこれに近寄って航行しなければならない。

(1) (A) は正しく，(B) は誤っている。 (2) (A) は誤っていて，(B) は正しい。
(3) (A) も (B) も正しい。 (4) (A) も (B) も誤っている。 (六級)
〔ヒント〕(3) 法第18条第1項，第17条

問 汽艇等の航法について述べよ。 (口述)
〔ヒント〕法第18条。汽艇等は，港内においては，汽艇等以外の船舶の進路を避けなければならない。

問 国土交通省令で定める船舶交通が著しく混雑する特定港名を2つあげよ。また，それら2港での「小型船」は，それぞれ総トン数何トン以下の船（汽艇等以外）か。
(四級)
〔ヒント〕§3-3-12 (1)

問 港則法の規定する「国土交通省令で定める船舶交通の著しく混雑する特定港」内において，「小型船」に該当するものは，次のうちどれか。
(1) 汽艇
(2) 総トン数200トンの貨物船
(3) 総トン数600トンのタンカー
(4) 総トン数1,000トンのフェリー (六級)
〔ヒント〕(2)（§3-3-12）

問 国土交通省令で定める船舶交通が著しく混雑する特定港内における，ⓐ「小型船及

練 習 問 題　　　　　　　　　　　　　377

び汽艇等」以外の船舶，ⓑ小型船，ⓒ汽艇等の３種類の船舶について，次の問いに答えよ。
(1)　㋐ⓐとⓑ，㋑ⓑとⓒ，㋒ⓐとⓒの各２船間の関係で避航船となるのはどちらか，㋓—ⓓの要領で答えよ。
(2)　ⓐがはじめに述べた特定港内を航行するときは，どのような標識を，どこに，どのように掲げなければならないか。　　　　　　　　　　　　　　　（四級）
〔ヒント〕(1)　㋐—ⓑ，㋑—ⓒ，㋒—ⓒ
　　　　　(2)　数字旗１をマストに見やすいように掲げる。

問　小型船とは，どんな船舶か。第18条第２項にどのように定めているか。　　　（口述）
〔ヒント〕総トン数が500トンを超えない範囲内において国土交通省令で定めるトン数以下である船舶であって汽艇等以外のもの。

問　小型船の航法を述べなさい。　　　　　　　　　　　　　　　　　　　　　　（口述）
〔ヒント〕小型船は，国土交通省令で定める船舶交通が著しく混雑する特定港内においては，小型船及び汽艇等以外の船舶の進路を避けなければならない。

問　次の文の下線部分は，港則法及び同法施行規則上「正しい」か「正しくない」かいずれか。「正しくない」ものは訂正せよ。　　　　　　　　　　　　　　　（五級）
　　国土交通省令で定める船舶交通が著しく混雑する特定港内を航行するときは，小型船及び汽艇等以外の船舶は，国際信号旗第１代表旗をマストに見やすいように掲げなければならない。
〔ヒント〕正しくない。「国際信号旗数字旗１」に訂正。

問　国土交通省令で定める船舶交通が著しく混雑する特定港内において，マストに国際信号旗の数字旗１を掲げている船の進路を避けなければならないのは，どんな船か。また，この航法規定が港内の一部の区域に限って適用される特定港は，何港か。
　　　　　　　　　　　　　　　　　　　　　　　　　　　　　　　　　　　　（三級）
〔ヒント〕(1)　①　総トン数が500トンを超えない範囲内において国土交通省令で定めるトン数以下である船舶であって汽艇等以外のもの（小型船）
　　　　　　　②　汽艇等
　　　　　(2)　四日市港，阪神港，関門港（§3-3-12（1））

問　小型船（Ａ船）と小型船及び汽艇等以外の船舶（Ｂ船）とは，どのようにして識別するか。　　　　　　　　　　　　　　　　　　　　　　　　　　　　　（口述）
〔ヒント〕Ｂ船は，国際信号旗数字旗１を，マストに見やすいように掲げる。

問 次の図は，港内において，昼間出航する汽船甲丸（総トン数2,000トン）とA岸壁に向かう汽船乙丸（総トン数200トン）とが，×地点付近で衝突するおそれを生じた場合を示す。次の問いに答えよ。　　　　　　　　　　　　　　　　　　　（三級）
　① この港が，国土交通省令で定める船舶交通が著しく混雑する特定港である場合，甲丸は，自船の大きさを示すために，どのような旗りゅう信号を掲げなければならないか。また，甲丸は，航法上どのような処置をとらなければならないか。
　② この港が，①で示した特定港以外の港である場合，適用される航法規定は，何か。また，甲丸は，航法上どのような処置をとらなければならないか。

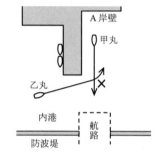

〔ヒント〕① 国際信号旗数字旗1，保持船の動作（予防法第17条）
　　　　　② 横切り船の航法，減速して乙船の航過を待つ。（避航船の動作（予防法第16条），衝突を避けるための動作（予防法第8条）を遵守。）

問 進路の表示方法の1つとして，船舶自動識別装置（AIS）による目的地に関する情報の送信（港則法施行規則第11条第1項）の規定が定められているが，その規定について説明せよ。　　　　　　　　　　　　　　　　　　　　　　　　　　　　（三級）
〔ヒント〕§3-3-30（1）

問 船舶は，港内又は港の境界付近を航行するときは，進路の表示をしなければならないが，信号旗による進路の表示のほかに，どのような表示の方法があるか。要点を述べよ。　　　　　　　　　　　　　　　　　　　　　　　　　　　　　　　　　　（五級）
〔ヒント〕船舶自動識別装置（AIS）による目的地に関する情報の送信（§3-3-30（1））

<関門港>

問 汽船甲丸（総トン数3000トン）は，関門海峡東口から関門航路に入り，同航路を通過して関門海峡西口から日本海へ出ようとする船である。甲丸が港則法施行規則の規定により守らなければならない事項について，次の問いに答えよ。　　　　（三級）
　(1) 関門航路を通航する場合は，港則法第13条第3項の「他の船舶と行き会うときは，右側を航行しなければならない」旨の航法規定を遵守しなければならないか。
　(2) 早鞆瀬戸を航行する場合，潮流が東流であれば，どのような速力を保たなければならないか。

練 習 問 題　　　　　379

(3) 関門第2航路を航行する船舶（乙丸）と出会うおそれのある場合は，航法上どん
な動作をとらなければならないか。

(4) 関門航路において，他船を追い越すことができるためには，どのような条件が必
要か。（追越しの場合の信号については述べなくてもよい。）　　　　　　（三級）

〔**ヒント**〕(1) 否。できる限り，航路の右側を航行しなければならない。（§3-3-16（2））

(2) 潮流の速度に4ノットを加えた速力以上の速力　（§3-3-26）

(3) 乙丸は特定航法により避航船となる（§3-3-27（3））から，保持船の動
作（予防法第17条）をとる。（乙丸の避航動作に疑いのあるときは警告信
号）

(4) ① 他の船舶が自船を安全に通過させるための動作をとることを要しな
いとき。

② 自船以外の船舶の進路を安全に避けられるとき。（§3-3-17（4））

問 関門港の特定航法に関する次の問いに答えよ。

(1) 潮流を遡り早鞆瀬戸を通過しようとする汽船の船速については，どのように規定
されているか。

(2) 若松航路における航行方法については，船舶の総トン数に応じてどのように規定
されているか。

(3) 関門航路と直接接続している航路の名称を2つあげよ。　　　　　　　（三級）

〔**ヒント**〕(1) 潮流の速度に4ノットを加えた速力以上の速力を保つこと。（§3-3-26）

(2) 総トン数500トン以上の船舶は，航路の中央部を，その他の船舶は，航
路の右側を航行しなければならない。（§3-3-16（4））

(3) 砂津航路，戸畑航路，若松航路，関門第2航路（いずれか2つ）。（図
3・18）

問 関門港において，潮流を遡り早鞆瀬戸を航行する汽船（動力船）は，どんな速力で
航行しなければならないか。次のうちから選べ。

(1) 3ノット以上　　　　(2) 潮流の速度に3ノットを加えた速力以上

(3) 4ノット以上　　　　(4) 潮流の速度に4ノットを加えた速力以上　　　（六級）

〔**ヒント**〕(4)（§3-3-26）

＜危険物＞

問 港則法の規定により，爆発物その他の危険物を積載した船舶は，特定港に入港しよ
うとするときは，港の境界外でだれの指揮を受けなければならないか。次のうちから
選べ。

(1) 港湾管理者　　　　(2) 運輸局長

380 第1編 海上衝突予防法

(3) 港長　　　　　(4) 海上保安本部長　　　　　　　　　　　　　(六級)
〔ヒント〕(3)（§3-4-1）

問 危険物を積載した船舶が，港則法上守らなければならないことを，次の各場合について述べよ。
(1) 特定港に入港しようとする場合
(2) 特定港に停泊する場合
(3) 特定港において，危険物を他の船舶に積替をする場合　　　　　　　(四級)
〔ヒント〕(1) 港の境界外で港長の指揮を受けなければならない。（§3-4-1）
(2) 錨地の指定を受ける場合を除いて，港長の指定した場所でなければ停泊してはならない。（§3-4-2）
(3) 港長の許可を受けなければならない。（§3-4-3）

＜水路の保全＞

問 みだりに，バラスト，廃油，石炭がら，ごみその他これに類する廃物を捨ててはならないのは，どのようなところか。　　　　　　　　　　　　　　　　(四級)
〔ヒント〕港内又は港の境界外1万メートル以内の水面。（法第23条第1項）

問 港内で，石炭，石，れんがその他散乱するおそれのあるものを船に積み，又は船から卸そうとする場合は，どのような措置をしなければならないか。　　　　(五級)
〔ヒント〕水面に脱落するのを防ぐための必要な措置（法第23条第2項）

問 港則法に関する次の文の　□　内に適合する語句を記号とともに記せ。
(1) 港内又は港の境界附近において発生した海難により他の　(ア)　を阻害する状態が生じたときは，当該海難に係る船舶の　(イ)　は，遅滞なく　(ウ)　の設定その他　(エ)　のため必要な措置をし，かつ，その旨を，特定港にあっては　(オ)　に，……(略)……報告しなければならない。
(2) 何人も，港内においては，　(カ)　をしないで，油送船の附近で　(キ)　し，又は　(ク)　を取り扱ってはならない。　　　　　　　　　　　　　(三級)
〔ヒント〕（法第24条，法第37条）
(ア) 船舶交通　　(イ) 船長　　　(ウ) 標識　　　(エ) 危険予防
(オ) 港長　　　　(カ) 相当の注意　(キ) 喫煙　　　(ク) 火気

＜灯火等＞

問 夜間，港内において港則法の規定により，白色の携帯電灯又は点火した白灯を常時表示しなければならない船舶は，次のうちどれか。

練 習 問 題　　　　　　　　　　　381

(1)　長さ15メートルの帆船
(2)　長さ10メートルの漁ろうに従事している船舶
(3)　長さ7メートルの動力船
(4)　ろかいを用いている船舶　　　　　　　　　　　　　　　　　　（六級）
〔**ヒント**〕(4)（§3-6-1)

問　港内において，汽笛又はサイレンを吹き鳴らすことについては，どのように制限されているか。　　　　　　　　　　　　　　　　　　　　　　　　　　　　（五級）
〔**ヒント**〕法第27条

問　特定港内において停泊中，港則法の規定により火災が発生した場合に行う汽笛又はサイレンによる信号は，次のうちどれか。
(1)　短音1回に引き続く長音5回の繰返し　　　(2)　短音5回の繰返し
(3)　長音5回に引き続く短音5回の繰返し　　　(4)　長音5回の繰返し　　（六級）
〔**ヒント**〕(4)（§3-6-4)

問　特定港内に停泊中，火災を発生したときは，汽笛でどのような信号を行わなければならないか。また，その信号は1回だけ行えばよいか。　　　　　　　　　　（五級）
〔**ヒント**〕①　長音5回　　　　②　適当な間隔をおいて繰り返す。

問　次の文の下線部分は，港則法及び同法施行規則上「正しい」か「正しくない」かいずれか。「正しくない」ものは訂正せよ。
　　特定港内にある船舶であって汽笛又はサイレンを備えるものは，当該船舶に火災が発生したときは，⑴航行している場合を除き，火災を示す警報として汽笛又はサイレンをもって　⑵急速に長音を5回以上吹き鳴らさなければならない。　　　　　（五級）
〔**ヒント**〕　(1)　正しい。　　　(2)　正しくない。「長音を5回」に訂正。

問　港則法には，「漁ろうの制限」について，どのようなことが規定されているか。
　　　　　　　　　　　　　　　　　　　　　　　　　　　　　　　　　（五級）
〔**ヒント**〕法第35条（§3-7-5)

＜雑 則＞
問　次の (A) と (B) は，港則法に規定された事項を述べたものである。それぞれの正誤を判断し，下の(1)～(4)のうちからあてはまるものを選べ。

382　　　　　　　第3編 港　　則　　法

(A)　何人も，港内では相当の注意をしないで，停泊船の付近で喫煙してはならない。

(B)　何人も，港内又は，港の境界外10,000メートル以内の水面においては，みだりに廃物を捨ててはならない。

---

(1) (A)は正しく，(B)は誤っている。　　(2) (A)は誤っていて，(B)は正しい。
(3) (A)も(B)も正しい。　　　　　　　(4) (A)も(B)も誤っている。　　　　(六級)
〔ヒント〕(2)（§3-7-7，§3-5-1）

問　港則法では，灯火の使用についてどのように制限されているか。　　　　（五級）
〔ヒント〕法第36条（§3-7-6）

問　港内又は港の境界付近では，どんな灯火をみだりに使用してはならないか。（五級）
〔ヒント〕船舶交通の妨げとなるおそれのある強力な灯火（§3-7-6）

問　港内においては，油送船の付近でどのようなことをしてはならないか。　（五級）
〔ヒント〕何人も，相当の注意をしないで，油送船の付近で喫煙し，又は火気を取り扱ってはならない。

問　港則法の規定によると，港内で，相当の注意をしないで喫煙し又は火気を取り扱ってはならないのは，どのようなところか。次のうちから選べ。
(1)　油送船がよく通る航路付近　　　　(2)　石炭運搬船の付近
(3)　船舶交通が著しく混雑するところ　(4)　油送船の付近　　　　　　　（六級）
〔ヒント〕(4)（§3-7-7）

問　「灯火の制限」及び「喫煙等の制限」について，港則法にはそれぞれどのように規定されているか。（港長の権限に関することについては述べなくてもよい。）　　（三級）
〔ヒント〕灯火の制限………何人も，港内又は港の境界付近における船舶交通の妨げとなるおそれのある強力な灯火をみだりに使用してはならない。
　　　　　喫煙等の制限……何人も，港内においては，相当の注意をしないで，油送船の付近で喫煙し，又は火気を取り扱ってはならない。

問　港則法第38条の規定は，船舶交通の制限等について定めているが，国土交通省令で定める一定のトン数又は長さ以上である船舶は，特定港の管制水路を航行しようとするときは，港長に船舶の名称のほか，どんな事項を通報しなければならないか。3つ述べよ。
　　　　　　　　　　　　　　　　　　　　　　　　　　　　　　　　　（三級）

練　習　問　題　　　　383

〔ヒント〕① 　総トン数及び長さ
　　　　　② 　当該水路を航行する予定時刻
　　　　　③ 　船舶との連絡手段
　　　　　④ 　船舶が停泊し，又は停泊しようとするけい留施設
　　　　　（いずれか3つ）

問　港則法に関する次の条文の 　　　　 内に適合する語句を記号とともに記せ。
　　法第39条第4項　港長は，異常な 　(ア)　 ， 　(イ)　 の発生その他の事情により特定
港内において船舶交通の危険を生ずるおそれがあると 　(ウ)　 される場合において，
必要があると認めるときは，特定港内又は特定港の 　(エ)　 にある船舶に対し，危険
の防止の円滑な実施のために必要な措置を講ずべきことを 　(オ)　 することができる。
　　　　　　　　　　　　　　　　　　　　　　　　　　　　　　　　　　　　（三級）
〔ヒント〕(ア) 気象又は海象　　　(イ) 海難　　　(ウ) 予想
　　　　　(エ) 境界付近　　　　　(オ) 勧告

問　港則法第41条（港長が提供する情報の聴取）第1項の規定が定める「特定船舶」とは，
どんな船舶であるか述べよ。また当該特定船舶が適用される一定の航路及び区域は，
どの特定港において定められているか。1つあげよ。　　　　　　　　　（三級）
〔ヒント〕§3-7-13（1）1，　関門港

問　港則法第42条の規定は，航法の遵守及び危険の防止のための勧告について定めてい
るが，港長はどのような場合に特定船舶に対し，進路の変更その他の必要な措置を講
ずべきことを勧告することができるのか。具体例を1つあげよ。　　　　（三級）
〔ヒント〕§3-7-14（1）

＜罰 則＞
問　港則法第11条（航路による義務）の規定に違反となるような行為をしたものは，ど
んな刑罰を受けることになるか。　　　　　　　　　　　　　　　　　　　（五級）
〔ヒント〕3月以下の拘禁刑又は30万円以下の罰金（法第52条）

著 者 略 歴

福 井　　淡（原著者）
45 年神戸高等商船学校航海科卒, 東京商船大学海務学院甲類卒
45 年運輸省航海訓練所練習船教官, 海軍少尉, 助教授, 甲種船長（一級・航海）免許受有。58 年海技大学校へ出向, 助教授, 海技丸船長, 教授, 海技大学校長
85 年海技大学校奨学財団理事, 大阪湾水先区水先人会顧問, 海事補佐人業務など
〜 2014 年

淺 木 健 司（改訂者）
83 年神戸商船大学航海学科卒, 同大学院商船学研究科修士課程修了, 同博士後期課程修了, 博士（商船学）学位取得
84 年海技大学校助手, 86 年運輸省航海訓練所練習船教官, 海技大学校講師, 同助教授
現在：海技大学校教授

ISBN978-4-303-23713-4

基本航海法規

昭和42年 6 月10日	初版発行		© 1983　FUKUI Awashi
昭和57年12月25日	11版発行		ASAKI Kenji
昭和58年12月27日	新訂初版発行		
令和 4 年10月 4 日	新訂18版発行（通算29版）		検印省略

原著者　福井　淡
改訂者　淺木健司
発行者　岡田雄希
発行所　海文堂出版株式会社
　　　　　本　社　東京都文京区水道2-5-4（〒112-0005）
　　　　　　　　　電話 03（3815）3291代　FAX 03（3815）3953
　　　　　　　　　http://www.kaibundo.jp/
　　　　　支　社　神戸市中央区元町通3-5-10（〒650-0022）
日本書籍出版協会会員・工学書協会会員・自然科学書協会会員

PRINTED IN JAPAN　　　　　　　　　　印刷 ディグ／製本 プロケード

JCOPY ＜出版者著作権管理機構 委託出版物＞

本書の無断複製は著作権法上での例外を除き禁じられています。複製される場合は, そのつど事前に, 出版者著作権管理機構（電話 03-5244-5088, FAX 03-5244-5089, e-mail: info@jcopy.or.jp）の許諾を得てください。